Mikrokosmos Ⅱ
ミクロコスモス――映像の小窓

フォロ・ロマーノ（Foro Romano・ローマ）の夕暮れ＊

サン・ソヴール大聖堂（エクス・アン・プロヴァンス）の回廊―美しいロマネスクの美―＊

マティスがデザインしたロゼール礼拝堂（ヴァンス）☆

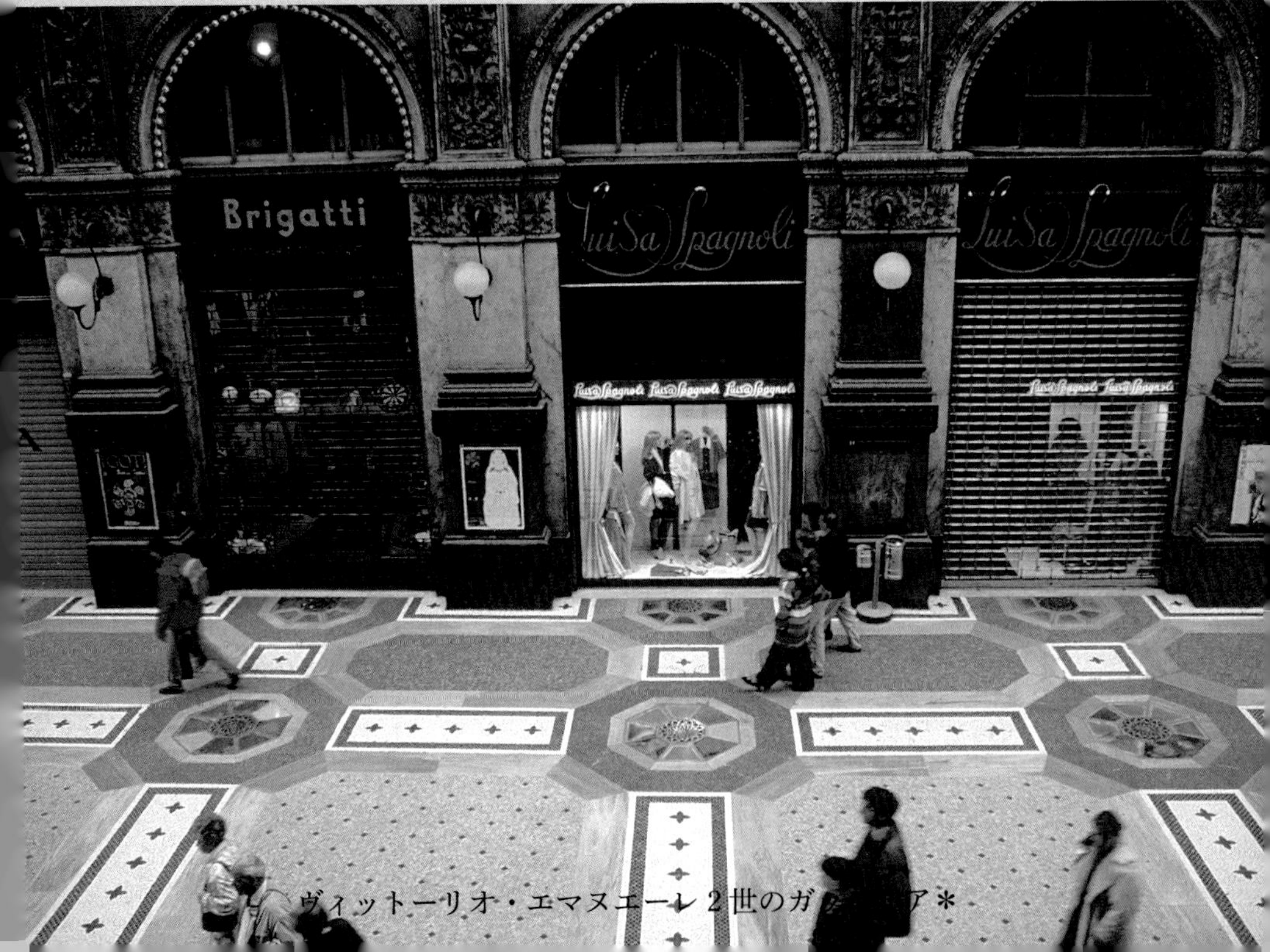

ヴィットーリオ・エマヌエーレ２世のガ[illegible]ア＊

I イタリアへの誘い

ミケランジェロのデザインした
カンピドリオ広場（ローマ）＊

ミケランジェロの「ピエタ像」
（サン・ピエトロ大聖堂・ローマ）＊

ミケランジェロの「ダビデ像」
（フィレンツェ・シニョリーア広場）＊

ベルニーニの主祭壇・天蓋部分
（サン・ピエトロ大聖堂）＊

I　イタリアへの誘い

「トレヴィの泉」の部分
（ローマ）＊

ミケランジェロの天井画「天地創造」の部分
（ローマ・システィナ礼拝堂）＊

コロッセオ
（ローマ）＊

サン・パオロ・フオーリ・レ・ムーラ大聖堂
（ローマ郊外）＊

I　イタリアへの誘い

ライオン像が立つサン・マルコ広場
（ヴェネツィア）＊

18世紀に完成したペーザロ宮(現・国際現代美術館)
（ヴェネツィア）＊

ブレラ美術館入口
（ミラノ）＊

サン・マルコ寺院
（ヴェネツィア）＊

レオナルド・ダ・ヴィンチ像
（ミラノ）＊

バロック様式のサン・モイゼ教会
（ヴェネツィア）＊

I　イタリアへの誘い

マリノ・マリーニの彫刻「馬と騎手」(ペギー・グッゲンハイム・コレクション)

II 南仏・プロヴァンス美術紀行

ミロの彫刻空間
(マーグ財団美術館・サン・ポール・ド・ヴァンス)＊

マーグ財団美術館入口
(サン・ポール・ド・ヴァンス)＊

シャガールの墓
(サン・ポール・ド・ヴァンス)＊

ジャコメッティの中庭
(マーグ財団美術館) ＊

シャガールの墓もある
サン・ポール・ド・ヴァンスの墓地全景＊

II 南仏・プロヴァンス美術紀行

IN PERENNEM MEMORIAM
RENATI
HIERUSALEM ET SICILIÆ REGIS
QUI GESTIS
FELICEM SE SOLUM APUD PROVINCIALES

ミラボー通りに立つ「ルネ善王」(エクス＝アン＝プロヴァンス)＊

II 南仏・プロヴァンス美術紀行

カルダーの彫刻（ニース近代現代美術館）＊

Ⅱ 南仏・プロヴァンス美術紀行

修復中のサン＝トロフィーム教会（アルル）＊

アヴィニョン教皇庁宮殿外観＊

レ・ボー－ド－プロヴァンスへの入口空間にて＊

II 南仏・プロヴァンス美術紀行

ミラボー通りのカフェ
（エクス＝アン＝プロヴァンス）＊

ポール・セザンヌのアトリエ入口
（エクス＝アン＝プロヴァンス）＊

マティスのデザインしたロザリオ礼拝堂
（ヴァンス）☆

ロザリオ礼拝堂入口
（ヴァンス）＊

II 南仏・プロヴァンス美術紀行

Nicolas Froment「Triptyque du Buisson ardent」(1475-1476, Aix-en-Provence, cathédrale Saint-Sauveur)
ニコラ・フロマン作「燃える紫の祭壇画」(1476年)
サン・ソヴール大聖堂(エクス・アン・プロヴァンス)

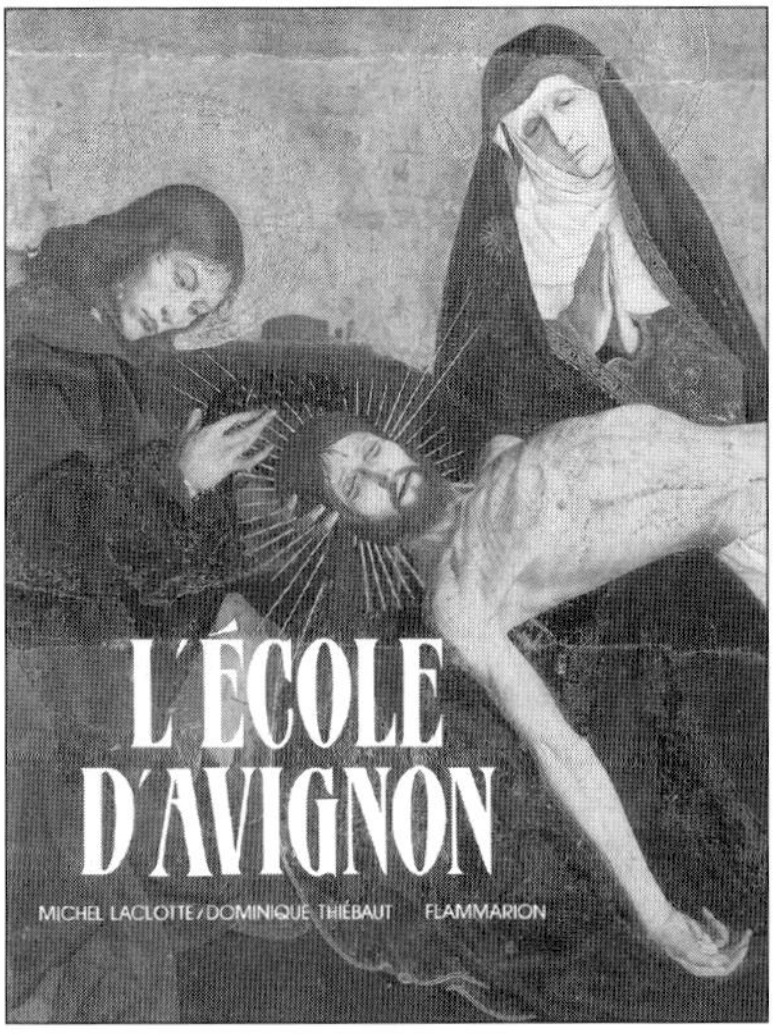

上記の図像の出典は「L'ÉCOLE D'AVIGNON」(MICHEL LACLOTTE / DOMINIQUE THIÉBAUT / FLAMMARION) (1985年) による。

II 南仏・プロヴァンス美術紀行

国立メッセージ聖書
シャガール美術館（ニース）＊

Musée National
Message Biblique
Marc Chagall
〈petit guide〉

AVIGNON-Musée du Petit Palais
（アヴィニョン・プチ・パレ美術館図録）
カバー絵：サンドロ・ボッティチェリの「聖母子像」

「The Hunt with a Falcon」
（Matteo Giovanetti 作・1343年）
（アヴィニョン教皇庁宮殿に残されたフレスコ壁画）

Ⅲ パリ――〈美の館〉

「バラ窓」のステンドガラスが美しいノートルダム寺院（パリ）＊

〈祈りの空間〉ノートルダム寺院――ミサの光景（パリ）＊

カルロス・オットーの建築による
オペラ・バスティーユ（パリ）＊

Ⅲ パリ——〈美の館〉

ノートルダム寺院・正面の門＊

ガルニエ・オペラ座の前に立つ
カルポーの彫刻「ダンス」＊

サント・シャペル礼拝堂外観
（シテ島）＊

III パリ――〈美の館〉

「Les Nymphéas de Claude Monet au Musée de l'Orangerie」(オランジュリー美術館図録)

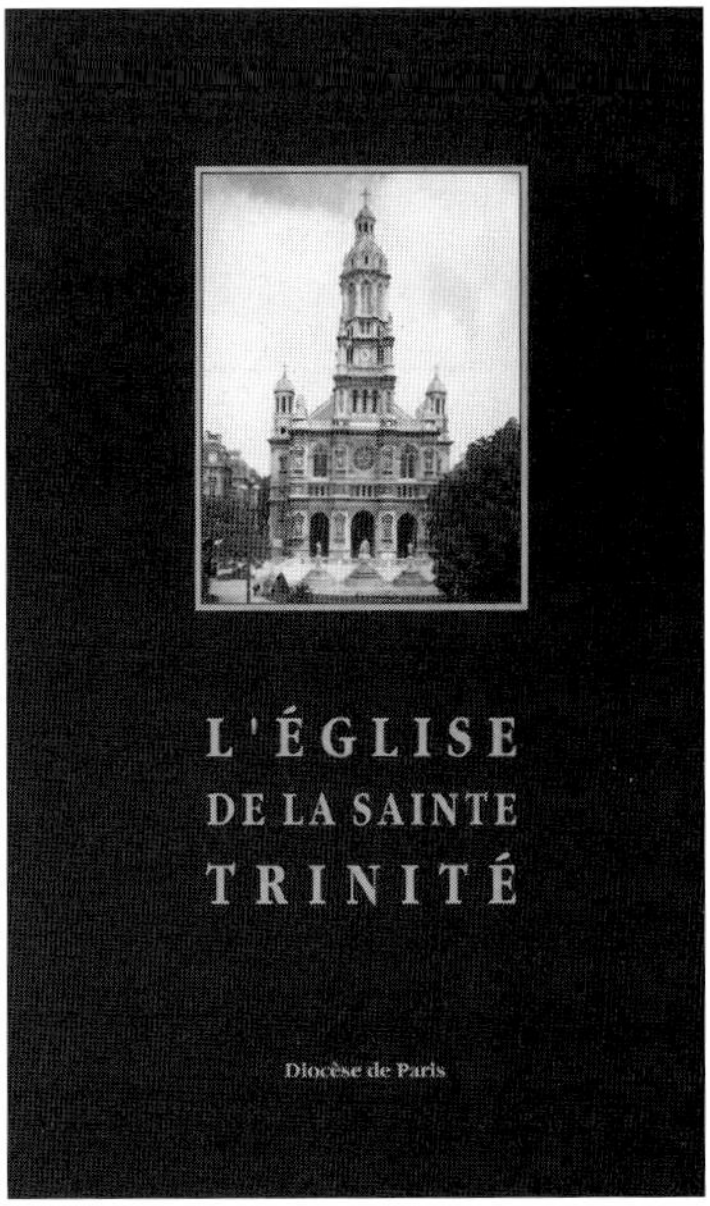

「L'ÉGLISE DE LA SAINTE TRINITÉ」
(サント・トリニテ教会の小冊子)

「Gustave Moreau Symboliste」(1986)
ミュンヘンの「Museum Villa Stuck München」での展覧会図録

Ⅲ パリ——〈美の館〉

新旧オペラ座が合体した写真
（左はオペラ・バスティーユのプッチーニ作曲のオペラ「マノン・レスコー」の舞台）＊

ルーブル美術館〈ガラスのピラミッド〉＊

オルセー駅をリニューアルしたオルセー美術館＊

Ⅳ〈まなざし〉の余録から

聖母マリア像——イタリアの街の一隅にて＊

アヴィニョンのプチ・パレ美術館にて＊

Mikrokosmos

ミクロコスモスⅡ——美の散歩道《プロムナード》1／目次

映像の小窓

I　イタリアへの誘い

II 南仏・プロヴァンス美術紀行

III

パリ――いくつかの〈美の館〉

「もうひとつの世界」へ——まえがきにかえて

旅とは、わけもなく、いいものである。わけもなく、ということとは、それ自体としていいということだ。小難しい理由づけなどはいらない。ふと風に吹かれて、向こうの方へ飛んでみること。タンポポの種のように、眼を足もとから離し、からだを浮かして日常を離れて「もうひとつの世界」に旅立つこと。

その旅は、それはかなり高質なワクワク感をともない、「知らない都市」「知らない人」「未知との作品」との出会いとなる。

言い方をかえれば、ゾクゾクするほどの不思議発見の旅となる。

では私にとっての「もうひとつの世界」とは、どこにあったか。ある時においては、書物の世界に存した。またある時には、ジャズやクラシックの音世界にあった。

でもいつしか眼と心を動かしながら、ただただ初恋の人を思慕するように、欧州に点在する都市を訪れ、美しい絵画、彫刻、建築などをさがしもとめる旅が「もうひとつの世界」になっていた。

中世の人が、聖なる地をめざして遥か彼方まで足を運んだように、それを「美への巡礼」となづけてもいいのかもしれない。でもよく考えてみれば、この表現は、あまりにかっこよすぎる。あまりに傲慢すぎるかもしれない。

というのも旅で出会う「もうひとつの世界」は、とてもでっかく、恐ろしく深く、広いのだ。だからいつもその深く広い海で、方位を見失ってしまい、あっぷあっぷしているのが実際である。

特にヨーロッパの各都市の深さと広さは、並ではない。覗いても底がみえない深淵なる井戸のようなもの。いつも途方に暮れながら、美の見方や味わい方が分からなく困っている小さな自分を発見している。そんなことが多くなり、私は、いつしか美とは重層化した「建築構造体」ではないかと思うようになってきた。だからこそ、しっかりとその美を支える因子となる素材やそこに織り込まれた造り手の哲学的思弁や宗教性を腑分けしなければならないと……。

いつしかその構成する因子は、その文化構造の核《コア》となる歴史や風土（クリマ）、民族性、言語・文学、革新的創造者（クリエーター・つまりアーティスト）、時代性などであり、美を味わうためには、その全てを読み分析する力が必要であると理解するようになってきた。

だから、こうもいえるはずだ。美とは、それらすべてが総合的にブレンドされることではじめて生まれるかなり革新的な味だと。いや新しい革新的美だけでなく醜や奇抜な美さえも、古い体制に抗って生まれたものであると。つまり美を深くあじわうためには、視座を広げ、美の構造を解析する力、つまり図像学や「知の総合力」が必要になるのだ。

つまるところ、美を深く味わうためには、ちょうど良いワインを知るためには、土質、風、光、ブドウの種、貯蔵の樽、ワイナリー（造り手）の個性（人格）など全てに精通していなければならないように、その構成する因子をまるごと知らねばならないと。

私は、この本では、イタリア、南フランスの諸都市、プロヴァンス地方、美の都パリで開花した美をひとつの建築体として「見立て」ながら、単なる旅行記におわらないように心がけながら、それぞれの都市の魅力や革新的創造者が生み出した作品（絵画・彫刻・建築など）についても力を注いで解説を試みてみた。なぜなら作品には、その革新的創造者の熱い思念が脈動しているからである。ある場合には、死の恐れや人生の苦悩や悲哀を表現することで、とても大切なものを私達につたえようとしているからだ。優れた作品は時代をこえて、いまも現在の私たちに多くのメッセージを発信しているにちがいない。

この「美の散歩道《プロムナード》」では、手軽な読み物にもなるように、旅行記風になるようにも工夫した。写真図像も手がかりになればいいかなと、工夫していれてみた。特に個性的な都市空間や美術作品については、全てとはいかないが、可能な限りその価値にじかに触れられるように詳しく解説を加えるようにした。日本で開催された美術展での〈私的観賞メモ〉や旅行中に書いてあった〈ノートメモ〉さらには朝日カルチャーセンター札幌教室でのいくつかのレクチャー内容についても「アートコラム」として記録してみた。いっしょに読んでいただければ幸いである。

この「美の散歩道《プロムナード》」シリーズが、少しでも旅への手引きになれば幸いである。またすでに旅をした方には、もういちどその思い出を反復していただける機会になれば、これまたとてもうれしい限りである。

ミラノの街角で――フォロンの広告作品＊

写真キャプションの「＊」は著者撮影
「☆」はロゼール礼拝堂（ヴァンス）で購入したスライド

I．イタリアへの誘い

ヴェネツィアの街角にて＊

1　ローマ〔Roma〕――バロック都市

この旅を見送りしてくれたのは、J・S・バッハのカンタータであった。それは棕櫚《しゅろ》の枝にまつわるもの。まだ暗い北国の朝、私の耳に、「イエスの受難こそ、私のよろこび」の言葉が聞こえてくる。またカンタータ「天の君をおむかえします」も続いた。指揮は、古楽器演奏の名手アーノンクール。バッハは宗教曲の自筆譜の冒頭には必ず「JJ」(イエスよ、助けたまえ)と書き、ラストには「SDG」(ただ神のみに栄光を)と記したという。まさに祈りの宗教音楽家であった。

気がつけば、日程の上でもピッタリと、この旅全体が、ちょうどキリストの受難と復活を味わうこととなりそうだ。3月27日に、教会の聖日礼拝でイエスのエルサレム入場の物語と説教を聞いたばかりである。さらにイエスが弟子の足を洗った洗足木曜日、そして受難の日である聖金曜日が来る。またイエスの復活を祝うのが、日程上ではちょうどミラノを飛び立つ日となる。とすればなにか不思議な感慨にとらわれてしまう。次第に偶然とは思えない気分になってきた。

ただひとつ心配なのは、私の体のほう。3月26日には、石狩の辺鄙な美登位《びとい》という所へ、インスタレーション形式の現代美術作品を展示した國安孝昌展を見に行ったのは良かったのだが、どうもこの野外展の場所で、ウルシの草にかぶれてしまったようだ。顔を中心に赤い斑点が出来はじめてきた。成田空港で塗り薬を買うことにした。実は、このかぶれはこの旅行中どんどん悪化し、酒も飲めず、私の身体をいやというほど苦しめた。ヴェネツィアでは、赤い斑点が広がり、どうみても幽霊みたいな顔になっていた。とんだ受難週となってしまった。

まず朝８時発のＪＡＬ５００便で羽田へ。そしてリムジンバスで成田へ。ＪＡＬ４０７便で、フランクフルトまで12時間のフライト。そしてフランクフルトから、アリタリア航空４２１便に乗り換え、夜にはローマのホテルに入る計画だった。

無事フランクフルトに着いたが、困ったことに突然にトラブルが発生した。欧州では、３月27日から夏時間に入り、私達が乗る予定だったアリタリア航空は、20時45分には、すでに発着していた。どうもコンピュータの方が、冬時間のままだったので、こういうミスがおこったらしい。長旅のためもあり、疲れも加わり茫然自失。ほとんど人気のないガランとした空港（待合室）で、しばし待機した。急遽特別配慮で、ルフトハンザ機でローマに向かうことになった。少々機内は寒かった。予定より遅れて、深夜にフィウミチーノ（レオナルド・ダ・ヴィンチ空港）に着いた。

空からの夜の風景が、とても綺麗だった。この空港に着陸するあたりから街路の照明が、光の粒子となり規則的に並び、形容できないほどの幻想的な風景を醸し出していた。

この光の粒子によるイルミネーションを見つつ、ある美術家のことを、おもわず思い出していた。それは、鏡とカメラを道具にして、いろんな場所の記憶を掘り出しながら、そこにメッセージを送る写真家佐藤時啓のことだった。かれはローマ市内にある、たとえばフォロ・ロマーノ〔Foro Romano〕などの古代の遺跡などに立ち、自分のカメラにむかって太陽の光を鏡から反射させる。そしてカメラを長時間露出して、撮影をする。そのため人物は、忽然と消えそこに残るのは、光の粒子の痕跡だけというわけである。そんな光をテーマにして作品づくりをする美術家の仕事をおもった。

たしか5年ぶり位のローマのはずだ。22時30分着の予定が狂い、すでに時計は優に23時を回っていた。気品と重厚さにあふれたローマの夜景を、味わいつつ、ヴィスコンティ・パレスホテルにつく。私は荷物をほどくのを忘れて、いつもの癖で一刻も、この町の匂いを嗅ぎたくて、僅かばかりの深夜の散歩にでた。

どういうわけか、5時まえに眼が覚めた。時差のせいかもしれない。でもいやに外がうるさいのだ。暴走族なのか、それともイタリア総選挙の勝利を祝ってのデモンストレーションなのか分からないが、奇声を上げる若者がオートバイを走らせ、騒音がかなり凄かった。諦めて早めにベッドから起きた。果物を多めに摂り、水分いっぱいの朝食をとる。

ロビーで行程を確認する。こんな感じだ。ヴァチカン美術館〔Palazzi e Musei Vaticani〕ピーニャの中庭、ピオ・クレメンティーノ美術館、システィナ礼拝堂・サン・ピエトロ大聖堂、パンテオン、サンタ・マリア・マッジョーレ教会、カンピドリオ広場、カピトリーノ美術館など。

ヴァチカンのシスティナ礼拝堂にどのルートで入るか確認した。まず、博物館入り口から入って、特に名作ぞろいの古代彫刻のゾーンを見て、システィナ礼拝堂に入ることにした。ただ現在、ヨーロッパ中から特にスペイン方面からイースター（復活祭）休暇を使った学生の研修団体旅行が多く、かなり混雑すると聞かされた。

本当に、それははるかに予想を超える大変な混み方であった。若者の軍団が町に道にみち溢れていた。それにしても数日の休暇を利用してのイタリア美術巡りとは羨ましい限りだ。

★ヴァチカン美術館〔Palazzi e Musei Vaticani〕

ヴァチカン美術館は、まだ9時というのに、すでに大型バスの大洪水。外壁までグルリと行列ができていた。ミケランジェロの天井画の修復人気かともおもったが、決してそればかりではなかった。いつもはエレベーターなので、今回はカタツムリのような螺旋形の階段を、歩こうとおもったが、この群衆ではとうてい無理のようだ。仕方なくエレベーターに乗る。

ヴァチカン銀座ともいうべき人波をかき分け、名作と出会いを求めて、歩んでいく。この美術館では、天井空間にも眼を離すわけにもいかない。全身を眼にして知覚する必要がある。〈トロンプ・ルイユ〉つまり〈騙し絵〉が張りめぐらせ、またある所には「地図の間」や「タピストリーの間」、さらには胸像や棺の類も多く実に個性的回廊が続いた。「地図のギャラリー」では、イタリア全土の都市図が、図と地図で描かれている。その青が印象的だ。１５８０年にグレゴリウス13世が、イニャーツィオ・ダンティの下絵をもとに制作させたものという。さらに「燭台のギャラリー」にも、古代彫刻が夥しく並んでいる。

野外の「ピーニャの中庭」も天気がよく、とても気持ちがよかった。〈ピーニャ〉とは、松ぼっくりのこと。中央に大きなブロンズの〈ピーニャ〉が、置かれている。噴水になっている。そこにおかれた孔雀の彫刻を見て、とても関心を持った。孔雀は、古くは死を防腐する役割と意味を持つという。

今回は、時間がたっぷりあるので、かなりゆっくりと古代の彫刻群を「ピオ・クレメンティーノ美術館」〔Museo Pio Clementino〕でみることができた。

古代ギリシャ、ローマ時代の彫刻が、集合され特に八角形の中庭には、名作「ベルヴェベーレのアポロン」「ラオコーン」「ヘラクレス」像などが悠然と並んでいる。ただ大部分はローマ時代の模刻である。優雅に佇むこの彫刻を見ていると、ここが教皇庁ヴァチカン市国にある聖なる教会空間とは思えなかった。すぐに古代の神話時間にタイムスリップできるのだ。自然光を浴び彫刻としても理想の形式で設置されている。日本人としては、なんとなく金色の「ヘラクレス」像が、梶棒を持った鬼のように見えてとても親しみがあった。

さて「ラオコーン」像は、必見の名作だ。ヘレニズム時代の大傑作で、トロヤ戦争が舞台。トロヤの神官ラオコーンとその2人の息子が、大蛇に身体が引き裂かれるという断末魔を写実している。ミケランジェロは、この作品を古代遺跡から発掘して、この迫真の肉体表現に、強い感銘を受けたという。曲線の渦まく人体表現が特異である。さらにベルヴェデーレの中庭でもイタリア現代彫刻を見た。

★システィナ礼拝堂〔Cappella Sistina〕

ようやく「ラファエッロの間」に描かれている「ボルゴの火災」、「聖体の論議」などの壁画を見上げつつ、狭い通路を通り待望のシスティナ礼拝堂にたどりついた。

ミケランジェロ〔Michelangelo Buonarroti〕（１４７５－１５６４）は、教皇ユリウス2世〔Julius II〕から初

体験となるシスティナ礼拝堂の天井画制作を命じられた。苦難の大波を越えて制作した生々しい苦悩のあとが感じられるが、あまりの素晴らしさにそのことを忘れてしまいそうだ。

教皇ユリウス2世からは、壮大な墓碑（未完）の制作を依頼されたこともある。

それは、なんと40体の彫刻で飾るというもの。そのため良質の大理石を求めてカッラーラまで足を運び、そこから石を切り出したという。

これは未完に終わったが、その一部となる「モーゼ像」は、現在ローマ大学の近くにある、「サン・ピエトロ・イン・ヴィンコリ〔San Pietro in Vincoli〕（鎖に繋がれた聖ペテロの意味）教会」に置かれている。また柱を支えた「瀕死の奴隷」像は、ルーブル美術館などに収蔵されている。

ここで偉大なるミケランジェロの人間性について、触れておきたい。

１４７５年3月6日中部イタリアのカプレーゼに生まれた。修業を積み、芸術家を目指して出立し、メディチ家の保護を受けて、新プラトン主義の思想を学び、古代彫刻の模写などを行った。ただ、メディチ家の権勢の浮沈にもてあそばれることもあった。

この街で、メディチ家の異教主義を批判する宗教改革者サヴォナローラに共鳴したこともある。ここに置かれている名作「ピエタ像」〔Pietà〕には、サヴォナローラの影響が残されている。ミケランジェロは、生涯に渡って、「四つのピエタ像」を制作したが、ここに置かれピエタ像は、一番初期の作品である。

ここには、イエスよりも若いマリアの姿が表現されている。それは、サヴォナローラが説くところの、罪なきマリアは歳をとらないという思想が反映しているという。

また、彫刻としては、フィレンツェにある『旧約聖書』に登場する英雄である、ペリシテ人を倒した少年像「ダヴィデ」像も忘れてならない。また、メディチ家の礼拝堂に置かれた追悼の墓碑、「夜」「昼」なども重要である。

さて、この人物の素顔はどんな風であろうか。実像に迫ってみたい。どうもなかなか厄介な、心理的にも矛盾した性格の持ち主のようだ。それをひとことでいうのは、とても難しい。どこか光よりも闇を好み、一方で被虐的なところも多分にある。

そうした陰鬱性な部分がありながら人一倍、逆境をバネにして恐ろしい程の激情性を見せ、優れた作品創造をした。また危険な状況に直面すると、その場から一目散に逃げることも、ままあった。なかなかの詩人の資質もあり、晩年には、ソネット(詩)を詠み、それを通じて未亡人コロンナと精神的愛を交わしたこともある。

さて汚れをおとしたミケランジェロの天井画、『旧約聖書』(天地創造の主題など)の絵画世界は、とても色鮮やかであった。「こんなに明るいのか、凄い」と思わず驚きの声を発するところであった。これまで2度ほど修復工事の状態で、この場で天井を眺めていたことを、想い出していた。

そしてようやく、この完全修復をこの眼でみることができるという歓喜が、じわじわと心の底から舞い上がってきた。なんという鮮やかな色調(オレンジや水色や黄色)であろう。みずみずしい色彩が、天から見おろしている。この暗い空間さえ、なにか明度を増したような気さえする。日本でも、よく壁画の修復により色彩が戻ったなどと報道されることがあるが、それに比していえば、これはまさにルネサンス的色彩の再現といえる。

それにしても、ミケランジェロは、なんという色彩家であろうかと、溜息を漏らさずにはおられなかった。現代画家、野獣派のマチスに匹敵するではないかともおもったほどだ。いつしか、色彩の滴りは、歓喜の音と化し、私のところまで降下してきた。

残念ながらミケランジェロが6年間かけて手がけた「最後の審判」〔Giudizio Universale〕（キリストの再臨と裁きを主題にしている）は、修復は終了していたが、まだ幕を被っていた。このあと教皇臨席の記念ミサを執行し、その以後に一般に公開されるという。

この後は、お決まりのコースで、ヴァチカンの大聖堂空間へ。広大なバロック空間に全身が愛撫された。聖ペテロの像にも触った。みんなが触るので足の指も擦りへり、こてこてになっていた。

近くのカメオ専門店に立ち寄ったが、早々に出て、私は、その間にヴァチカンの近くの書店で、聖書を主題にした絵はがきなどを買った。

昼は、中央駅近くのレストランへ。そこで不思議な出会いをした。日本の小学生グループを引率している現地ガイドの顔に、どこか見覚えがあり声をかけた。偶然とは恐ろしいもの。前のイタリア旅行で、現地のガイドを頼んだローマに在住している画家のIさんであった。お互い顔を確認しつつ「やあ、元気？」と挨拶。「どこに泊まってるの」。ホテルの名をいうと、「そこなら僕のアトリエの近くだよ」ともいう。前回も、「ぜひアトリエに来て作品をみてよ」といわれていたのだが、どうも今回も時間に余裕がなく無理のようだ。日本で個展をやるとき、「可能であれば是非、足をのばして札幌でもやりましょうよ」と言葉をかわした。

★古代建築の雄――パンテオン〔Pantheon〕

まず、古代建築の王者である「パンテオン」（汎神殿）にいく。古い列柱が古代の時間へと誘ってくれる。ひときわ建築様式が異彩を放っている。古色蒼然の美だ。

もとはローマ皇帝アグリッパが、AD27年から25年にかけて建設し「汎神」に捧げた。その後118年にハドリアヌス帝が再建した。上部がポッカリと円形に開口している。当然そこから光も注ぐが、雨も入ることになる。下をみるとその雨水を溜めて流す穴が開けられていた。この建築物を見て、こうした現代でも難しい半円形のクーポラを作りあげたことに言葉を失ってしまう。ミケランジェロは「天使の設計」と称賛したという。

このクーポラは、当初はブロンズの板で覆われていたが、後に鉛に変わった。素材は、斑岩、砂岩、黄色大理石などが用いられている。壁の汚れや外壁の重厚さなどに悠久の時間を強く感じてしまう。

もうひとつの魅力は、ここがイタリアにとって大切な人物の菩提寺となっていることだ。近代イタリア建国の父エマヌエレ2世とウンベルト1世。近代の知の序幕を切った科学者ガリレオ・ガリレイ。そしてなによりルネサンスの華、「聖母の画家」ラファエッロ・サンティの墓がある。ラファエッロのところだけは、赤い薔薇がたくさん捧げられている。現在もこうして花が添えられているというのも、すごいことだ。

たしかに若くして死んだのであるが、ただ女遊びも一因となり死んだのだから同情する気も少し薄れてしまうのは、私だけではあるまい。

このあと、残り少ない時間を利用して、市内に点在するローマ・カトリック教会をひとつ見た。「ローマ5大教会」のひとつ「サンタ・マリア・マッジョーレ」〔Santa Maria Maggiore〕教会の空間に入った。不思議な物語が伝わっている。4世紀頃、法王リベリウスの夢に聖母マリアがあらわれ「今晩、雪の降ったところに教会を建てよ」という。5世紀に創建、内部空間はとても暗いが重厚な教会だ。ローマにおける最初のキリスト教聖堂である。モザイクで飾られるなど、古典的なバジリカ式様式を保っている。16世紀に入り、聖母崇拝の熱が高まり外観も変更された。元は古式の祈りの空間をみせていたが、いまは内部に幾つかの礼拝堂が創建され、バロック的空間を現出している。その中でもなによりも大理石の墓室が、眼を奪った。

夜は、カンツォーネを聞くことも考えたが、止めた。バスをカンピドリオ広場でおり夕べの冬の時間を、しばし悠久な時間を感じながら、「フォロ・ロマーノ」〔Foro Romano〕の廃墟をながめた。

★カンピドリオ広場〔Piazza del Campidoglio〕——カピトリーニ美術館

このカピトリーニの丘からは、レリーフの美しいセヴェルスの凱旋門や、サトウルノの神殿が、一望に見渡すことができる。

カピトリーニは、初期からローマ市政の中心であった。

セヴェルスの凱旋門は、白が印象的だ。２０３年にセヴェルス帝の東方遠征を記念して建造された。３つのアーチ型はとても稀有なものという。ここに身をおくと悠然とした時間は、いまここに自分が存在していることさえ、忘れさせてくれる。時間の魔術か。それともこの廃墟空間が、時間感覚を狂わすのか。それにしても、この場所からの風景は、最高の価値を持つことを知った。今度は、夕日が沈むまでの時間の推移をじっくり眼と身体に刻みこみたいものだ。

この「カンピドリオ広場」は、16世紀に教皇パウルス3世ファルネーゼの依頼により、ミケランジェロが設計したもの。正面が市庁舎。左右に宮殿が続き、この広場の敷石の幾何学的デザインが、とても斬新である。階段のところまで登りこのデザイン感覚を堪能した。実に、大胆な敷石の配置だと感心する。

この〈カンピドリオ〉〔Campidoglio〕とは、〈首都〉の意味があり、また１５３８年には、この広場の再デザインに伴い、ラテラノ大聖堂の前においてあったマルクス・アウレリウス帝の騎馬像をここに移した。いろんな意味で世界の中心ともいえる。

ここには夜までオープンしている世界で最古の美術館といわれる「カピトリーニ美術館」がある。市庁舎、新館、コンセルヴァトーリ館で構成されている。今回は、「コンセルヴァトーリ美術館」のみで満腹してしまった。

この美術館全体は、朝見てきたシスティナ礼拝堂の名前のもとになっているシクストゥス4世がコレクションしたものを中心に展示されている。

まず度肝を抜かされるのは、エントランス小広場に置かれた巨大な彫刻の断片だ。どんな形容詞もあまり用を為さない。この壮大な顔、指、手をみていると、物の大小関係の基準がなんであるか、分別できなくなるのだった。

この頭部は、奈良の大仏みたいに大きなコンスタンティヌス帝の全身彫刻の一部という。この古代の彫刻類の壮大さを、実感するため、試しにその前に立って写真をとって見たが、なんと私達は子供となる。こうした断片が、美術館内部ではなく、さりげなくゴロリと放置されているのには驚くばかりだ。が、これらの断片はそれぞれのモニュメント（記念碑）や教会などを飾ったものである。想像力を飛翔させてみる。特に今見た「フォロ・ロマーノ」が、活気に満ちていたころは、こんな巨大な彫刻が文字通りあふれていたのであろう。ローマ的とは、〈壮大〉という意味を持つのではないかとおもったほどだ。

この美術館には、数々の彫刻の名品が置かれている。「棘をぬく少年」。これは紀元前3世紀の作品。ローマ時代の模刻であるが、とても写実的である。またローマ建国の物語に由来する「カピトリーノの雌狼」、あの狼に育てられた子供（ロムルスとレムス）のブロンズが置かれてもいる。そして美しき「カンピドリオのヴィーナス」。また、エジプト彫刻や、宗教画も多く、結構な点数が並べられていた。

絵画ではバロック絵画の巨匠カラヴァッジョの作品が、2点あった。「こんなところにもカラヴァッジョがあるとは」と意外におもった。代表作「女占い師」と、「洗礼者ジョヴァンニ」の2つ。「洗礼者ジョヴァンニ」は、特別に画架に乗せられていた。他にはグィド・レーニの「聖セバスチャン」と「クレオパトラ」などがあった。この日の最後は、フォロ・ロマーノ遺跡を借景しているレストランで夕食をとることにした。残念ながら、野外の席はクローズしており、室内の席で野菜スープなどを取った。

2　フィレンツェ〔Firenze〕——典雅の芳香

始めに、このフィレンツェの横顔を大づかみに語っておきたい。そしてどうしてここにルネサンスという名の最新の文化が開花したかについて、その歴史的背景を踏まえながら見ておきたい。ルネサンスとは、「古代ギリシャ・ローマ文化の再生、復活」の意をもつ。大きな文化革新運動であった。ただこの言葉は、19世紀のフランス人ペイターなどが提起した文化概念であり、イタリア語ではない。

文学者も先駆的意識を抱いた。教会からの束縛を離れて、人間の顔をした文学を目指した。イタリア文学の誕生である。ペトラルカやボッカチォらが、新風を送り、清新な人間観を築いた。絵画が、それに続いた。イタリア・ルネサンスは、「花の都」とよばれるフィレンツェを舞台にして開花した。またこの文化都市たる「花の都」をひときわ際立たせたのは、「学芸の保護者」としてメディチ家〔Medici〕の存在を忘れることができない。

この家の家紋、つまり紋章は、6つの玉（丸薬をあらわしている）を配している。それはこの家が、かつて薬種業を営んでいたことに由来する。さらに資産を為したこの家は、銀行業（金融・為替）にも手を広げた。さらにヨーロッパ全土にまで支店網を張り巡らせ、その貸付帳簿には、なんとローマ教皇や、フランス国王、ドイツ、スペインなどの王侯も名を連ねたという。

さて、この家系を見てみよう。「祖国の父」と呼ばれるのは、ジョヴァンニの息子、コジモ・デ・メディチである。コジモは、トスカーナ地方における最大の資本家たる地位を築いた。その跡を継いだのが、豪華王ロレンツォである。

メディチ家は、学芸の保護者、つまりいまでいうところの「メセナ（企業の文化支援）の先駆者となる。実際に多くの美術品を収集し、また当時の最新流行思想である新《ネオ》プラトン哲学を奨励した。その優れたコレクションは、「サン・マルコ修道院」〔Museo di San Marco〕の庭に設けられた「彫刻学校」にも置かれ、それを見てミケランジェロも学んだといわれる。

さらにギリシャの哲学者プラトンを新しく解釈して、異教的なものと、キリスト教思想と違和感なく「調和」させたマルセル・フィチーノらの学者を招いてアカデミー（学園）を開設した。

ただロレンツォを過大評価することは、差し控えなければならない。というのもロレンツォは、政治家としても、なかなかの手腕を発揮し、文化保護を外交政策にも利用させた、なかなかの戦略家であった。

学芸の育成とその保護とは、いかなるものであったか？ こんなこともあった。大きな美術コンクールも行なわれた。１５０１年に羅紗組合がスポンサーになって、サン・ジョバンニ洗礼堂のブロンズの門扉の制作を競わせた。

さて、基礎的な予備知識はこれ位にして、この街の探索に出かけてみよう。行程は、「サンタ・クローチェ教会」〔Santa Croce〕、「ウフィッツィ美術館」〔Galleria degli Uffizi〕、「ドゥオモ」〔Duomo〕（サンタ・マリア・デル・フィオーレ教会・花の聖母教会）を巡るもの。ホテルの前からバスに乗った。バスが停車していたのは、魚屋の前であった。今朝とりたての魚であろうか、ズラリと並べられていた。名前の分からない魚があるので、店の人に聞くが、イタリア語で名前を言われそれが日本でなんというのか、分からないのでただ頷く以外なかった。

朝霧が立ちこめる中、バスは、走っていく。私はトスカーナ地方の風景をみると、不思議なことになぜか心がなごんでくる。懐かしさとはちがう。静かにゆっくりと心に安息をもたらしてくれるのだ。緑色のなだらかな丘。それは、高くもなく、さりとて低くもない。トスカーナ派の画家が描いた絵に出てくる風景が、ふと心の空白に、光をともしてくれる。

壮快な天気。春の陽光が注ぎ、乾燥した空気が気持ちいい。遠くに城壁に囲まれた山岳都市が、ところどころに見え隠れする。

バスは、一時トレイ休憩をとる。休憩所の店の側で、小さな野花を摘んだ。白い花をつけた小さなユリのような花と、薄い紫のとっても小さな可憐な花だった。本のあいだに挟み、旅の思い出とする。

一路、麗しい乙女フィレンツェとの再会を求めて、高速をひた走った。

トスカーナの田園風景を満喫していると、3時間あまりで、到着した。

まず第一歩は、予定にはなかったが、「サンタ・クローチェ教会」[Santa Croce]と決めた。市内のグラッツェ橋のたもとで下車し、歩いてウフィッツィ美術館にいく道筋なので、途中にある「サンタ・クローチェ教会」に立ち寄ることにしたわけだ。

この「サンタ・クローチェ教会」前の広場は、フィレンツェでも最古のものという。

ヨーロッパのそれぞれの都市には、広場があり、それぞれ固有の価値をもっている。そこは、政治の場であり、討論の場でもある。つまり自治の精神を養う場である。擦り切れた石畳に立つだけでも、足裏から都市の伝統を感じる広場である。

★サンタ・クローチェ教会〔Basilica di Santa Croce〕

正面に向かって左面には、詩人のダンテ像もあり、正面の幾何学的な構成の建築物が、清楚な中に品格を放っている。13－15世紀にかけて建立されたフランチェスコ派の教会である。当時としては、最大級の教会であったという。

明日訪れることになっている「サン・マルコ修道院」は、ドミニク派に属し、同派の「サンタ・マリア・ノヴェラ教会」〔Santa Maria Novella〕とは兄弟関係にある。この教会はフランチェスコ派に属しているとのべたが、フランチェスコとは、清貧の修道士アシジのフランチェスコのことである。なんとこの地では、ヨーロッパで有名な二大修道院の勢力が、競合していたことになる。

この内部の「バルディ礼拝堂」と「ペルッツィ礼拝堂」〔Cappella Peruzzi〕には、あのジョット・デ・ボンドーネ（１２６６－１３３７）が描いたフレスコ壁画、「聖フランチェスコの生涯」の連作がある。ローマの「システィナ礼拝堂」のような巨大な空間ではないので、親しみのある等身大の壁画という感じがする。なにより日本画のような古色蒼然の色が、心を和ましてくれる。

剥落した部分が、痛々しいが、それがかえってなにかを語ってくれる。それぞれが、長い時間の経過を彷彿とさせてくれる。それらは、教会の狭い空間に描かれているが、それをみると、ジョットの息づかいさえ感じた。死せるフランチェスコを前にして、弟子たちが、慟哭する情景が描かれている。「聖フランチェスコの死」である。粗末な衣服に身を纏った人間味溢れる弟子の表情がとてもいい。

ジョットの描く人物は、実にゆったりとしている。この死を嘆く劇的場面を描きつつ、人間の気持と感情をそこにさりげなく織り込もうとする。そこにはある種の押し付けがましくなく、自然とみる者の心に染み込んでくる。実はこの壁画は、長いあいだ漆喰で塗りこめられており、1852年に再びみることができたという。

私には、こういう教会が、古色を漂よわせつつさり気なくあるというのが、羨ましい限りだ。あと一週間でもかけて、それぞれの教会を巡って歩き、画家の心に想いを寄せつつ〈古寺巡礼〉をしたら最高であろう。たとえばこんな風にである。マサッチョが描いた「楽園追放」の修復された壁画がある「ブランカッチ教会」にも行ってみたい。また、「サンタ・マリア・ノヴェッラ教会」へも足をのばしたい。それは14世紀の建立で、ルネサンス式の優雅なデザインで、設計は、遠近法に精通したアルベルティの手によるもの。まだまだ書き切れないほどだ。そんなことをいっていたら、時間は、いくらあっても足りないかも知れない。

また知ってのようにこの教会には、様々な芸術家の墓もある。それをみるのも、この教会訪問の目的の一つである。

私達の感覚でいうと、教会のなかに墓碑などがあるというのは、どうも馴染みがなく違和感がある。教会は、純粋に礼拝の場という考えが、先ず初めにある。しかし、日本風にいえば教会は、お寺でもあるのだから、当然墓はあっても不思議ではないのかもしれない。ただ私達にとっては、死は、特に死体は不浄のものという観念があるので、なかなか馴染むことができない。

ヨーロッパにおいては、「死の記号」は、決して不吉、不浄ではない。これは、明らかに日本人の死生観と対立する。西洋人は、生と死を同一に理解し、むしろ死を飾ることに精力を注いだ。また死は、生の終わりではなく、もうひとつの始まりでもある。これはあきらかに宗教観による違いであろうか。またヨーロッパ人は、そのひとの人生を記録し後世に伝えることをとても大切にするので、墓碑は、重要なモニュメント（記念碑）となる。

さらに死さえつねに見える形にするという彼らの考えが、生きて働いている。

メディチ家の礼拝堂も拝見したが、これなどは華麗とさえいえる記念〈墓碑〉であり、死を追悼するというよりもその人の生を、おおいに賛美しようとするモニュメント機能さえ帯びている。永遠に死そのものを恐れずに、飾り、追悼する装置をもっているとでもいえようか。その人の死を見ることがその人を追悼するのだ。

まずびっくりしたのは、床一面におかれた花々の鉢の数。いつもここは、こんなにも花が、咲き誇っているのであろうか。

ここは、あるひとつの地上の楽園なのであろうか、とさえおもったほどだ。

さて、話をもとに戻すことにする。ここにあるダンテの墓は、仮のもの。正式なものは、ラヴェンナにあるという。ミケランジェロの墓のデザインは、ヴァザーリの設計によるもの。元々は、ローマにあったものを、ヴァザーリがとり戻し、ここに置いたという。さらに、イタリアを代表するオペラ作曲家、ロッシーニの墓もある。

つぎに、ドゥオモを横に見つつ、小路をくぐり、市内を歩いた。まずウフィッツイ美術館へ向う。誰しも、ここでルネサンスを飾った名画に出会うことを楽しみにしている。しかし、すでに長蛇の列。ここも学生達の行列。まず並ぶことから、始まる。「郷に入っては、郷に従え」の気持ちだ。待ち時間を使ってローマで紛失した〈ニコンFT２〉の代わりに、カメラを買うことにした。ちょうどショーウィンドーにあったミノルタに眼がいった。予想より安い。みるとレンズは、日本製でボディは中国製であると分かる。知人からおつりをごまかすかもしれないので、しっかり貰えといわれる。案の定、少ない。足りないことを抗議するが、ラチがあかない。店の上のものと交渉し、電卓で確認させようやく残りが戻ってきた。

この美術館は、かなり前のことになるが、爆破事件により、世界の人たちが、名画の破損を心配していた。実際、どのくらい破損し、またどういう見せ方をしているのか、気になるところだったが、なかに入ってみると後半の建物では、やはり工事の音が続いていた。閉じている部屋もあった。傷跡など生々しく残っていた。美術館を爆破するということは、一体どんな意味があるのか、こんな馬鹿げたことを、人間がするということも考えてみれば、愚かなことだ。

美しいものを創造するのも、人間。そしてそれを破壊するのも、人間。天使ともなり、悪魔にもなるのだ。いつの時代も、やはり人間というのは、どうしょうもない二面性をもった存在のようだ。

まず爆破に怒りをもったのは、サンドロ・ボッティチェッリ〔Sandro Botticelli〕の作品の前に立った時だった。「プリマヴェーラ」〔Primavera〕や「ヴィーナスの誕生」〔Nascita di Venere〕も、なにかぎこちなく見えた。困ったことに、あの優美な線も、あの繊細な塗りも、じっくりみる状態ではなくなっていた。ピカソの「ゲルニカ」のように表面にガラスがかけられていた。そのため光の乱反射により、とても見えにくい。これだと画集の方が、鮮明度が高くなってしまう。困ったことだ。

異教（非キリスト教的）の思想を視覚化したこのボッティチェッリの作品であるが、やはり、他の画家と全く違うということに気づかされる。私は、この少し頭をかしげた愁いを秘めた顔が好きだ。美のイデアが、どこからかやってきて、優美な形姿に宿ったというほか説明がつかない類例のない美しさを放っている。

これらの作品をみる時期は、花が一斉にひらく6月が最高だといわれる。少々早いが、春の季節に変わりはない。

ルネサンスの春が、開花したこの都市で、心地よい春風を嗅ぎつつこの作品を鑑賞することは、考えて見れば、最高の楽しみ方ともいえる。

最初の部屋には、ゴシック的絵画からルネサンス絵画への転換の流れを、数点の作品を通じて確認できる。その流れを、都市の盛衰でいえばこうなる。ピサ派、ルッカ派、フィレンツェ派、シモーネ・マルティーニに代表されるシェナ派などが続くことになる。

私なりの好みで、この美術館で、もうひとつ好きな部屋をあげるとすれば、なんといっても最初の一室だ。ここには、ルネサンスの黎明があるからだ。チマブーエからジョットへ。聖画でありつつ古色が去り、人間味を持ち始めてくる。ビザンティン風の神々しい厳格な感じから、血の気を帯びていくのを、ここに立って、数枚の絵へと順次眼を少し動かせば、それが自然とのみこめるのだ。

12、13世紀というのは、美術史の上でも大切な変革期といえるが、それは象徴的にいえば、ビザンティンやゴシックという神々しい国から、天使達がルネサンスという地上に降りて立った時期ともいえる。その革新の生き証人が、まさにジョットでありチマブーエだ。

つまり、人間の血がながれる絵画。人間の骨格をもった人体美。感情をもった人間。哀しみをたたえた顔。生きた絵画が、ここには誕生した。よくいわれるように、ルネサンスというのは、「人間と自然」の発見ともいう。まず、この一室では、その「人間の発見」を確認できるのだ。また天使の翼の、なんと色彩感覚の鮮やかなことか。

途中、この美術館の回廊から、「ヴェッキオ橋」〔Ponte Vecchio〕をながめた。この橋は、フィレンツェにふさわしい風格のある橋だが、ここからみる風景は、なかなか美しい。

★サンタ・マリア・デル・フィオーレ〔Santa Maria del Fiore〕（花の聖母教会）

この後、「ドゥオモ」〔Duomo〕にはいる。最初の建築は、１２９４年という。この前にあったサンタ・レパラータという聖堂を、改築することから始まったという。当時の設計は、アノルフォ・ディ・カンビオ。つぎに、この天蓋の設計が、持ち上がってきた。これは、当時として珍しくコンペスタイルで実施案が、競合しあった。時は、１４１８年の８月。当選賞金は、２００フィオリーニ金貨であった。なにが争点になったかといえば、設計ではなく大クーポラの建設方法であった。

ここで登場するのが、天才的建築家ブルネレスキ〔Brunelleschi〕。彼は、木枠をもちいることなく、自立する建築方法を考えた。彼は、実際に煉瓦をつかって模型を作成していた。工事期間、なんと16年という。それでも想像をこえた難工事であったことは、予想できる。

この時代の建築としては最高の技法が駆使されており、当時の大プロジェクトであった。

ではどこが革新的なのであろうか。それは、楕円構造の天蓋を、13世紀に起工されていた既成の建物の上に乗せるという離れ業を行ったことにある。彼は、オワンを二重構造にしてスッポリと被せることを考案したのだ。

そして大聖堂は、１４３６年の3月25日。それは、聖母マリアの「受胎告知」の日であったが、盛大な儀礼とともにマリアに捧げられ、さらにこの年には、課題のクーポラも完成した。

このドゥオモの内部では、ウッチェッロとカスターニョの描いた傭兵隊長を描いた像が、眼にはいってくる。カスターニョの「ニッコロ・ダ・トレンティーノ騎馬像」。ウッチェッロの「ジョン・ホークウッド騎馬像」。それぞれがこの都市を防備するために戦った人物を讃えるものだ。もうひとつ眼に入るのは、時計盤。文字盤も当時のままの時計。今回は、時間がないのでクーポラへの登りは、やめるが、人が上っているのが、肉眼でも確認できる。外にでると、いやに眼が痛くなるほどの明るさだった。

「ジョットの鐘塔」（カンパニーレ・ディ・ジョット）〔Campanile di Giotto〕がそそり立っている。85メートルの高さがある。

この建築は、ジョットの設計による。だが実際は、１階部分のみを完成させて、死去してしまい、弟子格のアンドレア・ピサーノにより、さらにフランチェスコ・タレンティにより完成した。

さて、ここでフィレンツェを個性化する色彩感覚について、少しのべておくことにする。高価な色大理石を駆使するこのデザイン感覚は、その華麗さにおいてフィレンツェに勝る都市は、ない。どんな町にも、ひとつの基調となる色彩があるとすれば、ここのはまちがいなく多彩なドゥオモに象徴されている。

昔から西洋は、「石の文化」、東洋は、「木の文化」とはいうが、決してそう単純ではないようだ。たしかに石の文化ということは、否定しないが、それは単に構築性とか、物質の問題としてのみ、語られる傾向があるが、さらに素材が持つ色彩美（感覚）にも関係してくるものであると、改めて痛感させられた。

それほどまでに、この町の教会の素材となっている大理石の色彩は、夢幻的な酩酊を引き起こすことができる磁力をもっている。紅（ピンク）、グリーン、グレーなどの色彩は、すべて大理石の色。それが、時間の経過にともない、かなり汚れ、それがまた言い知れぬ渋い色を、醸し出してくる。ただ建てられた当時は、どんなにか鮮やかであったか、充分に予想がつく。

それらを、絶妙に色彩配置して品格ある明度の高い調和を作り出している。色彩のハーモニーは、鐘の音以上にひとの心に響きあったようだ。それは、今でもこの場所に立ってドゥオモのこの世のものとは思えない色彩の調和に、しばし酩酊するだけで、その優美さを、味わうことができる。

川辺を通ったが、いたるところ、人々が、ゆっくり休んでいるのが見えた。のんびりした田園の風景が、あった。また白いものが、ふわふわと沢山浮かんでいた。綿のようなもの。それが、舞いつつ路上にたまり塊となっている。

この風景は、イタリア映画の巨匠フェデリコ・フェリーニの映画「フェリーニのアマルコルド」（１９７３

年）のシーンによく似ている。フェリーニの映像世界に、立ち込めていたのは、「このトスカーナの風と匂いだったのだ」、とおもわずうなずいていた。

宿泊ホテルは、中心街から離れた郊外型のホテル。ワールドサッカー開催に合わせて建築されたものという。アメリカンタイプのシェラトン・ホテルではあるが、まず立地場所が気に入った。高速の近くではあるが、全くトスカーナの田舎の風景にすっぽりとはまっている。糸杉、レンガ色の農家、なだらかな丘が、一帯にみえる。気分は、一気にトスカーナである。

★サン・マルコ修道院〔Museo di San Marco〕

「キリストの磔刑図を描くときには、涙が頬をぬらさないことはなかった」（ヴァザーリ）

翌日は市内の駅までホテルのバスでいく。「サン・マルコ修道院」、「サン・ロレンツォ聖堂」〔Basilica di San Lorenzo〕、「メディチ家の礼拝堂」〔Cappelle Medicee〕に足を運んだ。全て、メディチ家に関係した建物である。

バスを降りて「サン・マルコ修道院」まで徒歩でいくことになったのだが、途中でなにか公的な建物が建っている敷地に入ってしまい抜けられない状態になった。完全に、迷い道に入っていた。仕方がなく、庭におかれた人体をモティーフにした群像彫刻（作者は、だけか確認できない）などを見つつ、予定のない早朝の散歩をした。

気を取り戻し、方向を確認する。凡そ15分位は、歩いたであろうか。ようやく目指すサンマルコ広場にきた。その脇に「サン・マルコ修道院」がある。

ここは、ほぼ一番のりであった。まず、中庭をとおって参事会室で、キリスト磔刑のフレスコ大画面と対面。十字架のキリストと処刑された二人の犯罪者が、左右に配置された伝統的絵画であるが、それがフレスコ壁画となっていた。礼拝堂とはちがってプライベートな部屋という感じ。こんな所で、腰をかけながらのんびりと作品をみるというのも最高の気分だ。

私は、この建物とフラ（ベアート）・アンジェリコ〔Fra' Angelico〕の作品がいかに密接にからんでいるかを知るため、僧院の中をまず訪れた。まず、二階への階段の所へ向かう。見上げるようにしてフラ・アンジェリコの名作「受胎告知」〔Annunciazione〕と対面する。なんという場所にあるのか。下から上がっていくので、ちょうど自然と見上げる恰好となる。視線が、引き上げられた所に、大天使ガブリエルが、マリアに受胎を告げるシーンがある。それが、さりげなくありきたりの日常の時間の中で、まさにこの修道院のこの場で行われているかのような感慨に襲われた。

つまり、フラ・アンジェリコは、この僧院の空間で、この〈受胎告知〉という「聖なるドラマ」が起こったかのように構想したのだ。

私達はここに立って、この場所でしか感じることができないことが何かをしっかり味わうべきなのであろう。どんな作品でも、その「描かれた場」というのがとても大切である。もしもこの作品を、壁から剥がして美術館に展示をしたら……。それはこの作品の死を意味するであろう。

というのも、フラ・アンジェリコは、この僧院という空間と時間に生きたものとして、みずからの信仰の告白として絵画を描いているからである。画家としての卓越さに驚くだけでなく、僧としての信仰の確かさにも気づくべきなのだ。

ひとつひとつの個室（僧室）に、一枚の絵が描かれている。「受難の物語」や、「イエス伝」が描かれている。全体として、キリスト磔刑が、なんども反復されていた。

さてこの「受胎告知」であるが、画面の下のところに文字がラテン語で記されているのをご存じだろうか。ぜひ気付いてほしい。その文字は、こんな戒めの言葉であるという。

「その前を通って汚れなく完全な聖処女の御姿を仰ぐとき、アヴェ・マリアを唱えることを忘れないよう心せよ」。

ということは、この絵画は、一日何度かこの前を通る修道僧たちに自分の信仰を映しだす鏡の役割を果たしているのではないか。

修業のための、自己省察の器。つまり信仰の鏡でもあるのだ。

この僧院は装飾性がそぎ落とされている。ここは、フラ・アンジェリコ個人美術館の性格をもっている。一階には、かれの大作などが納められている。「最後の審判」もある。この作品は、ある種の審判図、そして地獄の図であるが、この画面の中央におかれた墓地のシーンが異色だ。とくに無機質的かつ即物的な描写が、現代的である。コンクリートのような墓地なのだ。この時代にこうしたことを表現したこと自体が、俄かには信じられなかった。

その構図が、斬新だ。さらに有名な「地獄図」には、怪物が人間を食らうというおぞましい内容がギッシリつまっている。天国の華麗な金色に対して、地獄の赤という対比が、絶妙の効果をもたらしている。

ところで、このフラ・アンジェリコ、つまり〈天使の僧（修道士）〉の名を持つこの僧侶は、実際に天使をたくさん描いた。本名は、グイード・ディ・ピエトロ、僧籍としてはフラ・ジョバンニ・ダ・フィエーゾレという。信仰が特に篤かったようだ。

こんなエピソードが残っている。アンジェリコが絵を描くときには、つねに祈る心を忘れずにいたともいう。美術史家でもあるヴァザーリは、「キリストの磔刑図を描くときには、涙が頬をぬらさないことはなかったといわれる」とも語っている。

この画家は、とても現代的な画面を作り出した。僧として、修道院の壁に描いたものが、どういうわけか、現代人に向けて描かれたとしか思えないほどの斬新性と現代性をふくんでいるのだ。

「嘲弄されるキリスト」という作品がある。キリストに茨の冠をかぶせ、兵士達が、イエスを愚弄するシーンだが、特異なのは、大胆に省略されていることだ。愚弄する人物は、顔の一部と手のみしか描かれていない。だが不思議なことにその省略が、圧倒的な緊迫感を与えてくれる。

さらに、ここには図書館もある。これは、コジモ・ディ・メディチの肝いりによって設立されたという。眼が醒めるような色彩に彩られた楽譜などが、並べられていた。

さて、この場所のもうひとつの見所は、奥の部屋。つまりジロラモ・サヴォナローラ〔Girolamo Savonarola〕の部屋である。入ってみるととても狭い。ここで書きものをしていたとすれば、なんと不便なところであったか。どうみても兎小屋以下である。彼自身が使用した聖書もある。以外と小さいのにもびっくりした。生々しい筆跡による書きこみが、眼に飛び込んでくる。

鼻に特徴のある彼の肖像画も飾られている。昨日見たシニョーリア広場での彼の火刑図もある。この僧院が、過激な説教で世間を、いやローマ・カトリック教会全体を激震させた改革者が、輩出した場所でもあることに気づかされる。

それにしても、優しいあのフラ・アンジェリコと、〈火の説教〉といわれる熱烈説教をしたサヴォナローラが、同一の僧院の出身であるというのは、考えてみれば皮肉なものだ。

★サン・ロレンツォ教会〔San Lorenzo〕——メディチ家礼拝堂

このあと、「アカデミア美術館」〔La Galleria dell'Accademia〕にいく予定であった。でも悪い予感がしていた。それが残念ながら的中した。アカデミア美術館では、建物全体を包囲する形で見学者がグルグルまき状態。これでは、絶対に待ち時間は1時間以上となる。閉館時間のことを考えると、入ったとしても、すぐに出口に向かうことになる。一大決心して予定の変更を決めた。ミケランジェロ〔Michelangelo〕の「ダヴィデ〔David〕像」などは、またの機会でのご対面となった。

それではと、代替として「サン・ロレンツォ教会」へ行くことにした。ブルネレスキの建築による重量感ある建築物である。この教会の外観は、飾りがなくいかにもぶっきらぼうだ。この教会の上部には、メディチ家の紋章が、ずらりと並んでいる。清楚な教会で、建築家の意図が、空間のつくりから伝わってくる。身廊と側廊と分ける柱列が、とても整然としている。落ちついた石の色彩も、重厚感を与えてくれる。ここには聖堂、新旧聖具室、君主の礼拝堂、ラウレンツィアーナ図書館などがある。

この建築家ブルネレスキは、とても偉大である。どんな不可能なことでも、チャレンジしてその困難を乗り越えようとした。

ルネサンス人というのは、不屈な前向き精神で、どんな困難に対してあきらめずに自分を奮い立たせた。それが、とても魅力的だ。ブルネレスキといえば、この人の名前をもったホテルがあるという。歩いて、途中でおもしろい建築物を見て、なんだろうと思っていた。帰国してひょんなことから、『フィガロ』という女性雑誌を見ていた。それが、「ホテル・ブルネレスキ」であることを知った。解説を読むと、不思議な円柱の建物に見えたのが、パリアッツアの塔という。この地で、最古の建物で6世紀のビザンティン時代のもので、これを改造したもの。改装工事では、地下からローマの遺跡が発見されたという。ブルネレスキが、この界隈に住んでいたので、ホテルに彼の名を付けたという、ちなみに4つ星ホテルという。

この裏手に、メディチ家の礼拝堂がある。この家系の特別かつ私的な礼拝堂である。設計には、ミケランジェロが加わっている。

通常、「君主の礼拝堂［cappella dei Principi］」とよばれる8角形の建築物は、見事だ。空間には暗く沈静された気品が、立ち込めている。歴代トスカーナ公家の墓である。花々が、咲き誇るのであるが、華やかさでだけではない。それはむしろ、墓地の花のようだ。死の匂いが漂っていると感じた。

最高の素材を使って華麗に、死者を慰めようとしているのか。いや、そうではなくむしろメディチ家の権勢の強さを、見せつけようとして演出しているのであろうか、とも思いたくなる。なにせ高価な大理石が、嵌められており、誇らしげに佇んでいるのだ。

最後の部屋で、お目当てのミケランジェロの彫刻を見た。いつもながら、この彫刻家は、重く、硬い石を使いながら、それを石と感じさせないところが凄いと感じる。

有名な「曙」「黄昏」、「昼」「夜」を見ることができる。

偉大な芸術家というのは、単に作品を依頼されても、その依頼主の要望に沿いつつも、それには服従しないもの。それから大きく「跳躍」（ジャンプ）するものだ。

つまり創造力というのは、そうした権力の意向に背きつつ自由に「飛躍するエネルギー」のことをいうのであろう。ミケランジェロは、この作品に哲学的な思索と、ある種のペシミスティックな感慨を織り込んだ。肉体の歪んだ表情も、まことにリアルであるが、それ以上に、ふたつの対立する人間の姿の造形に当時支配的だった終末的な感慨（思念ともいえる）さえも込めようとした。

〈瞑想的生〉を象徴するロレンツォ像。ロレンツォは、片手を顎におき瞑想する人間のシンボルとなる。そして。「黄昏」と「曙」の男女像が、置かれている。いかにも悲哀感の濃い主題である。

またジュリアーノ像は、〈活動的な生〉のシンボル。「昼」と「夜」の寓意が、置かれている。「夜」の頭部には、星と三日月の冠をいただいているが、仮面と梟を下に置いている。私は、〈瞑想的生〉が、自分の性格から見ても好きだ。ただし、書物を読むと、ここには新《ネオ》プラトン哲学の影響があるという。つまり二つのものが、合体してこそ〈完全な生〉があるということらしい。

実は、この聖堂全体は、未完のままになっている。聖堂の正面には、ミケランジェロの設計によるファサードが置かれるはずであった。またさらに、この内部の壁面には、かれの作品が飾ることになっていたという。それが、完成していたらと思うととても残念ではある。

ここにいると、この芸術家の足跡が、いたるところに見出すことができる。よく言われるように、ミケランジェロは、「ピエタ」〔Pietà〕に始まり、「ピエタ」に終わる。最晩年に制作された「ピエタ」（未完）はミラノのスフォルツァ城内におかれている。今回は、ミラノでは時間がない。再度の時に、この未完の作品と対面しなければ、ミケランジェロの本当の姿を知ることにはならない。なぜなら、そこにミケランジェロの深い内面の告白が込められているからである。

ところで、この旅を通じて、実に絵画も含めれば、多数の「ピエタ」を見てきた。それぞれが、同一の主題をいかに独自性のある画像や彫刻に仕上げているかを、つぶさに見てきた。なぜ「ピエタ」は、何かを問いかけてくるのであろうか。

それは、単にイエスの死の追悼という意味だけでなく、そこには普遍的な母マリアの悲しみが、言葉をこえて立ち現れているからであろうか。

わが子の死を嘆く母の想いは、いつの世も強く、そして深いのであろう。

3　ヴェネツィア〔Venezia〕――海の都

☆ボローニャ〔Bologna〕

最古の大学があったボローニャは、エミリア・ロマーニャの州都であり、とくに「赤い都市」（ラ・ロッサ）として知られている。「赤い」というのには、2つの意味がある。一つはこの都市の壁色などが、土色の「赤」で都市全体が、染めあげられていること。もう一つは、政治の「赤」、つまりここに共産党の拠点があったこと。街を歩けば、この赤い土色は、見事なまでにこの町を特色づけているのがすぐに分る。シックという言葉があるが、この土色の赤は、とてもシックである。

いかにも古い広場がある。中央には、マッジョーレ広場とネットゥーノ広場が隣接している。そこにネットゥーノ像がたっている。

中央にドーンとたっているのが、「サン・ペトロニオ聖堂」〔Basilica di San Petronio〕。この外観がすごい。重厚な表情をみせる正面であるが、ところが上部が荒々しいのに驚く。ザラザラした外壁のままである。上部は、なんと大理石がはめられていないのだ。14世紀の建築というが、いまだ完成していないというのだから、驚いてしまう。内部も身廊のみ完成した。教会のとても重い扉をギィギィとおすと内部は、壮麗かつ重厚な空間があらわれる。ちょうどミサがおこなわれており、パイプオルガンの響きが、身体全体に重く響いてくる。

この街のアーケードをのぞいてみたが、とても古く、狭いのにきづく。軒を巡る柱廊「ポルティコ」〔Portico〕がつづいている。なにか時間がとまったような気がしてくる。この町を車ではしっていると、さらにこの都市は、特に「塔の町」であることに気づかされる。高い方の塔は、〈アジネッリの塔〉。低い方が、〈ガリゼンダの塔〉という。皇帝派《ギベリン》と教皇派《ゲルフ》の争いがからんでいるという。権力者同志が塔の高さで、そのパワーを示そうとした。この低い方が、少々傾いている。「ピサの斜塔」ほどは有名ではないがそれがこの都市の名物だという。一時は200本の塔があったという。

人間は、「バベルの塔」にみられるように、いつの時代も、経済力がでてくると、高いものを立ててみずからの権勢をほこるものらしい。またここの旧ボローニャ大学は世界最初の人体解剖を行ったことでも有名だ。それだけでない。ペトラルカ、ダンテ、ガリレオ・ガリレイも学んでいる。それだけ自由な気風にあふれていた。それは今も不変だ。

またバスは、高速道路にでて、ひたすら〈アドリア海の女王〉と呼ばれるヴェネツィアへむかう。トスカーナの平原とは違って風景がことなる。一時間半位走ったであろうか。北の平原を走りいつしか海辺の気配がしてくる。ヴェネツィアのラグーナ〔Laguna〕（潟）にはいる前は、工業地帯がつづいていた。その煙ったようなあまり美しくない風景をみながら、次第にラグーナに入っていく。すると一転してあのヴェネツィアの風景が眼にとびこんでくる。

ゆっくりとローマ広場の空港バスターミナルに着いた。ここで降りて、モーターボートにのる。荷物は、別便で輸送のてはずであった。宿泊先プルマン・パークホテルは、運河のそばにある。このホテルは、世界に点在するチェーンホテル（プルマン系）のひとつのようだ。フロントの壁には、ポスターが張られておりそれが眼に飛び込んできた。ティントレット〔Tintoretto〕のポスターであった。ヴェネツィアにいることをこのポスターは、だまって知らせてくれるし、またこのヴェネツィア派を代表するこの画家は、今年が生誕５００年という記念すべき年であることを知らせてくれた。

私のホテルの部屋は、５２５室。一人用なのでとても狭い。ベッドもとてもミニサイズ。このホテルは四つ星というが、ヴェネツィアは、みんなこんなに小さいのであろうか。廊下は、工事中で条件は、あまり良くない。でも、窓をあけてみるとすぐ運河がみえる。赤いレンガ色の家並みがつづいている。

夕食を食べに、夕方の風情をたのしみながら、海の匂いをかぎつつリストランテへ足を運ぶ。ここでも酒はだめ。うるしのかぶれは、まだ収まらず、またコーラを飲み、スパゲッティをたべる。

ホテルに戻った。なにもすることがないので、テレビにスイッチをいれる。なんとちょうど、ローマ教皇の復活祭のミサが生中継で放映されていた。場所は、コロッセオからフォロ・ロマーノ周辺のようだ。つまり野外ミサである。なんとイタリア式の豪華なミサのことかと溜息をついた。カメラワークもなかなかのもので、聖画を映したり、またこのミサに参列した人達をアップでとらえたり映像工夫をしている。それにしても、ぎっしりと人並みがつづく。さすがカトリックの国だとつくづくおもった。そういえば、このホテルのレストランにもキリストの復活を記念した巨大な卵（イースター・エッグ）が、派手な紙につつまれてオブジェのように置かれていたのを、思いだしていた。

☆アカデミア美術館〔Gallerie dell' Accademia〕

五時過ぎに眼がさめてしまった。すこし、ベッドでうとうとする。外がすこし明るくなったので、まだ早いがおきて窓をあけてみる。レンガ色の家のむこうから朝日がのぼってきた。ヴェネツィアの夜明けだ。

私は、ヴェネツィアというと、〈エフェメラル〉〔Ephemeral〕（はかなさ・束の間）という言葉をすぐに想起してしまう。もとをたどれば、人々は異民族の迫害をのがれて、不安定なラグーナ（潟）に街をつくった。カシの木などを杭にして、海の底の硬い粘土層に打ちこんで、その上に石材をのせた。いわば、そうしてつくられた人工の都市である。海の上に創られた都市の誕生である。しかしこの〈エフェメラル〉を、彼等は武器にしながら、つねに海の外へと進出していった。ついに独自の共和国として世界史に名を残した。特に東方への玄関口として君臨し、莫大な富を得ることができた。私はこの街ではどこを歩いてもこの〈エフェメラル〉という言葉を胸で反復していた。

路面がすこし濡れている。とても肌さむい。ホテルの従業員に話をきくと、毎年この復活祭前というのは、雨がよく降るのだそうだ。仕方がない。小雨位は、我慢しなければならないだろう。カメラをもって朝の散歩にでる。このホテルの周辺を一周する。運河の町並みをながめる。窓のところに洗濯物が、吊るされていたり、花鉢がおかれていたり各家が、工夫しているが、この街にいざ住むとなると、かなり大変なことではないかとおもった。湿気も多いときく。無人の路だが、ネコがわがもの顔で、のっしのっしと歩いている。カメラをむけてこの運河の住人をとらえてみた。ネコを手まねきしてみたが、全く反応なし。悠然と立ち去っていった。

しだいに、空も明るさを増してくる。人の気配もしてくる。橋をわたって本土からの通勤者が、寒いのでコートに身をつつみ、仕事場にむかうのに出会う。みるとみんなまだ冬の格好だ。四月でこうなのだから、一月などは、結構な寒さとなるのだろう。よく冬のヴェネツィア観光は避けた方がいいというのは、わかる気がする。自動車などの乗り物は、つかえないので彼らはただひたすら歩くのが、ヴェネツィア式通勤という訳である。

まず朝食をとる。このホテルの食堂は、どこか温室のようなかんじ。木皮がはりめぐらされている。朝なのに、橋のところで老人が、アコーディオンを弾いている。なんとも、侘しい風情であった。小銭をいれてくれというわけだ。無視をきめこんで横目にみながら、ターミナルへ急いだ。

そこでバスターミナルから予約してあった水上タクシーにのる。「カナル・グランデ」〔Canal Grande〕(約3.8キロメートルの大運河)をくだる小さな旅である。まず「アカデミア美術館」へ。この朝の船旅が、とても気持ちがよかった。朝風をあびつつ、「リアルト橋」〔Ponte di Rialto〕などをくぐる。この有名なリアルト橋は、やはり風格がある。王者の風情がたちこめている。橋の上は3つの歩道にわけられ、店もならんでいる。朝日をあび照り輝く建物。そして白い波をたてて気持ち良く走る船。潮風を吸いつつ、みんなヴェネツィアにいま居るという幸福感にみたされる。どんな小さな建物にも、ゴンドラの乗り場をもっている。ホテルなどになると、自分専用の船を持っているという。運河沿いの建物を横目にみつつ、アカデミア美術館にむかった。

ガイドは、日本語が得意なイタリア人男性。名前は、ルチアーノさん。あまりに日本語がうまいので、「どこでならったのですか」と聞いたが、ほとんど独学とのこと。特に漢字に興味をもち勉強しているという。

元々は、高校の教師であったが、定年前に退職してこういう仕事をしているという。

さて、この美術館の開館と同時にはいる。ここは、１７５６年に創設されたアカデミアが基盤となっている。第一室は、ビザンティン文化の影響を受けた初期ヴェネツィア派の宗教画が、展示されている。第5室は、ジョルジョーネ〔Giorgione〕の「テンペスタ」（「嵐」１５０８年頃）が有名。またベッリーニの聖母を主題にした作品がならんでいる。

ジョルジョーネは不思議な画家である。生年もはっきりとしない、この画家は、通説でいえば１４７８年にカステルフランコに生まれ、１５１０年にペストで死んだという。

僅か30数年の人生は、夭折そのものである。ただし、あまりに早い死により、残されていた作品に弟子たちの手も加わることにより、どこまでがジョルジョーネの手によるものか、どれが弟子の作であるのか判別できないという問題がおこってしまった。人々から伝え聞いたことや、ヴァザーリらの伝記作家の記録に頼らなければならないという。かれの実作は、今は一応6点ほどであると推定されている。

一番困ることは、その作品の解釈もまた確定しないということ。たとえば、ここにある「テンペスタ」（嵐）という作品も、様々な解釈が交差している。研究者の手によれば、説でも現在は二〇程あるというから、驚かされる。ダ・ヴィンチのモデル探しも、定まらないものの代表であるが、それに近いものがある。「モナ・リザ」の場合は、モデル探しとあの神秘的な微笑みが、研究の対象となっているが、ジョルジョーネの場合は、それとはちがい謎めいた図像が、一体なにを意味するのか、もっぱら研究対象となっている。

中央をながれる蛇行する川は、ダ・ヴィンチの「モナ・リザ」の背景となっている風景を予兆させるが、登場人物の意味は、全く不定である。ある人は、同時代の文学である「ポリフィロの夢」の反映があるという。またある人は宇宙の四元素がシンボル化されているともいう。ちなみにこの四元素というのは、水、火、空気、土である。「ポリフィロの夢」には、ポリフィロと出産の女神ヴィーナスが登場している。

この作品は天には雷光がはしり、乳飲子を抱く女生と男性だけが、描かれている不思議な絵である。真の定説がまだ確立されていないと聞く。牧歌的な「自然と人間の調和」を主題にしているようにおもえるが、私などは不思議な円柱が、なぜ置かれているのか、とても気になるところだ。

10室は、この美術館の至宝の作品がずらりと勢揃いしている。パオロ・ヴェロネーゼ〔Paolo Veronese〕の大作「レヴィ家の聖宴」が目を奪う。この作品は、もともとは「シモンの婚礼」と呼ばれていた。ルーブル美術館の「カナの婚礼」の兄弟的作品であり、〈５６０cm×１３０９cm〉ととても大きいサイズである。ヴェロネーゼが異端審問にかけられたことがあり、この作品に描かれた図像が、宗教的主題から逸脱しているのではないかと、喚問されたといういわくつきな作品である。どうも主題を自分なりに変更してしまったようだ。数多くの人物が、聖宴の席に集合しており、この時代の風俗画となっている。

またここではティントレット〔Tintoretto〕の「聖マルコ」の奇跡四部作が迫力のある画面をみせてくれる。ティントレットは、父が、染め物屋であり、それで〈ティントーレ〉といわれたことによる。ここでティントレット特別展が開催されており、とくに肖像画家としての側面に光があてられたものとなっていた。おびただしい数の肖像画が、並べられていた。ただし、照明があまりよくないのだ。暗くて、とても眼が疲れた。

むしろ、やはり「聖マルコの奇跡」の雄大な構図の作品が、みごたえがある。この作品には、ミケランジェロの影響があるという。ティントレットはローマで壮大な「最後の審判」に感動したという。特にうねるような群像処理などは、その影響であり、また色彩ではティツィアーノの研究のあとがあるという。

またここには、18世紀のヴェネツィア派の画家、ティエポロ、カナレット、ロンギらの作品がある。全体にこの美術館は暗くとてもみるには疲れた。

外に出て橋のところで、ルチアーノさんをいれて記念撮影をした。木製のアカデミア橋をわたって「サン・マルコ寺院」へ急いだ。ナポレオンもここを「ヨーロッパで一番美しいサロン」と呼んだという。

迷路のような街を歩いて、この広場にくると、視界が急にひらける。両脇には、商店が並びそして、名画「旅情」の映画のワンシーンのように沢山イスがならべられ、みんなお茶などを飲んでいる。ジャズの生演奏も流れ、とても活気のある広場である。〈なにものも聖マルコの広場の前の空地に肩を並べうるものはない〉と語ったのは、『イタリア紀行』の作者文豪ゲーテであり、ここに立ってみるとその言葉を実感する。サイズは、長さ一七五メートル、幅は最大で八二メートルという。だが、この広場も私をして〈エフェメラル〉という言葉をおもいおこさせた。冬の間、時々高潮（アックア・アルタ）に見舞われ、水びたしとなる。まさに水上にうかんだ島であることを知らされる。

☆リン・マルコ寺院〔Basilica di San Marco〕

「なにものも聖マルコ広場の前の空地に肩を並べうるものはない」（ゲーテ）

さて、この「サン・マルコ寺院」は、そもそも８２８年に、エジプトのアレクサンドリアから盗んできた聖マルコの遺骸を祀るために建設された。はじめは、ヴェネツィア総督の私的な礼拝堂にすぎなかった。この聖マルコは、いつしかこの都市の守護聖人となり、同時に聖マルコのシンボルであるライオンが、この共和国の紋章となった。「サン・マルコ広場」〔Piazza San Marco〕には、そのライオンをあしらった時計がおかれている。この時計の文字盤には、「一二宮（ゾディアック）」が刻まれている。その上には、マドンナ像、屋上にはムーア人が鐘を打つ像がある。この壮大な寺院は、11世紀から17世紀にかけて建造が続けられたという。ビザンティン風のドームが有名である。

昼間にこの会堂をみたのであるが、あまり照明がきいていないので、天井のモザイクがあまりはっきりみえなかった。夜にもういちど、ゴンドラ〔gondola〕にのる前にこの教会にはいった。ちょうど、復活祭のための夜の特別ミサが、執り行う準備がされていた。昼とちがって、会堂全体に照明があてられていた。夜のミサの始まるまで、ひとりしばらくこの教会のモザイク画の美しさを堪能した。この世のものとはおもえない華麗な金色の世界が広がっていた。まさに黄金のモザイク。それがぴったりとする。表面積は、のべで４０００平方メートルという。またモザイクの図像は、『旧約聖書』の物語や聖人の物語が描かれている。注目すべきなのは、中央入口の円天井には、ティツィアーノの下絵からおこした聖マルコ図や、教会堂奥の内陣のアーチには、ティントレットの素描からとったキリストの生涯をえがいたモザイクがあること。ただしこの暗さでは、それをはっきりと識別し、確認することはできなかった。

考えてみれば、このモザイクにしても、そしてドームにしても、さらには十字軍による戦利品の「青銅の騎馬像」にしても、みんなビザンティン世界のものだ。この地は、いわば異文化との出会いの基地でもあった。たとえば、こんなものもオリエントからの移入という。カーニバルに欠くことのできない仮面。むかしは、貴族が外出のとき、みずからの身分を隠すために用いたという。この仮面は、コンメディア・デッラルテ（演劇）にも入っていった。それだけ東方への憧憬が強かったことの証でもある。ましてやあの4体の騎馬像は、1204年にコンスタンチノープルの競技場（ヒッポドローム）から略奪してきたものである。さらに、ナポレオンが、これに目をつけパリのカルーゼル広場に設置したことがあるというエピソードがあるほどだ。これらのエピソードは、なにより美術品の収集は、〈略奪の歴史〉でもあるという証拠だ。悪くいえば、この聖堂から、それらの略奪品を戻したら、かなり淋しくなるはずだ。

つぎに「ドゥカーレ宮」〔Palazzo Ducale〕へ。もともとは〈ドージェ宮〉とよばれたヴェネツィア総督の政庁であり、また裁判所がおかれていた。見所は、まずこの外観である。均整のとれたアーケードの円柱は、36本。アーケードの上の回廊には71本の円柱が整然と並び、さらに白と薄いピンクのレンガが、幾何学的な美しさをみせてくれる。

まず入口の階段は、「スカーラ・ドーロ」という。サンソヴィーノの指導でカルパニーノが設計したものという「黄金の階段」の意味だ。この宮殿は、写真が禁止なのでどうしても自分の目で確認する以外に方法はない。後半のトルコからの戦利品などを集めたコーナーなどにくると、窓から光がはいって開放感があるが、しかしどうにも余りに室内は、暗すぎる。中央の広場、4つの扉の間、さまざまな歴史的に大切な場所が、続くのであるが鑑賞には疲れる場所である。2階の一番有名な大評議の間は、とても壮大な部屋であり、ここにはティントレットの「天国」〔Paradiso〕があるが、これとてあまり良い条件ではない。なにせ7メートルもある。天井画に描かれているが世界最大の油絵だ。どうもこういう政庁というのは、照明が昔のままなので、あまり鑑賞には向いていない。

最後に、牢獄をみながら「溜息の橋」〔Ponte dei Sospiri〕をわたった。ガッチリと鉄格子により囲まれたこの橋の窓は、意外と小さかった。しめった牢獄。光が全くささない牢獄の部屋をみていると、なにか気分がずっしりと重くなる。この厳重に管理された牢獄から、脱出に成功したのは、色事師カサノヴァぐらいだという。

このあとは、定番のムラーノ島で制作されたガラス工房の見学となるが、私は、入口のところで失礼して、近くの本屋でヴェネツィアの地図と本を買う。またそこでみつけた手彩による版画風の風景画を数枚おみやげ用に買った。昼食後、レストランの近くの乗り場から、渡し船に乗った。向こう岸までのほんの数分だけのるのであるが、これはまるで「矢切の渡し」だった。2人の漕ぎ手が、向きをかえつつ、とても上手に操る。

まず、「サンタ・マリア・デッラ・サルーテ教会」〔Basilica di Santa Maria della Salute〕を訪れた。1631年に、この地を席巻したペスト（黒死病）がおさまったことをサンタ・マリアに感謝して建立した教会である。よく観光写真などにのっている教会であるが、なかは重厚な空間がつづく。玄関の扉のところで、カップルが濃厚な抱擁をしている。写真を撮ろうとおもうが、なかなかその抱擁は終わらない。中に入ると、まず天井の空間が印象的であった。

☆ペギー・グッゲンハイム・コレクション〔Collezione Peggy Guggenheim〕

ようやく目あてのペギー・グッゲンハイム・コレクションへたどりついた。油っぽいヴェネツィア派の絵画の鑑賞に少々体のほうも食傷ぎみだったので、ここがとても新鮮にみえた。

ペギーは、今風でいえば超セレブの人生を歩んだアメリカの鉱山王ソロモン・R・グッゲンハイムの家系の人。父はあのタイタニック号事故で亡くなり、莫大な遺産を受けつぐ。彼女はパリに住み、多くの芸術家と交友し、作品も購入する。

ソロモン・グッゲンハイムは、ニューヨークのマンハッタンに「グッゲンハイム・コレクション」をオープンさせる。どこかカタツムリ風の建築の設計は、フランク・ロイド・ライトによるもの。

一方、ペギーは、パラッツォ・ヴェニエ・レオーニという古い館を購入し、そこを美術館に改造した。〈現代美術のパトロン〉たるペギーの個人的コレクションが集められているが、とてもこじんまりしていて、親しみのある美術館だ。室内と野外に分かれ、奥には、ミュージアムショップもあり、傘やシャツなどのオリジナルグッズも売られている。

幾何学的抽象の「ジョセフ・アルバース展」が特別展として開催されていた。かれの作品をみていると、自然と心がやすまった。野外は、彫刻コーナーになっており、この野外空間に適合した作品が、さりげなくおかれている。ただ粒がそろい名作ぞろいである。ジャコメッティあり、ペギーと交流（一時は結婚していた）のあったマックス・エルンスト〔Max Ernst〕（ドイツのケルン生まれ）あり、またジャン・アルプありで結構楽しめる。彫刻作品では、マリノ・マリーニ〔Marino Marini〕の〈馬と騎手〉シリーズの大きいのが、絶好の場所に置かれている。それは、運河に面した階段入口のところにあった。ゴンドラなどで、海側からこの美術館についた人は、この彫刻とまず対面することになる。マリーニの野外展示彫刻をいろいろ見てはいるが、これほどいい条件におかれている作品は、他にはないとさえおもった。

さて、室内のほうだが、キュビスムあり、未来派あり、ロシア構成主義あり、シュルレアリスムありと、20世紀初期の美術運動をおおよそ確認できる作品と作家が、勢揃いしている。ピカソからダリ、そしてエルンスト、ジャクソン・ポロック、そして「ボックスアート」のジョセフ・コーネルまでともり沢山だ。でも、ところどころにペギーの個人的な嗜好と、さらに個人的な関わりがあった美術家の作品も、展示されている。エルンストのある幻想的な作品は、彼女の顔がモティーフになっている。また野外にあった大理石のイスは、ペギーの愛好したものであり、写真で、このイスに女王のように君臨しているのを見たことがある。

このあと、少々小雨が激しくなり、バール〔bar〕でひと休み。今度は、バポレット〔Vaporetto〕（乗り合い水上バス）にのった。切符は、船のなかで買う。女性の車掌さんが、切符をきりにくる。どこに行くにしても、船が足となる。結構楽しいものだ。ワクワク、ウキウキと心は踊り子どもになったような気がしてくる。

夜は、ゴンドラでカンツォーネをきく。およそ50分のしばしの旅情体験である。乗り場は、決まっていてちょうど、バロック建築の代表たる「サン・モイゼ教会」の前。外観は異様な程、黒くくすんでみえた。この教会の内部にはシナイ山の石が聖なるものとなっているという。橋のたもとで、沢山のゴンドラが待機している。歌い手とアコーディオン弾きが共にのった。

運河沿いに、漕ぎ手《ゴンドリエーレ》にあやつられてゆっくりと揺れていく。

歌い手は、咽喉の調子が悪いのか、懸命に声を整えながら歌ってるのが、伝わってくる。雨を避けるためもあり、橋の下で歌ってくれた。すると橋が、音響装置となって、かなり響いてくる。「サンタ・ルチア」や「帰れソレント」などを期待したが、それはなかった。よくよくあとで考えたら、これらの曲は、みんなナポリ民謡だ。それをここで願うというほうが間違いなのかもしれない。聞くところによると、葬儀の時もこのゴンドラを使うという。

運河も狭くなり、澱んだところにいくと、運河特有の匂いがして鼻にプーンとついてくる。建物の一階には、人の気配がしないところや、すでに無人となっているところもある。きっと水没などの理由で、一階に住むのをやめたのであろう。冬は、高潮(アックア・アルタ)となると、浸水とたたかわねばならない。沈む都市ヴェネツィア。澱んだ水の街。それはゆっくりと時間の流れに沿って廃れゆく〈死の都〉でもあった。なにか不気味な感じさえした。

最後に食事をしたが、エビの塩焼きが結構おいしかった。

「サン・マルコ寺院」の所で、予約していた水上タクシーにのる。夜風が、気持ちよく体をとおっていった。

こうしてヴェネツィアの夜もあっという間に終わってしまった。

4　ミラノ〔Milano〕――芸術の発信地

ヴェネツィアからミラノへと走ると風景が、ゆっくりと変化した。ラグーナ（潟）が、次第に遠のきながら、陸の風景に変わっていく。それにつれて空気の気配も変化し、目を遠くにやると、残雪に白く染まった山並みが遠望できる。車は、まっしぐらミラノに向う。それにあわせるようにして天気も回復し、青空が見えてくる。途中で、2、30分ほどトイレタイムをとる。おきまりのトイレおばさんに小銭を払い、ここで、イタリアの新聞『ラ・スタンパ』を買い、座席に戻りミラノまで、なんともなく見ていた。しばらく日本で起こっていることが皆目分からないので、記事を探したが、それはなかった。アート関係の分冊とじこみのところで、週間の図書ベストテンが記載されていた。

それを見て驚いた、日本の文学者の名前が、そこにあった。堂々の7位入賞。吉本バナナの名前だ。このベスト10には、どういうわけか、いやに年寄りの顔もあるな、と思って名前を見た。ヘルマン・ヘッセの『シッダルタ』が上位に入っていた。シッダルタとは、幼きブッダのことである。ヘッセが現代文学と肩を並べているのにも驚いた。

★「最後の晩餐」〔L'Ultima Cena〕

ようやく、約束の12時すぎに、高速をはずれミラノの市内に入る。目指すは今日の第一の見学場所、「サンタ・マリア・デッレ・グラッツィエ教会」〔Chiesa di Santa Maria delle Grazie〕。いうまでもなく、ダ・ヴィンチの名作「最後の晩餐図」と出会うためである。

ダ・ヴィンチは、１４５２年にVINCI村に生まれ、１５１９年にフランスのクルー館で死去した。どうも研究者によれば、私生児として生まれ、幼年期は、不遇な家庭環境で過ごし、それが彼の精神構造に影響を与えたという。

ダ・ヴィンチというと、すぐに「万能人」を連想する。確かにルネサンス人として、合理的思考を燃やして、解剖学、自然学、機械学など精通し、宮廷の保護を求めて、流転の生涯を送った。その思考は、数千ページの手稿に記されており、それは秘密の保持のためか逆さ文字で書かれている。

ダ・ヴィンチは、１人の世俗的な女性「Mona Lisa」（GIOCONDAともいう）を描いたため、そのことで、後世に亘って美術史に話題を残すことになった。それは、〈GIOCONDA〉とは誰かという「モデル探し」の熱をヒートアップさせ、〈ジョコンドロジー〉という「学」にまで発展した。モナ・リザ妊娠説やダ・ヴィンチ自画像説に始まり、また微笑みの謎を解明するため、制作のシーンとはどんな風であったかなど、実にたくさんある。

また「モナ・リザ」が、ある時、ルーブル美術館から忽然と消えるという事件が起こったこともある。それは１９１１年のこと。犯人は、イタリア移民労働者であった。結末も意外であった。なんとイタリアのある骨菫屋で発見された。

さらに「モナ・リザ」は、パロディや揶揄の対象になったことがある。マルセル・デュシャン〔Marcel Duchamp〕は、この絵の過激な「神格化」を揶揄して、〈美は網膜の振動〉に過ぎないと、ダダ的パロディの対象にした。それが「L.H.O.O.Q.」(1919年)。それは〈彼女のお尻は熱い〉という意味があるという。性的な隠語を含んでいるのである。

私が、特に「モナ・リザ」に関心を抱いているのは、人物の特定化よりも、そこに宿されている思想であり、特に背景(風景)と人物との神秘的な関係である。その中で白眉なのは、英国の美術史家ケネス・クラークが示してくれた視点である。ケネス・クラークは、深遠(幽玄)な風景と人間像に着眼し、そこには「人間は世界の原理」という視座が宿っているとのべている。

*

バスを降りると最高の天気になっていた。雨で霞がとれ、絶好の天気となり、気分は、自然と高揚してくる。さて中に入ると、目は一度、ハレーションをおこす。次第に慣れて来ると、ゆったりとこの絵画が、どこまで修復されているのかを、判別できた。午後1時にはここが、クローズとなる。一団のグループが、去っていくと、最前列に陣取りゆったりとみることができた。

まず、修復の進行をチェックした。ちょうどやや半分という感じか。画面の右から、修復は進み、今は、中央のイエスの服の辺りまでで止まっていた。昨年この作品を見たという、同行メンバーに「昨年と比べてどこまで修復はすすんでいますか」、と聞くと「ほとんど同じくらいですね」、という答えが跳ね返ってきた。

たった一年の時間で、その推移を推し量ることの方がどうも間違いのようだ。あと優に数年は、かかるということだ。

さて実際に、この目でこの作品を見ての印象は、ちょっと簡単にはいえない。いささか絵画を見ているという、気分の高揚（興奮）が起ってこないのだ。もちろん、修復の途中ということも起因しているかもしれない。どうも、それだけはない。むしろ、それはダ・ヴィンチ自身の制作意図に真の理由がありそうだ。私は、〈絵画を見ていながら、絵画ではない〉と少々矛盾したことを語っているのであるが、誤解を解くために、その説明をしておきたい。

こんな風に考えてみる。ここにあるのは、伝統的な〈聖なる晩餐〉という聖書画の形式をとった、彼の「思想」が語られている絵画という「書物」（テキスト）ではないのか。

その予備的作業として、ダ・ヴィンチと「最後の晩餐」について、その隠された秘密を探っていきたい。では、まずミラノ公国とダ・ヴィンチの関係を整理してみる。

ダ・ヴィンチは、この地のスフォルツァ〔Sforza〕家に雇われて、宮廷画家、デザイナーとしてさらに祝祭や結婚式などのプランナーとして幾つかの仕事をしている（スフォルツァには威服者の意がある）。また１４８３年には、ミラノの「無原罪懐胎教徒会」の依頼で「岩窟の聖母」（ルーブル美術館）を制作し、また１４９３年には、フランチェスコ・スフォルツァの依頼で、大きな「騎馬像」の制作に着手するが、この像は結果的には未完のまま放置された。なんと青銅は、大砲に化けてしまった。

１４９２年には、ロドヴィーコ・イル・モーロの依頼と指示で、「サンタ・マリア・デッレ・グラツィエ教会」

〔Chiesa di Santa Maria delle Grazie〕内にテンペラ画〔tempera〕として、遠近法と明暗法を駆使して「最後の晩餐」の制作をした。ただ悲劇が起こった。元々、テンペラとは〈混ぜ合わせる〉の意味のラテン語 temperāre に由来する。乳化剤として鶏卵を用いるケースが多い。石膏の下地にテンペラで描いたが、湿気のためカビがはえ、困ったことに剥落が始まった。さらにのちの画家達が、無神経に加筆をし、ことをより一層複雑にしてしまった。どこがオリジナルの部分か、区別ができなくなった。

さて聖書が記述する情景（シーン）はいかなるものであろうか。

まず「マルコによる福音書」14章をテキストにして確認してみよう。ここから「最後の晩餐」は、ユダヤ人にとって大切な儀礼の一つである、〈過越しの食事〉に関係していることがわかる。

ここでダ・ヴィンチは、とても斬新な新しい映像づくりを導入した。それは旧来の伝統を完全に改新させた。過去の画家達、たとえばギルランダイオやカスターニョらは、平坦な構成に終始した。これまでは、食卓を囲む空間は、多くは「コの型」「カッコ型」の構図が一般的であった。そのためイエスと弟子は、向かいあって座ることが多かった。だがこの画家は、13人の登場人物を横一列に配置して、弟子達を3人ずつに群化した。イエスも弟子も同じ平面に置くことにより、この場で起こる心理的のドラマを演出するためではなかったか。

真ん中にイエスを配置したので、大きくみれば左右に6人ずつとなった。

この群化構成をさらに斬新にしたのが、イエスが発した「ここに私を裏切るものがいる」という言葉に、反応する弟子達の反応を、そのままストップさせて映像化してみせたこと。不安と疑心暗疑に揺れ動く弟子たちの反応を、みごとに映し出した。

このドラマの映像化がとても見事である。

特に、弟子達の性格づけは、素晴らしい。そこに私は、心理描写の点では小説家、映像面では映画監督の才能さえ感じるほどだ。実際に彼は、この登場人物達の表情と個性の描写に大変な努力を払ったという。一説によれば、ミラノの路上に立ちながら、自分が追い求める男の顔をデッサンに残して、それを利用したという。またある酒場で、人物構成のヒントを得たともいう。こうして弟子の魂の内奥まで分け入り、それぞれのポーズを決定し、聖書世界の枠《わく》をこえた、普遍的な人間ドラマへと引き上げていった。これはどうみても、まさに演出家の仕事である。

なにかみるものに、不思議な感覚を与えるのは、こうした人間の魂の声が、ここにあるためであろう。ダ・ヴィンチは、技法の探求や研究はもちろんのことであるが、それ以上に人間の存在探求の声に、聞き従いながら、細心の注意を払いつつ、挑んだのがこの作品ではないのか。もうひとつ、感じたことがある。この教会の壁画前に立ってみて、作品というものは奇遇な運命を辿ることがあることを、つくづくと知らされた。

大きなトラブルがこの作品をおそった。修道院の食堂が、その後の改築により、あろうことかこの絵画の下のほうは、封鎖され、みるも無残に破壊されてしまったのだ。そのため、イエスの足などはみえなくなった。このように、ガタガタになった傷だらけの晩餐図は、20世紀に入り、第2次世界大戦の砲火に巻き込まれこの教会そのものが、被弾を受けるという悲劇がさらに追い討ちをかけた。

この場には、その当時の悲惨な写真も置かれているが、それをみるだけでも、この作品が、この地上に残っている方が、むしろ奇跡といえるとさえ思えた程だ。

★オペラの殿堂スカラ座へ〔Teatro alla Scala〕

この教会を見たあと、レストランで、昼食をとる。小奇麗だが、あまり客がいなかった。デザートのシャーベットが、美味しかった。そのあと、スラカ座のチケットをどのように手にいれるか思案した。

当日券を買う以外ないが、問題はプレミアが、つくかどうか。ローマからチケットの入手を現地のＪＴＢを通して、打診してもらっていたが、ざっとみても日本円で3、4万といわれた。

あきらめきれず、ドゥオモをみる前に、チケット入手にチャレンジした。

先ずスカラ座の地下の券売場に向かう。ここは１７７8年に「サンタ・アリア・アラ・スカラ教会」の跡地に建てられた。空席状況が、コンピュータに映し出されている。脇には、手書きの座席価格メモもあった。ボックス型にするか、平間にするかと、聞いてくる。ボックスの方は後部にすわる人は、少々見にくいと言うので、平間の良い席をとる。たしか、日本円で１、２万程度であったはずだ。

開演20分前なので、急いだ。なかなか席がみつからない。会場係（髭のはえた若い男）やお客さんに聞きつつ、ようやく自分の座席を確認してひと安心。ただし座ってみると、前の席のイタリア人の図体が大きく、どうも小柄の私には、断然不利。文句もいえず頭越しでみることを覚悟した。

でもゆったりと全体を見渡してみて、さすがオペラの殿堂に来たという実感が湧いてきた。巨大なシャンデリア。そして、金色に燦然と輝く室内。ボックスから天井桟敷まで、ほぼ満席である。

つぎの関心は、指揮者が常任指揮者であるリッカルド・ムーティかどうか。嬉しいことに幕が開くと、たしかにあの髪型と顔のリッカルド・ムーティが、指揮台にいた。

オペラは、イタリアオペラ作曲家の大御所ガエターノ・ドニゼッティ〔Gaetano Maria Donizetti〕の「ドン・パスクワーレ」。あまり日本では馴染みのないオペラであるが、伝統的な「オペラ・ブッファ」（軽めの喜劇）である。事前に日本でこの曲の概説を専門書で読んで一応の知識を入れてきたのであるが、実際の筋書までは、時間がなく頭に入れることはできなかった。会場で売っていたパンフレットには、全部の歌詞が載せられているが、それを見ても原語なので分かるわけでもないので、舞台に専念することにした。隣のイタリアの若い女性は、必至にこの原語を、ひとつひとつ手もとが暗いのにかかわらず、それを熱心にたどっていた。

さて、このオペラは、１８９３年にヴェルディの「ファルスタッフ」が、登場するまでは、「セビリアの理髪師」、「愛の妙薬」と並んで、イタリア三大オペラといわれたというから、イタリア人や通のオペラファンには、馴染みの曲のようだ。

さて、作曲家のドニゼッティについて少々語っておきたい。

この偉大な音楽家は、終生になんと70あまりのオペラを創作したという。最高傑作は、「愛の妙薬」であるが、この「ドン・パスクワーレ」は、１８４２年というから彼の晩年にあたる作品で、純粋に「オペラ・ブッファ」である。

そのストーリーを紹介しておくことにする。中心人物はドン・パスクワーレ、役柄は、独身で富裕の老人（バス）。その甥のエルネスト（テナー）。エルネストの恋人のノリーナ（ソプラノ）、そして、ドン・パスクワーレの友人の医者のマラテスタ（バリトン）、その他には、公証人、召使いなどがいる。ドン・パスクワーレは、大きな遺産を持っている。彼は、甥のエルネストに「遺産を譲るから、縁談を受けてくれ」と勧めています。だがエルネストは「恋人（ノリーナ）がいるから縁談は受けられない」と断ります。それに怒ったパスクワーレは「甥を追い出して、私が結婚する！」と言い出します。仕掛け人マラテスタは、「友人エルネストとノリーナを救う」ために計画を練ります。結果的にパスクワーレがまんまと彼らの策略にはまり、エルネストとノリーナの結婚が認められたところでハッピーエンドとなり幕が下ります。

この舞台は、なによりドン・パスクワーレの役まわりが、全体を引き締めていた。エルネスト役は、まだやや経験不足という感じ。それでも、舞台芸術が工夫され、ロココ風の雰囲気を出していた。結婚式の支度や厨房のシーンでの合唱の部分、もう少し合唱と当時に華やいだシーンを見たいとおもった。休憩時間を利用して、上の階で、正装した優雅な人たちに混じってカプチーノを飲み、時間を過ごした。

またこの中にあるスカラ座博物館にも足を運んだ。ここは、時間を気にせず、じっくりみる価値がありそうだ。足早であったが、プッチーニの「トゥーランドット」の衣装、歌姫マリア・カラスの肖像画、あのトスカニーニのデスマスクや指揮棒などが並んでいた。主要なオペラに関するセット模型（舞台装置デザイン）などを入れたら、実に膨大な「資料の山」といえる。

不思議な縁というものは、あるらしい。

帰国してしばらくした4月10日の午後、ＮＨＫ・ＦＭから、突然ドニゼッティの名が聞こえてきた。かれの「レクイエム」（１８３７年）をきいた。これは、かれがフランス滞在中に、33歳で亡くなった盟友の作曲家ヴィンチェンツォ・ベッリーニのはや過ぎた死に接して創作したという。ベッリーニは、ロッシーニやドニゼッティと共に「ベルカント・オペラ」を代表する作曲家。これは、ドイツのシュヴェツィンゲン音楽祭でのライブ録音の放送という。この「レクイエム」が終わってからも、時間枠を使って「弦楽のための序奏」までオンエアされていた。

この番組全体は、オペラアワーなので、ひょっとしてこの「レクイエム」の前にドニゼッティのオペラが演奏されたかもしれないと、あわてて確認したが、それは違っていた。プッチーニ作曲「つばめ」というオペラであった。

それにしても、この「レクイエム」も、さほど大作とはいえないが、曲想が自在かつ優しさをもち、イタリア人らしい心を軽快にする響きをもっている。また、オペラ作曲家らしく、独唱、合唱の構成が見事。日頃、馴染みのないドニゼッティだったが、急になにか身近に感じられた。

少々、オペラ話が長すぎた。話を旅のことにもどすことにする。スカラ座を後にすると、外は、またカンカンに光が溢れていた。ダ・ヴィンチの彫像のある広場から、「ガッレリア」へ歩いた。十分オペラを堪能させてもらって体も軽く、より一層この「ガッレリア」の最高の美しさを堪能できた。

このアーケード、正式名は、ヴィットーリオ・エマヌエーレの「ガッレリア」という。ここは、１８７８年に完成したという大アーケード。設計は、ドゥオモ広場とおなじジュゼッペ・メンゴーニ。この「ガッレリア」は「ドゥオモ」と「スカラ座」をつないでいる。

なんという優雅な風情か。名優ハンフリー・ボガードらが、帽子を買ったというボルサリーノなどの帽子屋や絵画を売っているところもある。あのプラダの本店もここにある。ガラスと鉄できた天井から、光がさしみ解放感にひたることができる。

上に描かれたモザイク調の天井画も、古さを実感させる。もっとも印象的だったのは、床面のデザイン。これぞ、ミラノが世界にほこれるデザインの原点ではないか、とさえおもった。ある一つの言い伝えがある。十字路の交わる付近に青いタイルで囲まれた雄牛のモザイクがある。そこには少し窪みがあり、それに踵を合わせて一回転すると幸せが訪れるという。色大理石が、絶妙に配置され、絵もいえないシックな色彩感覚が、眼に入ってくる。なんと美しい回廊であることか。

★ドゥオモ〔Duomo〕

この華麗なアーケードを散歩しつつ、夕日に染まった「ドゥオモ」に近づく。夜のミサの前まで、１時間ばかり、この大伽藍を体全体で体験する。特に、この壮大な正面の扉の彫刻には、驚かされる。３つの門があるが、それぞれが、主題を持っていることが分かる。

ここは、１３８６年にミラノ領主ジャン・ガレアッツオ・ヴィスコンティの命によって着工されたという。しかし、外国の力をかりなければならなかった。その後、紆余曲折を経ながら最終的には１８１３年に侵略者たるナポレオンの力によりようやく完成をみた。

なんと１３８６年に最初の石がおかれてから完成まで約５００年かかったことになる。ローマのサン・ピエトロに次ぐ規模を誇る。なりより、一気に飛びあがる尖塔の鋭角がリズミカルだ。大重量の巨体はどこか

〈大戦艦〉〈空を飛ぶ空母〉にみえなくもない。

この先塔は、135本あるという。また多くの彫刻は、数々の聖書物語や、イタリアやミラノの歴史ドラマを、語ってくれる。

特に、青銅が残光をあびてまぶしい程だった。その中で印象的だったのが一番正面の聖母マリアの生涯の物語。繊細な工芸の技も生きており、劇的な構図で、マリアの物語をドラマチックに告知してくる。ただずっと見ていると、少々顎がいたくなり大変だった。

この〈伽藍の巨人〉は、ひとたび内部に入ると、別世界であることを、知ることになる。なにせ光が弱く暗い。闇の世界があり、どこかの〈深い森〉に入りこんだような気がする。この感じは、サン・ピエトロなどのローマ的、バロック的な空間感覚とは全く異質なもの。むしろ、ドイツ的な森林文化の影響ではないかとさえ、思えるほどだった。

どうも時間により表情が異なるようだ。ステンドガラスをみているとよくわかる。春の陽を浴び、ステンドが、大胆に光を透過させ、会堂を照らしている。ステンドが、生命力をもらい、洋々と美しい言葉を紡ぎだしていた。

また上には2245体ともいう像が、設置されている。

このあと、ショッピングに挑戦した。まず、ポリーニの店にはいる。茶のバックにいいものをみつける。そのあと、ラ・リナシェンテというデパート形式の店にはいる。一番入口の店で、ピンクと紅色のバックで、これぞミラノファッションというものをみつけた。どっちを買うか迷って、もう一度、ポリーニの店に戻った。

だが、時間は、7時30分過ぎていた。玄関はもうすでにガッチリと閉鎖されていた。コツコツ叩いても、けっして開けてもくれない。もうダメの顔。しかたがないので、ラ・リナシェンテへ戻る。しかし、こっちも、すでにこれから入る人は、シャットアウト。客の残りを誘導して、クローズ体制へ。なんということか、ここには、商売気というのがないのかと、嘆く気分になった。これまた日本人の勝手な感情かと、諦めた。それにしても、総ての専門店が、一斉にシャッターをおろすとは、やはり信じがたい。

ただ、困ったことに、「明日は、開くのか」と聞くと。クローズという。すると、ミラノっ子は、イースターマンデーもいれると、3日間の連休をすごすことになる。

リストランテで、軽い食事をとって、ホテルまで、30分ほどぶらりぶらり、宿泊先のホテル・プルマンまで歩いた。

さて、夜も明けて旅行の最終日となった。すこしミラノは肌寒い。まず、気持ちのいい朝食をレストランでとった。ただ体はあのウルシのせいであまり調子はよくはない。

★ブレラ美術館〔Pinacoteca di Brera〕

まず、歩いて「ブレラ美術館」へ急いだ。正しくは〈絵画館〉というようだ。9時の開館に合わせたので、ほとんど、一番のりだった。正面にはいると、ナポレオンの銅像が、迎えてくれる。青銅でかなり痛んでいるが、これは彫刻家カノーバーの作。若きナポレオンの面影が潜んでいる。それにしても、自国有数の美術館の前に、自国への侵略者の銅像を置くというのも、考えて見れば妙な話だ。ただこの美術館の成立のために、彼の果たした役割を理解すれば、故ないこととといえるかもしれない。

なぜなら、この美術館の設立者は、ナポレオン自身なのだから。彼は、ここに有数の美術品を集めさせ、世界に誇るべき〈美の器〉を実現させた。

ところでこの美術館のメインは、ロンバルディア派と、ヴェネツィア派の絵画が、中心になっているが、もうひとつの目玉は、ここがアカデミーとなっており、その卒業生の作品も展示されていること。

つまり、美術学校兼美術館という性格がある。

まず、このアカデミー出身の画家達の絵が迎えてくれる。カルロ・カッラの形而上学派、ボッチョーニらの未来派。シローニやモランデイらのイタリア具象派の画家達。そして、エコール・ド・パリのモジリアニもいる。ここでみたもので、特に印象的なのは、マリノ・マリーニの彫刻だった。ヴェネツィアの「ペギー・グッゲンハイム・コレクション」で、マリノ・マリーニの「馬と騎手」の彫刻をみてきたばかりなので、関心をもってみれた。マリノ・マリーニの時代への意識が造形づくりに変化してきて、騎手を振り落とすまでに、馬が暴れるようになっていた。廊下にさりげなく放置されたようなこの彫刻、現代的メッセージを放っていた。

さて、この美術館であるが、この地方を代表する宗教絵画が多いが、特にどうしても紹介したかったのは、北イタリアのマンテーニャが展示している部屋。この部屋には、師のジョヴァンニ・ベッリーニ〔Giovanni Bellini〕と弟子マンテーニャ〔Mantegna〕の作品が、仲良く並べられている。それぞれが、同一の主題を独自のスタイルで追及しているのが興味深い。

まずマンテーニャであるが、空間短縮法を駆使した「死せるキリスト〔Cristo Morto〕」像は、言語による説明は、全く不要のようだ。この画面に没入すればいいのだ。画家の眼差しのたしかさを、つかみとればいいのだ。この作品は、かなり以前に『西洋の誕生』展(東京・国立西洋美術館)で、ブレラの名作として特別出品されており、それをみて深く感動したのを、おもいだしていた。

この作品の見所は、2、3あるが、そのひとつは、独自な遠近法にある。だれもが、つくりださなかった空間短縮法という方法は、この画家が、発見したものといえる。イエスの死を劇的効果として演出するための手法とみることも可能ではあるが、どうもそうでもないように思える。

はたして画家には、イエスを足下から描くという構想が、最初にあったのか?

それとも、イエスへの追悼の念が、感情を過度にはねあげ自然とこういう構図をとらせたのか。どちらであるのかは、後世の私達には安易に判別できないが、この作品の特異さを知るにつけても、構図の上でのことに限らず〈別な意味〉も探したくなるのも、自然のことであろうか。

名画とは、このように、その描かれた時代から超越し、現代の私達にまで悠然とさまざまなことを語ってくれるのだ。

そうした名画の1つが、これだ。一説によると、彼は終生この作品を手放すことなく、手元に置いたという。とてもパーソナルな作品だったようだ。いわば自分のために制作した作品であったかも知れない。

私には、まさにこの作品は〈現代にむけて投げ出されている〉ように感じた。どうしてそう感じるのであろうか。それはイエスの死ということが哀悼をこえて、深い感動をもってみるものの心に入りこんでくるからである。ここにはもはや、聖書画という区分けは不要のようだ。人間の存在と死。死の現実と哀切のドラマ。そうしたことが、リアリスティックにここに表現されているのだ。

画家は、麻布の素材を生かしつつ、薄塗によりいっそう即物的に死んだイエスの身体を描き出した。その横に師のジョヴァンニ・ベッリーニの「ピエタ」（１４６０年）がある。この横並びは、とても美しいコーナーをつくり出している。どうしてそういえるか。この2作はイエスへの「死の哀悼」が、北イタリアの風土に醸成され、みる者の心にひびきあう美しい形象美をつくりだしているからだ。これは、まさに「ピエタ」の競演だ。（そういえば、ミラノの地にはもうひとつの「ピエタ」がある。それは、「ロンダニーニのピエタ」。ミケランジェロの未完の作品だ。これは、スフォルツア城にある）どうも北方に位置するミラノの都市には、こうした憂いを秘めた「ピエタ」が似合うようだ。

ベッリーニという画家は、マンテーニャの先生であるが、この作品では、逆にマンテーニャの作品から、影響をうけているようにみえる。ベッリーニもまた新しい造形にいどんでいる。イエスの死体をたてる構図をとりながら、墓室の上に片手をおかせている。イエスの死体を垂直に立てるとは、とても斬新な造形だ。

さて、もうひとつの名作を語っておこう。ピエロ・デッラ・フランチェスカ〔Piero della Francesca〕の「ブレラ祭壇画」である。この作品は、きわめて理知的な遠近法で描かれている。

構図が特異で、中央に卵が吊るされている。卵を中心軸にしてすべてが遠近法で秩序立てられているのだ。卵は、駝鳥の卵という。その卵の楕円形は、宇宙のシンボルであろうか。イエスの首に、ロザリオらしきものがみえた。

解説をよむと、この絵画は、左下に立ち膝している横顔のモンテフェルトロ伯が、寄贈したものであり、その伯の息子の誕生を記念したものであるといわれている。

私はピエロ・デッラ・フランチェスカは、とても理知的な画面処理をするので、興味をもっている画家だ。この縦長作品も通常の宗教画の型式からかなり逸脱している。実に異色な才能をもった画家だ。

他の宗教画では、カルロ・クリヴェッリの作品に目が奪われた。花や果物が、沢山描かれていた聖母像はこれまでみたものと全くちがっていた。下眼づかいの、そして不満げな聖母とイエスの表情が異質性を帯びていた。クリヴェッリは、もう一点あった。「キリストの磔刑図」。マリアとマグラダのマリア、そしてイエスの顔も、かなり俗的にみえる。むしろどういったらいいか、故意に誇張された悲しみの顔とでも表現しておこうか。破格の作風が、心に残った。

さらに、イタリア画派だけでなく、エル・グレコの作品やレンブラントの作品もあり、なかなか見ごたえのある美術館である。

最後の締めは、陽光あふれるセガンティーニの絵だった。彼の絵の中にはアルプスの自然、おいしい空気がいっぱい詰まっている。最後に、こんな作品をみると心が一気に軽くなった。

このようにこの美術館は、宗教画を真中に挟み、現代もので包みこむというユニークな展示スタイルをとっていた。またカタログやスライドも豊富で、イタリアの他の美術館のものもあり、買い忘れたものがあれば、ここで買うことができる便利さがある。

さて夜があけ、この旅行の最終日となった。

今日もミラノは、肌さむい。まずこれからの行程を確認しつつゆったりと朝食をレストランでとった。寝ている間、ホテルはかなりさむかった。体は、やはりあまり調子はよくはない。最後の日ということが、なんとも寂しい。体調が戻りもう少し時間があればと思うばかりだ。

★帰路へ

この日は、午後2時までにホテルに戻らねばならないので、最後のデモンストレーションとしてミラノのシンボル「ドゥオモ」に登ることにした。途中で、名は忘れたが小さな教会に入った。祈る人はいなかったが、とても暖房がきいており、イスに座り体を暖めた。

外へ出ると肌寒かった。料金をはらってエレベーターにのり屋上へ。徒歩で登るのは、無料のようだが、そんな元気も時間もないので、小さなエレベーターにのり屋上に出た。さらに狭い通路を潜り抜けた。一気に視野が拡大した。町並が、グーンと小さくなる。少々、石が磨り減り足元が滑りそうになる。また急なところがあり、足が竦むところもある。しかし、ここに登るとこの聖堂の壮大さが、一層実感できた。

現代のような機械がないのに、どのようにしてこのような高層ビルに相当する建築を築いたか、信じられない気がしてくる。その壮大な建築物を、建設する技術とエネルギーにはほどほど驚いた。奇跡としかいいようがない。

昨日歩いた「ガッレリア」の屋根構造もはっきり識別できる。あらためてとても確固とした造形計画により設計されていることが理解できた。かなりの高さをもっている。新しい発見もあった。あの「ガッレリア」の高さは、「ドゥオモ」を意識してつくられた高さであることを強く感じた。眼を遠くにやると、遥か彼方には、ピレネーの山もみえた。

この旅は、公的乗り物を使わずに自分の足で歩くことが多かったので、市内の交通機関にも乗ってみた。地下鉄（メトロ）にもチャレンジした。キオスクで切符を買って乗車した。共和国広場まで、7、8分と短いが、この地下鉄でもミラノ・デザインの粋をみた。地下鉄の通路の階段や手摺りなどが、赤と黄色を基調にしていた。それが、あまり奇抜に感じない。日本では到底やらない配色である。ただ落書きが多いのには閉口。これではせっかくのすぐれたデザインが、台無しである。

荷物を確認してバスで、空港へ。最後のミラノの風景を、眼の奥に焼き付けた。休日ということもあり、町は閑散としていた。空港まで30分ほどであった。免税店に入り、残りのリラを使うことにした。私は、ミラノ市内で買えなかった女房のカバンを物色した。フェラガモの赤のショルダーバックにした。

アルタリア航空で、フランクフルトへ飛んだ。スチュワーデスと少々会話した。入ったところに、この飛行機のデザインは、トラサルディのデザインと書かれたプレートを見つけたので、その確認であった。スチュワーデスは、「その通りですよ」と、にこやかに頷いてくれた。座席デザインなどもそうだという。貴女の着ている服はどうなのかと聞くと、〈これはアルマーニのデザイン〉という。それを聞いてさすがイタリアだと頷いてしまった。アルプスの山並みをそとにみつつ、1時間30分ほどでフランクフルトへ。

思い出は、胸のなかに仕舞いつつ……。

[アートコラム1　ミケランジェロの世界]

★ユリウス2世〔Julius II〕との関係

彫刻家ミケランジェロを語ることは、どうしても「人生と苦悩」という人間的テーマに触れることになる。文豪ロマン・ロラン〔Romain Rolland〕は、きわめて高い理想主義的なヒューマニズム思想の持ち主で、平和主義を貫き、反ファシズムの旗をふりつづけた。

そのロマン・ロランは音楽家ベートーヴェンに大いなる関心を抱き、それとおなじ意味で、ミケランジェロを丁寧に調べ、あの不朽の名作『ミケランジェロの生涯』(1906年)を世に出した。こうしてロマン・ロランは、人生の意味を深く問う中で、この類いまれな2人の魂の芸術家と出会った。とくに感動的なのは、ロマン・ロランが、苦悩する芸術家の内面の奥にまで分け入り、そこから月並みな「伝記」に終わらないで、彫りの深い人間像を描きだしたことにあるといえよう。それだけではない。ロマン・ロランは、この本は「信仰と愛との証し」であり、みずからの〈きずついている魂から生まれた一つの歌〉であったともいうのだ。

ロマン・ロランは、とくに創造的人格者かつ詩人としてのミケランジェロに着目し、その詩的世界に十分なる考察を払った。そのため、この『ミケランジェロの生涯』を読んでいくと、彼は彫刻家ではなく、本当は優れた詩人ではなかったのかとさえ思えてくるほどである。ロマン・ロランは、みずからの感覚と精神に基づいて、ミケランジェロの芸術の本質を探求し、あの有名なシスティナ礼拝堂の壁画「最後の審判」の大画面に心打たれて、これに等しいものは、ベートーヴェンの音楽であると結論づけている。

では、ロマン・ロランは、〈審判〉と言う終末の時間到来という劇的なドラマに符号するのは、どんな音楽であるというのであろうか。普通であれば、J・S・バッハの「マタイ受難曲」などをあげるかと思うが、彼はベートーヴェンの「荘厳ミサ（ミサ・ソレムニス）」こそ、相応しいという。

では、ベートーヴェンとミケランジェロという偉大な芸術家の〈魂の軌跡〉を描きつつ、ロマン・ロランは、一体何をそこに投影させていたのであろうか。

それは時代を超える、とても普遍的なテーマが隠されている。ロマン・ロランは「書物らは、書物ら自身の運命を持つ」と予言している。まさにその通りになってロマン・ロランの『ミケランジェロの生涯』は、私の心をとらえたのだ。それは、ひと言でいえば、2人の〈悩める魂〉と言うことになる。歴史を越えて偉大な足跡を残す芸術家とは、実にどこか悲観的な哲学に支えられながら、そのとても重い「苦悩の淵」から立ち上がりながら、どんな芸術家も及ばない創造的仕事を成し遂げる人間のことをいうようだ。

ロマン・ロランの場合は、この視座を今度は、インドの独立の父ガンジィーへの共感へと広げていった。

さてミケランジェロは、美術史のうえでは、盛期ルネサンスからマニエリスムにかかる偉大なる巨人である。この時代を飾る巨人には、対比的に性格の異なる芸術家が3人いる。レオナルド・ダ・ヴィンチは、「知性の人」「思索の人」であり、自分の才能を売り物にしながら保護者（パトロン）をもとめて、各地を点々とする〈移動の人〉であり、いろんな資料をみてもその実像は、「モナ・リザの微笑」のように謎めいていて、どうにもなかなか生身の人間性は透けて見えてこない。37歳で夭折したラファエッロは、才能豊かな「時代の寵児」であり、恋に熱を上げるやや遊び人風、そしてパトロンへと近づき自己宣伝をする。上昇志向の若者であった。この2人に較べると、ミケランジェロは、どうにも分が悪い。かつて論争が昂じて相手の手が鼻にあたり少し曲がっている。また家族のために苦労した。なにより権力に対して小心者、身に危険が迫るとその場からまず〈遁走する人〉であった。とはいえこんな凄い面もあった。つねに威圧的なローマ教皇などに、隷属(抑圧)されつつも、今度はマイナスをはねのけ、そこから激情を奮いたたせて立ち向かう人であった。まさに〈激情の人〉だった。ほぼ同時代に生きながら、このように全く性格が違う人物が揃うというのも、興味ぶかい。

その例をあげることは簡単なことである。時の最高権力者たる教皇ユリウス2世は、暴君のように自らの権力を駆使して、気のむくままにこのミケランジェロを振り回した。

この傲慢な権力者は、ミケランジェロがシスティナ礼拝堂の「天地創造」を主題にした天井画制作を依頼された時も、彼が壁画制作の経験が全くないことを知りながら、依頼を断ることができないように仕組んだ。ミケランジェロは、この困難な仕事に着手したあとも同業者の嫌がらせに遭遇しながら、文字通り四苦八苦しながら完成へ向かう。

ただどうであろうか、こんな見方は不謹慎であろうか。もしも暴君のようなユリウス2世が、ミケランジェロに依頼しないで、他の芸術家に頼んだのであれば、今日これほどまでに優れた作品をみることができたかどうか、と考えてみるとき、あまりに芸術家の地位の低さにおどろきながらも複雑な気持ちにさせられる。

しかしながらである。ミケランジェロの不甲斐なさにも、いくぶん落胆させられるところも無い訳でもない。酷かもしれないが、次の話は、気の毒とおもいつつも、「もっとしっかりすればいいのに」という気持ちを拭い去ることはできない。

これもまたユリウス2世からの依頼であった。ミケランジェロは、ユリウス2世の墓碑制作を依頼され、かつてないほどの膨大なモニュメントとしてプランニングした。さっそくルッカ県にある、純白の大理石を産出するカッラーラの石切り場に行き、材料の選定、輸送、職人の調達などを入念に準備し、万全のかまえでスタートした。運悪く途中で、ユリウス2世の気が急変する。(これは、ライバルの建築家ブラマンクの入れ知恵によるという。ブラマンクは、サン・ピエトロ寺院のクーポラの建設を発議し、ユリウス2世はこれに多大な経費をかけようとした)

準備万端整い、石は到着し、職人もローマにやって来るが、やおら中止に追い込まれ、これまでの労苦はあっというまに泡と消えた。その間の経費合切は全部ミケランジェロの負担となる。このあと彼は、ひたすら身を守るために「遁走」した。身を隠し、暴君のゾーンから逃げようとする。一時は、フランスまで行くことを計画する。しかしここでも弱気の彼は、パドヴァでユリウス2世に再会すると、飼い主に媚びを売る犬のようにして許しを請い、あっけなく関係の修復を図るのである。

そして、今度はまた、初体験の青銅像の注文を受けてしまうのである。(このユリウス2世青銅像は、完成後4年で破壊されてしまい現存しない。なんと大砲に化けてしまうのである)

〈遁走するミケランジェロ〉は、まだ他にもある。フィレンツェの防衛司令官になった時、城壁などを築くが、敵のフランス軍の足音が響いてくると急に怖じけつつ、なんとこの街からいくらかの現金を服に縫い込みつつ、一目散に〈遁走する〉のである。共和国政府から、厳しい命令をうけつつも動揺はおさまらず、ようやく帰国した。このように、怖じけつつ動揺する。勇ましく少年ダヴィデのように困難に対して立ち向かうのではなく、〈身を隠し〉〈遁走〉に走る実像を見せられると、なんとなく幻滅感を味あわされてしまうのは、私だけではあるまい。

ではなぜ〈遁走するミケランジェロ〉の精神構造は、どこから発するものであろうか。

そしてそれでいながら、いざ束縛されると、壮大な精神力で不可能を可能にしてしまう奇跡を成し遂げてしまうのはなぜなのであろうか。創造というものの不思議だ。いや、芸術家という存在の不思議さともいえる。大いなる謎である。別な視点からの精神分析による研究を待つべきなのかも知れないが、そこには、メランコリーのメンタリティーとどこか自虐的な性格がそうさせているのではないかと思える節がある。

権力、威圧によって密室状態に置かれると、その抑圧を跳ね返そうとする内的パワーにより、想像を絶する意志を発揮する。その反動で、いろんな困難なものをかかえてしまい心が満杯状態になると堰を切ったようにして、全く別な方向に逆流するのである。それが〈遁走〉の意味であるのだが……。

★「最後の審判」〔Giudizio Universale〕

この作品の発する音（声）に聞いてみたい。

心の耳を澄ませば、「天の音楽」と魂の慟哭そしてさけびが並行して聞こえてくる。

主調音は、どうも「天の音楽」ではなく、どちらかと言えば「地獄の音楽」に近い。この音楽は、たしかにロマン・ロランにいわせると、〈壮大な荘厳ミサ曲〉ということになるのかもしれない。

ローマ・カトリック（教会世界）において、ミサの伝統的典礼文には、一定の規則（定式）があり、「キリエ」、「グローリア」、「サンクトゥス」、「アニュス・ディ」などからなっている。この典礼文には、救いの光や神の怒り、さらには審判の闇の部分があるが、ただどちらかといえばこの壁画で主題となっているのは、光の部分ではなく闇の部分のようだ。つまり神への賛美としての「グローリア」と「サンクトゥス」の音楽はあまり響いてこない。むしろ闇としての煉獄や地獄世界の音楽がなりひびいている。

確かに、描かれた映像をみても、空間でいえば「天の音楽」を形成する上部分はほんの一部であり、多くを占める中下部には、さまよう魂や審判に怯える群像や地獄の渡し守のカロンなどを登場させるなどして、ダンテが『神曲』で表現した地獄世界をよりリアリスティックに描いている。

まず見るものは、マニエリスム的〔Manierismo〕、つまりうねりやねじりをもったおびただしい人体群像、より具体的にいえば筋肉の彫琢の卓越さなどに驚嘆の声をあげることになる。彫刻において人体の把握に精通した彼は、この上から下に縦に流れる時間と空間を絶壁断崖の場として掴み取り、この壁にいわばロッククライミングを行なうようにして画像を描きこんでいった。

私はこの壮大な画面を見ながら、ミケランジェロの時代の人々は、恐ろしい闇のシーンをどう見ていたか、興味が湧いてきた。この時代の人々は、窓から入り込む薄い光にささえられながら、視線を下降させ画面の下部にしつかりと眼差しを注いでいたであろうと予想がつく。きっとみるものは、この下部に展開する地獄の生々しいドラマにおののき、息を詰まらせていたであろう。

ここでこの時代の様相に想いを馳せてみたい。ちょうど1500年が節目になり、世の中は深い終末観に染まっていたことを思い起こせば、まさにこの時代の悲劇的状況を深く〈刻印〉しているともいえるかもしれない。たとえばペスト（黒死病）の流行と、その病原菌に痛めつけられた都市の路上風景（死者の群れと死臭）を思い起こすことができる。死はすぐ横にあった。いつ死が訪れるか人々は不安にかられていた。

また、詩人ダンテの『神曲』に描かれた文学世界を具体的にイメージすることも可能である。ただそれ以上に、このようにドラマチックに展開するシーンには、ミケランジェロの内面に巣くった死の横暴や、それがみずからにもおそってくるにちがいないという脅迫的観念が反映しているようにもみえる。

あくまで仮説であり、勝手な思い込みであるが、教皇に隷属的束縛を強いられた状況への反発が梃子になっているといえないこともない。教皇の聖なる礼拝堂にこうした地獄図、審判の図をリアリスティックに描くこと。どうみても異常なこと。個人的怨恨（ルサンチマン）が潜んでいるといえないだろうか。抑圧状態が創造力の生み出す発火点となり、怨恨の感情が、バックにひそみ、それを普遍的高みへ結晶させたといえば、あまりに単純すぎるであろうか？

この時代には、色々な終末図が壁画として各地の教会に描かれている。山岳都市オルヴィエートでは、ルカ・シニョレッリが聖ブリッツィオ礼拝堂にフレスコ画「最後の審判」を描いている。死はすぐ隣に立っていた。人はいかにして死から超越できるかが最大の難題だった。研究家はこの終末図に、フィレンツェの預言者サヴォナローラの激しい、この世の快楽を批判する説教の影響を指摘する者もいるほど。

たしかにジロラモ・サヴォナローラの影響は、多大なものであり、初期ミケランジェロの傑作である「ピエタ像」は、一説によれば、サヴォナローラの処刑という事件に触発されているといわれるほどだ。フィレンツェ時代は、彼自身は、メディチ家の保護をうけていた。だがこのメディチ家を世俗化の権化として頽廃批判の標的にしたサヴォナローラの賛同者になってゆくことになるのだから、ミケランジェロは、なんらかの世俗化に堕した教会批判への意識をもっていたことは疑いのないことであろう。無理難題をおしつけ、そして酷使する教皇に対して反逆の気持がないはずがない。もちろんこれらが創作のエネルギーになっている主たる因子ではないとは思うが、それは内面に沈潜したはずである。もしサヴォナローラや教皇庁との関係が、この作品になんらかの影をおとしていたとしても、これほどまでに普遍的に昇華されているのをみるにつけても、やはり並の力量と創造力ではないといわねばならないだろう。どこか地獄の光景は現代へむけてのメッセージのようにも思えてくるのである。そういえるほどに、時代の制約をこえ、強烈に激しい人間洞察がここには開示されているのだ。

私が特に興味をもつのは、この画面のなかで、「カロンの渡し守」など「地獄の刑吏」達の怒りに込められた表情だ。刑罰をうけ呻吟する人間の形態よりもここで生き生きしているのは、この刑を執行する地獄の刑吏。ミケランジェロは刑使を自分とだぶらせたかも知れない。この地獄の世界では、裁くものが主人公であり、罪人は、無力に描かれている。これをみたものはこの無力な罪人に自己像をだぶらせていたにちがいない。

とくに絵筆の冴えは、抜群である。ミケランジェロの感情と一体化した筆は、激しくそして深く慟哭している。まさにこの「終末図」はミケランジェロの魂の「鳥瞰図」となっている。

★ミケランジェロとコロンナ

詩人としてのミケランジェロについても、少し語らねばならないだろう。

ネオ・プラトン哲学という輝かしい詩的な世界の感覚に満ちた詩を創作したかれは、一流の詩人の才覚をもっていた。その詩の世界は、ほとんど被虐的なまでに屈服的な状態での制作を強いられていながら、正面きって正々堂々と、反論しなかった実生活からは予想も付かないこと。あまりに清純な光にみちあふれた詩の内容は、まったく年齢を感じさせないし、さらに、あまりに文学的に芳醇な詩をみせられると、人前にはみせなかったミケランジェロの内心世界をそのままみせられたと感じられる。詩の女神が、この人にとりついていたのではないかとも感じた。その詩の女神の霊力が降りそそいだ幸福感に満ちた詩は、〈天国の音楽〉を聞いているかのような錯覚におそわれる。

さて、ひとりの偉大な芸術家の恋というは、なかなか興味がそそられるテーマではある。小説家なら必ず興味をもつはず。とくに、ラファエッロと恋人というと、それなりに華麗な様子が分かるのであるが、孤独な性格と激情の性格の両方をもつミケランジェロの場合は、なにか特別なものを感じる。

ミケランジェロとヴィットーリア・コロンナ〔Vittoria Colonna〕との秘恋（あるいは純粋な文学的な交友か？）は、いかなるものであったのか、またかれの献じた詩に詠われたこの女性とは一体いかなる人物であったのか、少し調べてみることにする。

ヴィットリア・コロンナは、１４９２年に生まれ、１５４７年に亡くなっている。激変する政治の渦にのまれた55年の人生であった。なんと4歳でペスカーラ侯爵の子息であるダウァロスと婚約しており、19歳の時実際に結婚したが、ダウァロスはフランスとの戦争で捕虜となりミラノの地で死去する。彼女の人生は、決して幸せなものではなかった。一時は、ローマを去り、ナポリの修道院にも入り、そこで、詩作に昂じて、優れた詩人とも交遊した。イタリア中にその名が知られるような作品を作っていたといわれる。

交遊のメンバーには、ラファエッロの有名な肖像画となっている学者カスティリオーネなどもいたという。１５３４年より、この女性は、さらに禁欲的になり、宗教的な課題の解決をめざし、断食などを実施し、ひたすら真理を追い求めていた。この宗教的熱情は、ローマ・カトリックの改革にも火をつけ、一説にはサヴォナローラの過激な思想にも影響を受けていたという。さらに、その過激なまでに純粋に魂の救いをもとめる姿勢は、ローマ・カトリックの思想の枠（教義）からはみだし、プロテスタントの信仰にまで、到達することになったという説をのべるものもいる。

ちょうどこの頃に、46歳の未亡人となった彼女と61歳のミケランジェロが出会い、精神的な交際が続いていく。彼女は、当時ローマのサン・シルヴェストロ・イン・カピーテの修道院に住んでおり、ミケランジェロは、毎日曜日ごとに、そこを訪れ対話を続けていた。

コロンナは、１５４１年には、ローマを去り、山岳都市オルヴィエート、ヴィテルボなどの修道院に入っていたが、ローマにくると、かならずミケランジェロに会い会話を交したというから、この2人は、深い絆で結ばれていた。コロンナはミケランジェロの孤独な魂をうけとめソネットを交した。

ではコロンナの作品（ソネット）とはいかなるものであったであろうか。次の詩からは、崇高な精神の持ち主であることをうかがい知ることが可能である。

卑俗な感覚は、高貴な魂への
純粋な愛を生む調和を
作り出す力がない
私の内部に　楽しさも　苦しさも
喚びさますことはなかった

この詩の作者は、人間的な卑俗な感覚を排しつつ、卓越した精神力をもって、自分の運命や不幸を乗り越えた。夫の死後もいくつかの求婚を断り、詩をかくことに全てを捧げた。もともとは、ローマ近くにあるコロンナ家の領土マリーノで生まれた。名家の誉れがたかく、一門からは、教皇や枢機卿などを輩出してきたという。また一時は聖地パレスチナへの巡礼を計画したことがあるという。彼女は1544年にローマのサン・シルヴェストロ修道院で息を引きとった。〈ひたすら高貴の魂を〉〈ひたすら純粋な愛〉を求道する姿。感情を詩の世界や優れた芸術へと昇華させていった高貴な魂をもったルネサンスの女性であることが、よく理解できる。

【アートコラム2　バロック都市ローマ】

ここでは、バロック都市空間ローマの魅力について、その立役者であるジャン・ロレンツォ・ベルニーニ〔Gian Loernzo Bernini〕（１５９８－１６８０）を中心に紹介しておきたい。さてその前にベルニーニが活躍したこの時代を席巻した美術様式について、その美学的価値とその特徴を見ておきたい。

そのために、まず様式としての「バロック」〔Baroque〕（フランス語）とはどんなものか、解説してみよう。その語義からいえば、ポルトガル語のBarroco（バローコ）に由来するという。意味は、「いびつの真珠」「歪んだ真珠」を指している。

16世紀末から18世紀にかけてヨーロッパ各国（フランス、ハンガリー、オーストリア、スペイン）さらにアジア、アメリカ大陸にまで広まった美術・文化の大様式《グランド》である。ローマ・カトリック教会の対抗改革（反宗教改革運動）や、ヨーロッパ諸国の絶対王政を背景に、建築、絵画、彫刻などの分野で、動的な造形や装飾を多用し、光を効果的に使うなど、劇的な空間を作り出そうとする傾向が主流になった。つまり芸術は政治的、宗教的権威のプロパガンダとなったのだ。

そうして美術様式からさらに広く拡大解釈され時代概念になり、広く使われるようになった。ヴェルフリン（美術史家）は、『ルネサンスとバロック』（１８８８年）で、バロックは「ルネサンスの堕落ではない」と、その価値を客観的に高く評価した。またスペインの碩《せき》学ドールスは、バロック美学を定義し、その特質を分析している。彼らは、調和・均整を目指すルネサンスとは異なり、彫刻や絵画作品には、劇場性、奇想性、装飾性、動的空間性、祝祭性などが多くみられるという。

では、バロックはどうしてローマから始まったのであろうか。その訳は、とても簡単である。ルターやカルバンらの宗教改革（プロテスタント）に抗して、巻き返しをするローマ・カトリック側の美術運動として誕生し、その主舞台がローマ教皇庁のあるローマであったからだ。またそこには、ドイツ皇帝カール5世の軍隊によるローマの攻略（略奪）により、荒廃し、権威失墜した立場をキリスト教世界で名誉挽回するという政治的な意図も含まれていたようだ。

そのために禁欲的で簡素なプロテスタンティズム（新教主義）に対抗して、豪華絢爛たる芸術を謳歌した。つまり、このローマにおいては、ローマ教皇を〈神の代理人〉としてみとめ、地上における教会の権威をより強調するというプロパガンダの性格を帯びていったわけだ。

バロック美術は、その後国際化した。各国で開花していった。フランスでは、太陽王ルイ14世により建造されたベルサイユ宮殿（その建造には、ル・ブラン、ル・ヴオー、ル・ノートルらが関わった）があまりに有名である。

また画家としては、カラヴァッジョ、エル・グレコ、ルーベンス、ベラスケス、オランダの画家レンブラントらがいる。グレコの「衣服を剥奪されるキリスト」（ちなみに、この作品が置かれている、トレドのカテドラルは、チュリゲラ一族の手によるスペイン・バロック建築の典雅である）では、宗教的熱情とあいまって、天上世界に繋がる空間をみせている。

意外かとおもわれるかもしれないが、科学者として、ガリレイ（物理学者・天文学者）、数学者ニュートンらがバロック時代に生きた。

★巨匠ベルニーニ〔Gian Lorenzo Bernini〕

さてその代表的なイタリア・バロック美術を代表するのが、ナポリ生まれの巨匠ベルニーニといってまちがいではない。なんと、その活動は50年間にわたりながら、そのほとんどがローマを舞台に展開した。それゆえ、時の教皇ウルバヌス8世〔Urbanus VIII〕が発した、「おまえは、ローマのために生まれ、ローマはおまえのためにある」という言葉は、あながち間違いではないようだ。この教皇はどうも聖職者というよりも政治家・統治者の顔の方が強いようだ。

ベルニーニの代表作には、サン・ピエトロ大聖堂の広場と柱廊（1656－1667年）がある。この広大な空間は、2つの中心軸を持つ大きな楕円形を形成している。この楕円形は、正方形とは異なる、新しいバロック空間の定式となった。さらにこの聖堂の主祭壇の天蓋とその奥上部「サン・ピエトロの聖座」と装飾部分などがある。

忘れてならないのは、ローマ・バロック都市の演出者の横顔である。つまり現在でいうところの都市デザイナー、つまり景観プランナーである。

映画「ローマの休日」で有名な「スペイン広場」〔Piazza di Spagna〕は、オードリー・ヘプバーン扮する王女がジァラートを食べたシーンでもおなじみの場所であるが、広場の中央には、「バルカッチャの噴水」（老いぼれ船、破れ船の意味）がある。これもベルニーニの手による。実はこの広場は、トリニタ・デイ・モンティ階段（通称「スペイン階段」）へと延び、フランス系カトリック教会に属する「トリニタ・デイ・モンティ（丘の上の三位一体）教会」へと続く一連の連続するうねった空間が、バロック空間の典型といわれる。

またベルニーニは、ローマで最も典型的なバロック様式のナヴォーナ広場に、噴水を置いた。昔この広場には、スタジアムがあり、映画「ベン・ハー」のような戦車競技が行われていた。「ナヴォーナ広場の噴水」は、「四大河の噴水」と呼ばれ、世界の代表的な4つの河を寓意化している。また「ムーア人の噴水」などを設計した。噴水をおくことで空間は活性化し、流動するパワーをもった。

さらに彫刻家としては、「サンタ・マリア・デッラ・ヴィットーリア教会」〔Chiesa di Santa Maria della Vittoria〕に、不朽の名作「聖女テレジアの法悦」を残した。この教会は最初17世紀初頭に跣足カルメル会が聖パウロのために捧げたという。天使が金の槍でテレジアの心臓を突き刺している。ただテレジアは法悦にしたり神の声を聞いてゆく。また名作の誉れ高いギリシャ神話を題材にした精緻な技法にため息をつく「アポロとダフネ」は、ボルゲーゼ美術館で見ることができる。

そのため、多様な分野で活躍したので、「17世紀のミケランジェロ」とも言われた。

★アレクサンデル7世〔Alexander VII〕の墓碑

ヴァチカンの象徴「サン・ピエトロ寺院」〔Basilica di S.Pietro〕には、数多くの教皇達の墓〔Tonba〕がある。「サン・ピエトロ寺院」の建築には、１２０年を費やしている。面積は、1万５０００平方メートル、全長は２１１メートル。中央ドームの高さは１２０メートルもある。このドームには、キリストの言葉である「汝は岩なり、我この岩の上に教会をたてり」が記されている。実に巨大な空間である。ピエトロには「岩」の意味がある。まさにキリストの予言は的中した。

この場所は、ピエトロの殉教の地であり、その死骸を安置して、その上に大寺院を建立している。いわばこの大寺院は、ヴァチカン市やローマ教皇庁の中心的存在である。

さてこの大空間に入り〈空間に身を浸す〉と人は、漠然とこれまで抱いていた教会の概念は完成に崩される。さらに〈空間の概念〉さえ根底から崩れて、あらたに〈神の家〉というイメージへと変更を迫られるであろう。

こんなこともおこる。誰もがおのずと抱く漠然とした「聖なるもの」というイメージは、ここで根こそぎ改変せしめられる。いま、〈空間に身を浸す〉という表現をつかったが、それを文句なく全身であじわうことができる。

まず、ローマ・カトリック教会の一大歴史博物館の趣が、この「聖なるもの」というイメージをかえてしまうのだ。それは、歌劇（オペラ）のように誰かの演出によって一時的に創り出されたものとはいささか質が違う。むしろ、こういっていいだろう。厖大なローマ・カトリック世界（その歴史）が、その隠れた大演出者であると。厖大な「歴史の樹」が、クネクネと幾つもの枝を張って、巨樹となりこの地上に立っているのだと！

厖大な「歴史の樹」は、ひとつに聖人達である。たとえば、このバジリカ〔Basilica〕全体には、なんと約74人もの聖人を記念する立像や廟、さらには特別な記念礼拝堂や記念碑などが並んでいる。まさに「聖人銀座」、「墓碑回廊」である。そのため、その聖人とはどんな人かを探っていけば、おのずと一冊の「聖人辞典」ができるはずだ。

それにしても、この広大な空間では人間は、蟻のようにしかみえない。その聖なるものに包まれて蟻は、方位を失い呆然と立ちすくんでしまう。そして「天とは、高いもの、天とは、崇高なもの、神とは、想像を越えた存在であり、包括者である」とため息をつきながらそれを身をもって実感し、さらに天井を見上げれば、自分の身体がふわりと重力を失い天の方へと浮上するのが分かってくる。

さて、その聖人達であるが、ローマ・カトリック教会の二大聖人、ピエトロ〔San Pietro〕とサン・パオロ〔San Paolo〕はもちろんのこと、歴代の法王たちが、この仲間の列に入ってゆくのでいささか際限がない。たとえば、レオン12世、インノセント13世、14世、クレメンス10世、13世、ウルバヌス8世など。そんな教皇達のオンパレードを眺めていても、彼らと全く違う宗教風土で育っているので、また深くローマ教会史上の彼らの歴史的業績を熟知していないためもあり、どうもさほど強い感慨は湧いてこない。少々食傷ぎみにともなる。それどころか、とても「油っぽいもの」を連続してタラフク食べさせられたような気がしてくる。

ただそのなかで、とても感慨深く心を引きつけられた一つの墓碑があったので、それを特に触れておきたい。バロック美術を理解するために、必ず立ち止まってみてほしい墓碑だ。

では他の墓碑とどこが違うか。〈たかが、墓碑〉、しかし〈されど墓碑〉なのである。その聖者自身には見ることができなくとも、後世の人々が、その人徳と功績を雄弁にいいあらわすイメージ（演出）を作り出す発信装置となるのは、当然のこととしても、驚くのは、なんと死さえも教皇庁側の演出記号として登場していることだ。

ところで、急に話は変わるが、実はこの宗教は中世以来、永く「死の超越」を願いながら、〈死骸〉を問題にしてきた。いや本来であれば、〈死骸〉といとはいわず、〈聖骸〉というべきかもしれないが、いずれにせよ「死の超越」をどうかくとくするか、人生の最大の問題として、つねに関心をよんでいた。いやそもそも、死の造形と芸術とは不即不離の関係にあった。

どうも現実（現在）の生が、苦悩に満ちていればいるほど、死についての関心度は、高まったようだ。死は、終わりではなく、人生の勝利につながっていなければならなかった。だからであろうか。バロックの時代には、むしろ生よりも死をリアルなものとして表現している。つまり大衆に対してローマ・カトリック側の信仰がいかに、「死を超越する力」をもっているかを、言葉ではなく視覚的に見せたかったようだ。

ここが不思議なもので、どちらかといえば人間は、生の悦楽よりも死の不安を、さらにいえば天国よりも地獄の方に関心を抱き、そこに想像力を羽ばたかせていた。仏教でも同一であった。ひたすら「涅槃図」が描かれ、また「塔の原型」となるべきブッダの遺骨を収めた墓（ストゥーパ）が建造された。そこでは、半円のお椀を伏したような墓が、祖型（オリジナル）となり、さらに車輪の図像なども、ブッダのシンボルとなった。

ではローマ・カトリックの方はどうであったか。あくまで〈十字架〉や〈聖骸〉が主題であった。これほどまでに、〈聖骸〉に拘るのは、やはり文化的、宗教的差違から生じるものかもしれない。たとえば十二使徒の一人、聖ヤコブは、イエスの死後、ローマ兵にエルサレムで捕まり斬死させられた。この聖ヤコブが、どういうわけかヒスパニア《イスパニア》の地で布教したことになっている。

ある2人の使徒がヤコブの死体を船にのせて運んだ。そこはスペインのサンティアゴ・デ・コンポステーラといわれている、その意味は、〈星の野〉である。信者達はそこへ向けてひたすら巡礼した。この地は中世以降、一大巡礼地となっていく。人々は、聖なる使徒の死骸（つまり聖骸）への巡礼によって、功徳をえようとした。

新約聖書では、裏切り者のユダがローマの兵士を連れてきてイエスを逮捕しにきた時、このヤコブは剣を持って立ち向かい、相手の耳を切り落とした。そんな一面もあった。つまり激する人、直情型の聖人、〈雷の人〉が民衆の信仰をさらに駆り立てた。

さてローマ教皇の墓碑はどうなるのか。自己の信仰を脚色し高めてくれる視覚的装置、舞台セットが必要になる。その舞台装置づくりが彫刻家の役割となった。彫刻家は、ここ一番の技能を発揮して劇的演出につとめなければならなかった。先にのべた聖人像のなかで、ひときわその優れた手技を見せてくれるのは、アレクサンデル7世の墓碑であり、そのつくり手は、またしてもベルニーニであった。

バロックの巨星の呼び名にふさわしく、ベルニーニは、この「サン・ピエトロ寺院」の中に、合計10体の彫刻を設置した。あの華麗きわまる「カペドラ・ペトリ」から始まって、天へ駆け登るかのような螺旋の渦巻の飾りでいろどられた「バルダッキーノ」へ、さらには「カッペルラ・デル・サンテッシモ・サクラメント（聖秘蹟礼拝堂）」を飾る体聖器（チボーリオ）の制作まで。それこそいたるところベルニーニで満ち満ちている。

彼の才能は、とにかく素晴らしい。なにより劇的演出が特筆に値する。今に通じる視覚効果を知り尽くしたヴィジアル演出家でもあった。もしも設置条件が悪くてもすぐれた技法で、それをプラスに変えてしまったのだ。

私は、その劇的効果づくりに溜息をつかざるを得なかった。

くわしくアレクサンデル7世の造形をみてみよう。壁龕（Nichia、つまり彫像など置くために、壁面を穿って作った窪み空間のこと）は、扉の上に置いた。丸いドーム上のニッキア、その下に手を合わせて祈るアレクサンデル7世、その下位に、両翼部分に4人の寓意像を置いた。それだけなら何にも劇的でもないと言われるかもしれない。しかしである。ベルニーニは、異彩ぶりを振るう。一流はどこかが違う。マイナス条件であった扉を逆手にとって、死の象徴としての有翼の骸骨が、ムクムクと動いてくる気配を醸し出している。細い手、骨だらけの人体、その骸骨がいましも動きだして、私達に死が近いことを予告するのだ。翼をはばたかせて飛び立っていこうとさえしている。この動性の臨場感はすごい。

暗い闇のようなこの冬の冷たい礼拝堂で「これは、死の踊りだ」「あのモメント・モリ（死を想え）の寓意に違いない」と私はひとり呟いた。

私の呟きは、さらに別な感慨によってさらに強化されていった。

これはある種の視覚的マジックである。この聖人を頂点に置きつつ、ピラミッド型に配置をした。像の造形性をより一層強度に打ち出すため、〈眼の快楽〉というべき手法をあみ出した。4人の女性の寓意像と聖人を対比的に引き立たせた。聖人の色大理石（碧玉）の赤と、アレクサンデルと寓意像の白との色彩の対比が眼に作用する。色大理石を巧妙に使いながら、色彩美に象徴性をもたせた。このベルニーニの色彩効果には脱帽である。薄暗い、この大聖堂の隅で、私は、誰かに促されることもなく〈これはなんという、ベルニーニの独創か〉〈なにより、死の超越を雄弁に語る彫刻だ〉とうなずいていた。

古いカラをバリバリと破るバロックの旗手ベルニーニは、この独創的意匠を作り上げた時、すでに80歳だったというから二重の驚きである。

骸骨に握らせた砂時計。儚き生を計測するこの砂時計を握らせた彼の胸中にいったい何があったか。それを探りだし結論づけることはできない。でもひょっとするとこの年齢の事を勘案してみるとき、残り少ない自分の生の計測ではなかったかと思えてならない。この地上での残り少ない生の時間をカウントしたとき、おもわず骸骨の砂時計をストップさせたかったのは、ひょっとしてベルニーニ自身ではなかったか？

とすれば、あの祈るようなアレクサンデル7世の姿は、彼自身の心境そのものではなかったか……。誰もが避けることのできない、死そのもの。その生き生きとした寓意的造形がここにはある。

さらにこうも思った。アレクサンデル7世とベルニーニ。「このピエトロの聖骸の上に降り立つように、いわばこれはこの人の死の二重奏ではないのか」と。

さらに現代に通じるものがあるのに気づかされた。

死を忘れ、死よりも世俗的の快楽をひたすら追い求める、現代人を激しく撃っていないか。死を見てないと思っているのは、錯覚であり、幻想に酔っているだけである。見えても、見ていても気付かないでいる現象こそ恐ろしいのだ。それを悟れと！

私は宗教者ではないが、人間はもっと深刻に、悲観的に自己省察をすべきではないかと真剣に思うのだが。死の「苦い味」を味わう（体験する）ことで、世界に関する平坦な解釈も変化して、人間の奢りや、身勝手に少しは気づき、楽観的未来観が崩れ去っていくのではないかとも……。

死を見つめつつ、そこに生の意味を感じること。これはけっして中世の時間に限定すべきではないはずだ。むしろ現代という「抗争・差別・虐殺・虚飾に満ちた世界」全体への警告ではないのか？

気がつくといつしかミサの合唱が、天に登りその響きは、この大寺院に共振している。暗いこの大寺院には、不思議な死の感覚が立ちこめている。バロックの美と死さえのりこえ、甘美なものとして味あわせる感覚がここには仕組まれている。そんな高度なある種の眼であじわう「マジック」でもある。

大理石と音が共鳴して作り出すこの冷たい感触は、死の感覚と融合し、これまで体感したことのない情感が身体全体にしたたらせた。

★トレヴィの泉〔Fontana di Trevi〕

狭い小路が小さな勾配を描いて続いている。そこに突然として「トレヴィの泉」がたち現れる。人のざわめきが耳に飛び込んでくる。15世紀に再建計画が持ち上がり、１７６２年に完成した。ほとんどの人が、ここに来て後ろ向きにコインを投げている。〈再びローマを訪れることができる〉という言い伝えに従っている。確かにこれもバロック空間。よく見ると、ポーリ宮の壁面に取り付けたように（いわばそれを背にして）、ある劇的舞台をつくり出しているのが分かる。18世紀の建築家ニコラ・サルヴィの設計による。ニコラ・サルヴィは、先任者ベルニーニに学びながら、見事な空間を演出したわけだ。

どこか凱旋門風の舞台、そこにギリシャ神話が挿入されている。よくみると、2つのニッチがあり、左右には、豊穣、壮健のシンボルが置かれている。その上には、水道に関わる物語が描かれている。存分なる水が豪華さをかもし出す。中心には、オケアヌス像が置かれている。貝殻の馬車から、トリトンに先導された二匹の海馬の手綱を引いている。つまりギリシャ神話の神ネプトゥーヌスとトリトンの物語である。彫刻、建築、噴水、この3つが一体化しパノラマを見せながら、ローマで一番の華麗な噴水となっている。

「トレヴィの泉」はローマを舞台にした、描いた映画には必ずといっていい程登場している。退廃的ムードがいっぱいなフェデリコ・フェリーニ監督の映画『甘い生活』。このシネマではなんと、この噴水の中に身をおき、美しいアニタ・エクバーグが水浴びをしていた。たしか私の記憶では『ローマの休日』では、グレゴリー・ペックが女学生にカメラを借りようとした。

ジャン・ロレンツォ・ベルニーニ
「四大河の噴水」＊

［アートコラム3　ローマの古代時間へ］

★サン・パオロ・フオーリ・レ・ムーラ大聖堂〔Basilica di San Paolo fuori le mura〕

ローマであること。ローマという名の都市の骨格と内臓を腑分けして、そこに生きて流れる歴史の血を嗅ぎ分けること。あるいは、暗い冬の闇に生きづく過去の時代の残像をみること。そしてその重層化しているこの有機体の骨格を判別して、少しばかりの解読を試みること。それがローマを知ること、味わうことの始まりとなる。僅かばかりの滞在ではある。どう逆立ちしてもローマという〈壮大な記号〉の集積の前に立っては、人間はひとつの点、シミでしかない。その割には、なにがしかの解読を試みようとしているのは、愚の極み以外のなにものでもないのだが。こんな性急な気負いこそ、戒めるべき事かも知れない。しかしこの気負いを掻き立てる何物（魔物）かがこの都市にはうごめき潜んでいる。

壮大な時間と空間の集積によって織物のようにしっかりと縦横に細部までおりこまれた、この都市の表情は、重く腹まで堪える。この都市にむかって発せられた僅かばかりの眼差しは、対象の重い沈黙の壁にぶつかり凍ってしまうのがおちだ。それでもそのうごめくものの一つでもつかもうとする。でもまたしても眼差しは、ブーメランのように、再び戻ってくるのみ。また響いてくる壁の聲が重い。この繰返しである。それでもこの反復のなかで、少しずつこの都市の襞になじんでいくのだ。

この「サン・パオロ・フオーリ・レ・ムーラ大聖堂」（以下サン・パオロ教会）には言葉以上のパワーで語りかけながら包囲してくる列柱に圧倒され、戸惑うばかり。

エンタシスの緩やかさが、細長く引き延ばされ、建物を支えつつ高くそそり立つ時、素材の石や大理石のせいであろうか。あの法隆寺の木の列柱とは全く異質な西洋建築の力強さが、振動となって伝わってくる。これは、自分に迫ってくる「共振の威力」とでもいうべきものかもしれない。

ギリシャ以来、イオニア、ドーリア、コリント式の列柱は、ひとつの型式《オーダー》となり、より強く、壮大さと装飾の役割を充分に果たしつつ、さらに威容と人格性さえ帯びてくるのだ。こういいたい。様式にとどまらない「精神性をもったオーダー」であるといえるのではないかと。

地中海というつねに新奇なものが作り出されつつ、古いものとうまく融合しあった文化の構造の臍《ほぞ》（文化のルツボ）となったローマという空間には、すべてが万端そろっていた。たとえていえば地中海という大きな母体（マトリクス）は、「文化融合のための器」となったのだ。

とくに建築のオーダー（建築言語のＡＢＣとなっている様式）は、いかに根づいていったのか。興味あるところではある。ただ私的な感慨をいわせてもらえば、柱のもつ役割は、その精神性に行き着くはずである。単に建物をささえる支柱としてのみあるのではなく、天上へいざなう宗教的機能をもつ。つまり、天をささえる人の姿をした形体こそこの柱の本来の機能であり、そのために飾りが必要であった。

たとえば、一番の観光名所となっているコロッセオ、あの円形競技場は、何層にもわたって、ちがった柱式（オーダー）を用いながら、厚く重い壁が天に向かってそり立っている。この強大な壁は、この３様式によりリズミックな調子を形成する。下から順にドーリア、イオニア、コリントとなる。そこからある程の開放感が与えられ、それと同時に垂直にのびる力動感が誕生してくる。

さてローマの郊外に建立されたサン・パオロ教会の正面の堂々たる柱。それは、均整と端正、さらには威容と調和をみせている。ぐっとのびあがる柱のダイナミズムは、心に静かな躍動感を与えてくれる。

冬の小雨の降る日。このサン・パオロ教会の前庭で、私は剣をもつ聖パオロの像を見上げながら、正面に居並ぶ柱の群れの美しさに心を撃たれていた。

教会の内部に入り、その暗さにもびっくりしたが、その暗さに少し眼が慣れてくると。礼拝堂の空間にそそりたつ柱の存在感にさらに、びっくりした。沈んだ空気。重く心を引き締めるこの暗いや闇に心を浸されながら、天井までそそり立つ柱が、はっきりとはその輪郭を見分けることができなかったのを、いまでも思い出している。

これをどう表現すべきであろうか。たしかなことは一つ。虚飾を排してそそりたつ、列柱の存在であった。光といえば、僅かばかりの、窓からそそりおりる薄い光の帯びだけだった。

案内してくれた彫刻家の安田侃（当時ローマで生活していた）は、この暗闇のかなで、〈ほら、天井の方を見なさい〉と指差してくれた。その指の方向に視線をむける。すると、北国にすんでいる者は雪明かりというものを体験しているが、それとも違うもの、もっと鈍い光の降下を目撃した。それは不思議な感覚を与えてくれた。

指さされた所には、薄く大理石がスライスされ、嵌め込められていた。唯一の光は、この薄くスライスされた大理石を通過してくる。それにしてもなんという、冷厳な暗さであろうか。あのサン・ピエトロ寺院の華麗な空間と比べてみるとき、まさしくそれは真逆な深海のような世界がここにはあった。

初代教会の父たる聖ピエトロと、その下位の聖パオロとの身分（立場）との違いかとも思った。いやこの暗さこそ、当時の真正の暗さではないかとも思い始めていた。むしろ、初期の使徒たちはこのような闇をみていたのではないか。サン・パオロ教会の内陣の暗さこそ、真の暗さであり、初期教会の人々が感じた暗さではないのか。「大理石のガラス」、それは淡黄色だった。渦巻きのように石の模様が透けていた。その濃淡のある模様から零れるように光が、ほんの僅かな雫のように滴り落ちていくる。その下には、見事な列柱があり、列柱にささえられた天井にはもう一つの闇が漂っていた

それにしてもなにか、心にのこる神秘的な列柱の美しさであった。ここはローマの郊外にあたり、また近くには、「アッピア旧街道」「Via Appia Antica」があり、風景も違う。教会の内庭には、南方性の植物が繁っていた。近くの城壁は、さらに古く、すでにかなり崩れていた。

では私は一体ここで何を知覚したのであろうか。このほとんど無人の教会で知覚したのは、初期キリスト教の信者が味わった闇とその闇を溶かすような、淡い光のおりなす「神秘的音楽」ではなかったか。今でもそのことが忘れられない。その「神秘的音楽」は天使と共に、美しい詩想を語ってくれたからだ。

これは〈詩想の音楽〉というべきであろうか。淡いレモン色の光。全く色のない闇に微かに血の気を放つもの。いや、この血の気という表現では誤解が生じる。むしろ清楚な光、純粋な処女の光である。そのレモン色は、寒い雨の日に訪れた私の心に降ってきた。灰色の空の色と混じりあり、微妙なニュアンスを醸し出して

いたのだった。

外はまだ小降りの雨がつづいていた。灰色の空に霞んでしまいそうなこの教会。でもしっかりと長い柱は、大樹のように大地をかみしめて直立していた。

ここは、聖パオロの名を持つ教会である。

キリスト教徒を迫害してした軍人サウロは、ダマスコ途上で、「サウロ、サウロなぜ私を迫害するのか」というイエスの声を聞いて、突然に眼が見えなくなり地面に叩きつけられた。ローマ皇帝の名により、大量のキリスト教徒を迫害し、死に追いやったこの軍人は、この体験を契機に改宗して名も改めパオロとした。その後、地中海世界への伝道者になっていった。世界宗教へと原始キリスト教会を押し上げていく功績をもったのだ。

偉大な思想家でもあったパオロ。多くの書簡をのこしたパオロ。ローマ市内にある荘厳なる大教会とはちがう意味で心に残る教会であつた。なぜなら、教会は本来〈神の家〉の意味であり、もっともそれに相応しい教会ではないかと感じたからだ。そんな感慨を抱きつつ、ここから、さらに時間を遡って初期キリスト教の遺跡、「カタコンベ」へと足を運んだ。

★カタコンベ〔Catacomb〕

不滅とか永遠とは何か。この言葉の意味は、深い謎をふくんでいる。この言葉の意味を人間は味わうことはできないのではないか。もし出来るとしたら、その人は、永遠の時間を生きた人にちがいない。しかしこのローマの都市に身をひたしていると、なにか一人よがりな思い込みかもしれないが、この言葉の破片を少し味わうことができると思ってしまうから不思議だ。なぜか、言い知れぬ永遠の時間という不可視の魔的存在をみたようなきがしてくるのである。

ローマにくる前、人はよく〈永遠のローマ〉といっているが、オーバーな表現ではないかとたかを括っていた。でもこのひとりよがりの読みは、すぐに外れてしまった。ローマは僅かばかりの知識と想像力では、いかんともしがたい底のみえない〈深い闇〉であった。私が住む北海道は１８６９年に松浦武四郎によって命名された。だからまだわずかな歴史しかない。もちろんそれ以前には縄文文化があり、アイヌの人々が住み豊かな文化を築いてはいたが……。４００年ちょっとの江戸から数えても、まだまだの東京。古代史を含んでもどりみてもまだまだ「薄い紙」のような歴史の地層の上に生きてきた日本人の都市感覚で判断しようとすること事体が間違いのようだ。

この地には、おびただしい歴史的記念物が揃っている。都市自体が、博物館である。「フォロ・ロマーナ」の古代帝国の遺跡から始まって、カラカラ帝などの大浴場に見られる皇帝政治のスケールの大きな権力の象徴空間。原始キリスト教の伸長が起こり、帝国の弾圧から身と信仰を守り礼拝した「カタコンベ」〔catacombe〕(地下墳墓)にいたるまで、数え切れないほどの遺跡の洪水。至るところ歴史的記念物に包囲されている。まさにこの都市の主人公は、いまや人ではなく〈遺跡〉なのである。幾層にも重なった遺跡や廃墟が、いまなお口をあんぐりとあけて呼吸しているのだ。

しかも幾世を経て形成された地層は個性的な表情を見せ付けている。そしてこの歴史地層が、集合し連続して〈ローマという有機体〉を形成するのだ。

どうしても古代の時間にタイムスリップしたいと思うならば、「カタコンベ」を訪れることを勧める。ローマのみならず、ヨーロッパの各都市に点在するこの「カタコンベ」は、ローマ帝国の遺跡として共通の記号となっている。まさにこういえる。ローマ帝国によるキリスト教の迫害という未曾有の事件を生々しくその記憶を留めるこの地下世界は、生きた歴史的標本であると。地下世界に迷路のごとく張り巡らされたこの墓空間。文字通り、原始キリスト教時代の〈タイムカプセル〉となっている。

ローマの都市部より離れた「アッピア旧街道」の牧歌的な地帯に、いくつかの大きな「カタコンベ」がある。特に有名なのがサン・カッリストの「カタコンベ」。この地は、原始キリスト教にとって、聖地となっている。皇帝政治への反抗を企てる危険な思想として、イエスの教えは権力の側よりマークされていた。愛の思想は、憎悪をもつて向かえられた。さらに彼らの清純なる信仰は異教の快楽主義に染まった貴族階級には、そう簡単には受け入れられないものであった。地下世界、その人々の埋葬の場こそが、当時の初期キリスト者にとっては、祈りと賛美の〈聖なる場〉となった。なんと死者と隣りあわせながら、わずかばかりのローソクの炎の周りに集まった。ただただ熱い祈りがこの闇を溶かした。

「カタコンベ」。知識では、少しは知っていた。キリスト者への迫害の歴史とともに、私自身が何度も子供たちや学生にこの「カタコンベ」のことを語ったのをしつかりと覚えている。「皇帝政治を否定し、神を神として告白したものは、「カタコンベ」に集まり礼拝した」と。「イエスはキリスト（救い主の意味）であることを、公前とはのべられず、それにかわって一つの暗号をしるして礼拝した」と。

それは、〈魚の絵〉であった。なぜなら、「イエス、キリスト、神の子、救い主」というギリシャ文章の頭文字を繋げていけば、「イクチュス」〔ichthys〕というギリシャ語、つまり〈魚〉と成るからだ。

こうした知識なら、誰もがある程度は持っていることなのかも知れない。だが、今は、その「カタコンベ」の場にいるのだ、と想うと別な感慨に襲われた。

ヴァチカン市国の職員でもある聖職者の、いくぶん説教調の英語ガイドに耳を傾けた。できるだけ眼をこらして、でこぼこした壁にしるされた色あせた図像をこの眼でたしかめようと必死であった。なにせ闇は深いのだ。地下まで4層ある。そしてクネクネと複雑に蛇行する狭い道だけが、ここにはあった。迷路の所々に、狭い部屋が点在した。仄暗いこの部屋の地面に、1人の女性像が横たわっていた。その名はシチリアという。美しい乙女の像である。ガイドの聖職者は手に持った懐中電灯の僅かばかりの光を、そこに注いだ。一瞬この聖セシリア（サンタ・チェチーリア）の頭部が、ほんのりと浮かんだ。そしてそこには、はっきりと一条の刃の痕がみえた。弱い光であったが、聖女の首に、くっきりと刻まれた傷痕が確認できた。このガイドは、雄弁にこう語った。

「この女性は、ローマ兵に捕らえられ、迫害されたが、自己の信仰を堅く守った」「そして後の人々は、この純粋な女性の信仰を讃えて、一つの像を刻みました。この大理石像は、コピイだがその信仰を讃えてここに設置されました」と。

説明の間も、私はこの聖女の大理石彫刻の細部を見極めようとした。顔全体は判別できなかった。でも繋がれた二つの手だけは、はっきり分かった。そして首に残る傷が暗い闇をつくっていた。

ここにはこの聖女以外にも無数の死者の眠りがある。この地下こそが安住の地であった人々の心を思うと、何か胸が痛くなった。

このあと、「ドミネ・クォ・ヴァディス教会」〔Domine Quo Vadis〕へ足を向けた。聖ピエトロは迫害をのがれこの地を去ろうとした。この「アッピア旧街道」で復活のイエスに出会い「主よ、どこに行かれるのですか」と聞く。するとキリストは〈もう一度ローマへ行く〉とのべたという。聖ピエトロはみずからの心を改め、再びローマに入り殉教した。

カタコンベにおかれた聖Ceciliaの像

［アートコラム4　聖母の画家ラファエッロ・サンティオ］

ラファエッロは、時代の流行児として活躍した。私は一枚の絵をイメージする。23、24歳頃の「自画像」（フィレンツェ・ウフィッチ美術館）である。なにやらベレー帽子を被り、こっちに横顔をみせる。やせ型の華奢な青年であり、この容貌であれば、かなり女性にモテたように感じる。

この画家の人生を調べてみると、不思議なことに気づかされる。というのも、誕生と死んだ日が同一なのだ。4月6日が運命の日。つまり本来祝うべき37歳の誕生日に、死の床に着いてしまった。生まれは1483年のこと、ウンブリア地方の古都ウルビーノで生まれた。ウルビーノには、モンテフェルトロ家が支配し、洗練された宮廷文化を開花させていた。経済的には恵まれていたが、家庭的には母を8歳で、画家の父を11歳で亡くしている。決して恵まれた境遇で育ったとはいえないかもしれない。次第に豊かな感性を伸ばし、また絵の才能を発揮し、画家への道を歩きはじめた。ペルージアに赴いて、画家ペルジーノを師として教えをうけ、抒情的な様式を学んだ。さらに当時の憧れの都フィレンツェを訪れた。ここでダ・ヴィンチ、ミケランジェロらの優れた先人の仕事を貪婪に吸収していった。では画家としてラファエッロは、どこに自分のアイデンティティを求めていったのであろうか。どのように、独自な世界を切り開いていったのか。結論を先にいえばそれは、新風に満ちたキリストの母であるマリア像の創出であった。いわば、彼の描いた若々しいマリア像により、「マリアの人間化」が起こったといえるかもしれない。

まさにラファエッロは、「聖母の画家」といわれる。その優美な宗教画は、旧来の威厳のある宗教色の濃いものではなかった。どこか、いわば隣の家にいるお姉さんが、そのままモデルになったかのような親和性をもっている。聖母を主題にしたものは、実にたくさんある。初期の「大公の聖母」、パリのルーブル美術館の名品「美しき女庭師」、円形（ロンド形式）の「小椅子の聖母」「ヒワの聖母」〔Madonna del cardellino〕など。

ここでは１５０５年から翌年にかけて描かれた「ヒワの聖母」について、その図のひとつの解釈をのべておきたい。「ヒワの聖母」は、友人のロレンツォ・ナージ（ナージ家）の結婚の祝いとして、描かれたという。ただよく見ると、状態があまりよくない。よく見ると、状態があまりよくない。このナージ家が壊れた時に、17の断片にバラバラとなり、後にそれをただを修復したという。図像では、あら布に身をまとった洗礼者ヨハネが手に抱くひわを、幼児キリストが触り、それを母なるマリアが見つめている。ここに読み取るべきメッセージが内在している。というのも、この「ヒワ」はキリストの受難のシンボルとなるからだ。後に、「ヒワ」の多産性から豊饒のシンボルともなった。

十字架にかけられる時に、「ヒワ」が来て、茨の冠で流れたキリストの血を吸った。その「ヒワ」の頭の毛の一部が赤く染まったという。

さて美術史の森では、よくモデルが誰であるか大きな話題となることがある。特に女性関係が賑やかであったラファエッロ。恋人とモデルの関係探しがさかんに行われている。友人のカスティリオーネは、その早すぎる死の原因の１つに〈女遊び〉があり、それが「神々の嫉妬をかった」からだとまでいっている。また『美術家列伝』の著者ヴァザーリは、「狂おしい愛の快楽」に耽って、それもあり原因不明の高熱で死んだというのだ。

モデルの中で最右翼の存在が、ローマで出会ったフォルナリーナなる女性である。下町のパン屋の娘マルガリータが、意中の人のようだ。それを決定的にしたのは、「ラ・フォルナリーナの肖像」（ローマ国立絵画館所蔵・１５１７年）という作品図像であった。ちなみに〈フォルナリーナ〉とは、パン屋の娘のこと。この絵は、半身裸身であり、完全に親しい関係でなければ描けないもの。さらにびっくりしたのは、この女性の左腕に嵌められた腕輪には、はっきりとラファエッロの文字が刻まれていた。

次第に名声が高まり、ラファエッロにローマでの仕事が舞い込んでくる。教皇ＬＥＯ《レオ》10世からも依頼が来る。

絶対的権力者であるローマ教皇庁には、いくつかの個人的な教皇居室があり、その壁装飾を依頼された。そこには現在、「ヘリオドロスの間」「火災の間」「署名の間」「コンスタンティヌスの間」が並び「ラファエッロの間」と特別に呼ばれている。さてこの「署名の間」は、本来は、条約などの調印などを行った空間。ここには、３つの映像を描いた。「聖体の論議」「パルナッソス」「アテネの学堂」の３作である。

３室とも見るにはかなり窮屈な空間である。横幅７７０センチメートルの空間に「アテネの学堂」（１５０９－１５１０）を描いた。この「アテネの学堂」は不思議な絵画である。そして異教的である。まず「人物辞典的」な性格を帯びている。ギリシャ哲学者、ゾロアスター教の開祖、アレクサンダー大王などの歴史的人物などを網羅している。だから宗教画とはいえない。本来教皇居室の壁に描く絵ではなかった。でも教皇はそれを否定しなかった。むしろ歓迎した。建築、絵画、彫刻家などを軸として、その数50人という。この壁画が興味深いのは、その古代的人物像の顔や姿を、同時代の芸術家に似せたこと。そのモデル探しの楽しみがある。なぜそうしたのか少々なぞめいている。なんらかの意図があったようだ。察するにローマ・カトリック教皇庁はそれらを(異教的なもの)全てつつみこむ位に大きな存在であることを示そうとしたのかも知れない。プラトンをダ・ヴィンチに、ミケランジェロをヘラクレイトスに、ブラマンテをユークリッドにした。さらに興味深いことに、画面の右端に、ちゃっかりと自分の自画像を描いているのだ。

ラファエッロは、ローマで古代遺跡発掘の監督、建築の設計などにも着手している。だが、惜しくも37歳で早すぎる死を迎え、ローマのパンテオン(汎神殿)に埋葬された。

ラファエッロ「ヒワの聖母」
(1507年ウフィツィ美術館)

［アートコラム5　ダンテの『神曲』をめぐって］

詩人ダンテ・アリギエーリは、『神曲』（DIVINA COMMEDIA）の最後に、誰もがなしえなかった願望を成就せんとした。

かの大叙事詩のラストシーンでは、みずから至高天に登り、そこで、聖ベルナルドと聖母マリアに祈りを捧げた。聖母マリアは、祈願を受け入れ、主にとりなしをする。そして、決定的なことが、つまり奇跡がおこる。ダンテは、神の聖貌を礼拝するのである。

現世から、様々な事象の森を抜け出、地獄、煉獄と、世界の全行程を通過してきたものとして世界の頂点たる天国（堂）へとかけのぼっていったダンテは、白い燦然と輝く光の世界に入ってゆくのであった。燃えるような願望。つまり、神と見会うという恐ろしいまでにストイックな願望は、普通は、むしろ被創造者たる1個の地をはう小さき物としては慎むべきことであろう。しかし、切なるこの宗教的な渇望に支えられた願望は、一方的に断罪するにはあまりに酷であろう。

私には、詩人ダンテが、なぜ物語の最後において、こうした誰からみても、〈自己救済〉の度合がつよいこうしたシーンをもちこんだのか？　かなり気になるところである。中世世界の住人でもあるダンテとすれば、あくまでカトリック世界の教義（教理）から逸脱できず、死をのりこえ神の恩寵に浴し、みずからの全行程を清めてくれる存在が必要であったということは少しは理解できる。だがしかし、あまりにこの場面は至福にみたされ、俗ないい方をすれば、あまりに楽天的でハッピー・エンドではないか。

いまふたたび、「第三十三歌」の最後、その劇的情景を描いてみよう。

その新しい光景を前にした私は。その像《かたち》が、円とどのように合致し、どのようにその場所をその中に保つか、私はつきとめたかった。私のもつ翼では、そこまで登れなかったが、ただそのとき、一筋の光閃《ひらめ》いて、私の心を烈しく打ち、その刹那《せつな》、願いは成満《じょうまん》した。

高きにいますものを受像する力は、ここで尽きた。しかし早くも、私の願いと私の意思は、まろやかに回《めぐ》る輪のように、かの愛に回らされていた。

その愛は動かす、太陽と、ほかのかの星々を。（『神曲』寿岳文章訳・集英社『世界文学』）

ここには、光が全身をおおい、その光が、恩寵のしるしとしてそそがれ、その至福の境地で、さらに大いなるものをみる光景が展開してゆくのである。平川祐弘は『神曲』の三篇の終わりの行はいずれも「星」(stella)で結ばれているが、それは「希望の星が最後に輝くことを暗示した作者の意図的な配置の一例といえよう」とのべている。そして最後の行は〈太陽やもろもろの星を動かす愛である〉という。つまり〈神は愛であり、愛をもって天球の物理的な動きをも規制している〉と評した。彼の詩的イマジネーション（想像力）の奇抜さにおどろくばかりではあるが、ここにおいて、光が、本質の形象となり、神そのものの存在体として一体化する。そして愛と聖の象徴としてあざやかに臨在するのである。

こうした恍惚とした精神の高揚のなかで、世界の断片が、一つに合一されてゆくという、そんなありえない、途方もない〈大いなる幻〉をそこに描いてゆくのである。

その光は、〈三つの円〉となってあらわれてきたというのだ。

このように『神曲』はある種の幻視文学の性格を帯びているのだ。そのことを忘れてはならないし、そこには中世的世界観がまだ色濃く反映していることも忘れてならない。こうしてみると中世的社会は文学的にみれば決して不自由な世界ではなかったことがよみとれる。それを前提にしてみても、やはりダンテの幻視力は卓越している。何せ神そのものの〈聖貌〉をみつめることになるのであるから……。

ここで少し話の方向をかえてみたい。ダンテの時代とダンテそのものの「生の風景」を寸描しておきたかい。特に不幸の極みにあった追放と放浪の旅についてである。

ダンテの心は、深く「物思う愁い」をひめていた。フィレンツェ市を追放されて〈放浪の旅〉に出たダンテが経験したことは、耐えることができない程のきびしい〈いばらの道〉であった。

『神曲』天国(堂)篇(第十七歌)には「他人のパンがいかに苦く他人の階級の昇降がいかほどつらいかおまえ自身で経験することであろう」ともらしている。このことばは、そこにはなによりにがい回顧の情がこめられているにちがいない。

当時〈イタリア〉という国の政治情況は、対立と分裂そのものをくり返していた。世俗権力と宗教権力の構想の縮図がこの地を舞台に展開していた。

都市国家が真二つになって対立抗争をくりかえし、その混乱があらゆる家系をまきこみ、個人の存在をもまきこんでいった。激しい「血の抗争」をぬきにしてダンテの『神曲』を理解することは到底できないのだ。

『神曲』のみならず『帝政論』などもしかりである。『神曲』はのべにして10数年間という長時間が費いやされて書きつづけられてゆくのである。スタートは１３０７年頃。完成が１３２１年頃と推定されている。ダンテが一個の人間として、大激動する世界のただ中に身をおききわめて熱心に政治へとコミットしたことを意外におもう方も多いかも知れない。しかしながら政治と文学はダンテにおいて不離の関係にあった。いやフィレンツェの政治情況がこの２つの分離を許容することはなかったのだ。ダンテは〈全イタリア〉を総体化しつつ、罪あるものと善なるものを分類してそれを記録としてのこした。『神曲』とは神が創世した世界への旅にありながら一方でははっきりとカトリック的価値観をベースにして「罪ある者」と「善あるもの」「徳ある者」とを１つ１つ取りあげたある種の〈道徳書〉でもあるのだ。私はそう『神曲』を解釈している。『神曲』は、中世世界についての莫大なる歴史書であり、人物史であると。つまり全てをつつみこんだ〈巨大な書物〉でもあるのだ。

※この小エッセイは、１９７０年初頭にかかれていたメモをベースにしてある。資料にしたのは世界文学全集『ダンテ』（寿岳文章訳・集英社）、野上素一『ダンテ その華麗なる生涯』（新潮社）、平川祐弘『ダンテとその周辺 中世の四季』（河出書房新社）などである。

［アートコラム6　ルネサンスの美神――その微笑］

美の形象《イマージュ》への誘い。美神に魅了された創造者達を支配し、とりこにしたその悦楽を再び味わうことは至上の喜びである。

特にルネサンス期に於ける美神の微笑《ほほえみ》は、他の時代のそれにも増して優美であり、喜悦を随伴せずにはおかない。ルネサンスの美が放つ恍惚性、それは、なにより女性の表情に象徴されている。ルネサンス音楽のように天上なるものを表現しながら、実にすばらしく、生きることの快活さと喜悦とを心の深淵から味わしてくれるあの調和と律動と同一のものがそこにはひそんでいる。

ルネサンスの女性美は、さらにいえば天使の優美さと典雅さに典型的にみられる。それは、15世紀の最大の流行画家であったボッティチェッリの描くほっそりした身体で首をかしげつつ夢想するかのようにして、天上の音楽に耳を傾ける女達は、人間性の光輝を宿しながら、まさに〈地上の天使〉であることをいいあらわしているにちがいない。

ボッティチェッリは、「春」（プリマ・ヴェーラ）と「ヴィーナスの誕生」（本来これらは別々に制作されているが、一つのテーマに基づいてつくられていることが判明されている。テーマは〈2つのヴィーナス〉である）この二作において、クワトロチェント全体を象徴する傑作をものの見事に世に送ったのである。

この2つの作品に宿った美のイデアは、古代ギリシャの異教的ともいえる神話世界をとび越し、さらに光と同時に、闇の部分をもった混迷した時代の汚濁の部分を浄化し、限り無く肉体そのものを、美が発光する「器」として取り扱っているのだ。

ヴィーナスが恍惚としてたたずむ姿を、これまで誰がなしとげたであろうか。ヴィーナスは、今だかつてない位に、垂直に身体はひきのばされており、均整美（ギリシャ的な意味での）から大きく逸脱しようとしているではないか。ルネサンス人たるボッティチェッリの野心的試みではないか。伝統の破壊と革新の意志が作動している。今流にいえば、あまりに現実ばなれしたグラフィックな表情にみえなくもない。俗性と聖性のはざま、そんなぎりぎりのところで絶妙に保たれた調和が生きて働いている。調和の自動制御装置とでもいうべきものをもっているようだ。この画家の筆には新《ネオ》プラトン主義による感化によって醸成された調和思想が注ぎこまれ、それを女性の身体表現を介して描出したようだ。神話に従属しすぎると、無機質なものになってしまうもの。だが大きな転機が訪れる。改革僧サヴォナローラへの傾倒により、ボッティチェッリ特有の繊細な美意識がどんどん衰退してしまうのだった。次第にいまのべた〈調和〉の自動制御装置が崩れてゆくことになる。優雅なヴィーナスに宿った天使的なものは、消滅してゆく運命をたどるのだった。

ただ、ボッティチェッリの天使的な美は、かなりきわどい部分をもっていた。当時の評価はどうだったか。魔術的までに悩ましい美しさ、いやそれ以上に異教的な妖美ささえ放っていたとみられていなかったか。「ヴィーナスの誕生」のヴィーナスの裸身をみるだけでそのことは容易に推察できる。類まれな〈線の画家〉でもあったボッティチェッリは、一流の筆さばきで、妖美さを聖化していったともいえないだろうか。

少しボッティチェッリに拘泥しすぎたかも知れない。実は、「ヴァチカン美術館特別展」（東京・国立西洋美術館・1989年）について語ろうとおもいながら筆が別なところへひとり歩き始めてしまった。どうして大きくズレてしまうのか。今回の出品作60点の内でも、特に目玉ともいえるものにメロッツオ・ダ・ノォルリ（Melozzo da Forli）の「奏楽天使」に心が奪われてしまったことが大きい。

メロッツオ・ダ・フォルリのこの作品は、本来「教皇の画家」ともいわれた彼が、サンティ・アポストリ（聖使徒）聖堂の内陣に「キリストの召天」（フレスコ画）を描いたが、それが法王クレメンス11世の内陣拡張計画により、このメロッツオの壁画はとり除かれてしまった。一部は、現在の大統領官邸に、そして今回出品の天使や使徒達は、ヴァチカンに収蔵された。

この地上には現存しない「キリストの召天」。その断片だけが残されている。このメロッツオ自身まだ美術史の上でも解明されていない部分が多いという。この奏楽天使だけが、彼の代表作とみなされているという。

この作品の情景をみてみる。半円状で、下に使徒達、天上の中心に昇天のキリスト、そしてその中空に、天使達が賛美の音楽を奏でている。弓状に歪んだ天と地が極めて接近して空間が構成されている。そこにメロッツオ自身の一つの意図が読みとれもする。

その意図とは何か。実に美しい意図である。キリストの昇天を彩り、その喜びをあらわすのは、天使であり、天使の優美な表情こそが、メロッツオがその技量を最大限駆使して一つの音楽としてつくりあげたもの。断片だけが残されてしまった。そのため完全なかたちでの全体像は、一人一人の内なるイメージで再構築せねばならない。しかし、その再構築が全く不要であるかのように、天使の表情は無垢で純粋な美を放っているのだ。

私達は天使が、有翼であることをすでに忘れてしまっている。天使は美しい女性の象徴として描かれているではないか。天使は雲上に座していることも忘れさられている。視る者が、しぜんと忘れさせられてしまうのだ。フレスコ画の天使はすぐにでも地上に降り立って、私の側《そば》でバロック音楽を奏でても不思議ではないのだ。

ではこの天使の優美さの本質は何か。この問いが私をつかんで離さなかった。

この展覧会の出品作には、「ランボーナの二連象牙像」（中部イタリア／９００年頃）の象牙を素材にしたレリーフや、初期ルネサンスの巨匠ジョットの「天使像」（１３１０年頃）のモザイクも含まれていた。「ランボーナの二連象牙像」の透彫は、イスラム風であり、美術史上の位置は、カロリング朝末期のもの。構成は、二つの銘板（パネル）からなり、興味深いことに、右銘板の下部には、非キリスト教的な図像であるローマ建国神話の主人公ロームルスとレムスが描かれている。またパネルには、原天使ともいうべき旧約世界によく登場する六つの翼をもつ〈セラフィム〉が彫られ上部に位置している。

有翼の天上的存在たる〈セラフィム〉は、全身が翼ともいうべきもの。その表情は、非個性的である。有翼の天上的存在体は、次第に有翼部分が様式化され、さらに顔や身体が人間味を帯びてゆき、それは画家ジョットの天使へと至るのである。

よくいわれるようにジョットの絵画は、15世紀に誕生する清新なルネサンスを準備した。量感をかんじさせ、ふくよかな肉体の実在をもはっきりと表現している。

このモザイクもまた、絵画と同じく、充分に人間味あふれる天使をみせてくれている。

ジョットの天使表現は、天上的存在であった天使を隣にいる女性のごとく魅惑的な美しさを宿した。このジョットの革新をさらに深く進行させたゆき先が、メロッツオの天使表現ではないのか。天使像の変遷としてみることも一つの鑑賞方法ではある。

天使の地上世界への降下こそ、ルネサンスの一つの指標であると語ってきたのであるが、これ以後の美術家にあっては、どちらかといえば地上世界の住人と同化（統合）しすぎて、区別（識別）が不可能になってゆくことになる。かろうじて唯一の識別方法は有翼かどうかといった外見上の差異に求めなければならない。それ程までに同化は完遂されていった。

その例を求めるのはたやすい。17世紀のボローニャの画家、グイド・レーニ（Guido Reni）の「聖マタイと天使」の天使は、少女そのもの。ヴェネツィア派の影響濃い、グエルチーノ（Guercino）の「マグダラのマリア」に登場する天使は、胸をあらわにして泣くマグダラのマリアと同じ仲間の俗性をもつ町の子供達となっている。

バロック時代にはかくして天使像はこぞって地上に降りて来る。それと同時に、俗性を帯びさらに神秘性はどんどん減じられてゆくことになる。

考えようによっては、〈神中心〉の思想からぬけ出した芸術界における〈人間化〉の運動は、知らぬ間に神秘のベールを根元的に破りすててしまったのだった。

【アートコラム7　ラファエッロとミケランジェロの二つの作品】

★「エゼキエルの幻想」（The Vision of Ezekiel）

この「エゼキエルの幻想」は、ラファエッロ・サンツィの小品である。サイズは〈40.7×29.5㎝〉とかなり小さいが、『旧約聖書』の預言者エゼキエルの幻視を筆たくみに描いている。作品は、フィレンツェのピッティ美術館に所蔵されている。この画像のモティーフは、『旧約聖書』の「エゼキエル書」に依る。１９８７年に開催されたこの作品を初めてみたのは「西洋の美術―その空間表現の流れ」（東京国立西洋美術館）においてであった。この展覧会は〈欧州評議会特別展〉と銘打たれており、欧州各国の美術館から名作が集められたこれまでにない画期的なものだった。

ケバル河のほとりで、預言者エゼキエルは、大いなる幻視《ヴィジョン》をみる。不思議にも霊の力は、彼の全身をふるわせ、不可視の世界をかいまみせた。壮大な幻視は、預言者としてのエゼキエルをつかまえ圧倒的パワーでうちのめしていった。

大いなる幻視は、虚構のいわば絵空事ではなかった。預言者たる者の切実なる祈りへの返答として、もたらされたものだったにちがいない。

私は、『旧約聖書』の「預言書」全体に、ちりばめられている数々の幻視に、特に興味をもっている。なぜかくも幻視が、リアリスティックなのか？なぜかくも聞く者の想像力をかきたてるのか？そんな感慨をいつもいだいてしまうのだった。

非現実的な幻視の像が、明確な論理性と必然性を保持しているのだ。本当は、もっと曖昧模糊としているはずのものが、明晰ともいえるある一つの秩序さえもっている。これは預言者のなせる業ではない。とはいえ神がかかせたと、簡単に事済ませたくもない。得体の知れない何か神秘的なエナジーが、そこに潜在力として生きて働いたことを疑うことはできないのだ。

ここでは、「預言書」全体は、神という〈壮大な存在〉が構想した大計画の下で成立していることを改めておもい知るべきなのだ。

エゼキエルの記述《エクリチュール》は、〈壮大な存在〉の計画によって、民族の悲惨な捕囚生活が、必ず終わりをつげる時がくることをいわんとしている。それ以外の目的性はない。そのことを神に代って民衆に啓示しているのだ。だからこそ幻視は、よりリアリスティックであらねばならないし、論理的でなければならないのだ。

預言者のエクリチュールは、整然として、ゆるぎないのは、そのためである。民族全体のカリスマ的指導者としての地位を確保し、民衆の不安をなぐさめ、解放という未来への夢をいだかせて、偶像崇拝を排して正しく生きることの大切さを宣言するためにも、しっかりと時間軸は一貫性を保っていなければならなかったのだ。

さてエゼキエルの幻視には、〈4つの獣〉が登場する。動物は、象徴を帯びている。その聖書の記述を要約するとこうだ。

風と雲が来りて、輝き光を吹いていた。その火の中に、青銅のように耀くものがあり、その中から、４つの生き者の形象が出てきた。それぞれ人の姿をもち、４つの顔をもち、４つの翼をもっていた。脚は真っすぐ、足のうらは子牛のごとく、そして光を放っていた。４つの生き者は、右の方に獅子、左の方に牛、後の方に鷲の顔をもっていた。

この生命体は、燃える炭の火のように輝き、そこから稲妻が出て、さらに速く行き来していた。

エクリチュールは、さらにつづくのである。幻視の情景は地上に移される。４つの生き者に対応するごとく、地上に輪が在り、それは、貴かんらん石のごとしとしるされている。この輪は、天上の生き者と、共に動くという。さらに、生き者の頭の上に、水晶のように耀く大空があり、大空の上にサファイヤのようにみえる王座があった、という。

このように、描写は、刻明かつ緻密なのだ。私は、現代のすぐれた幻視文学をよんでいるかのような錯覚をおぼえたほどだ。天上と地上が一体となっているこの美しい幻視情景は、とても言葉でいいつくせないドラマ性と壮大さを開示しているではないか。

人は、この４つの動物の象徴性を、解きあかしてゆくのを、常としているが、私はそれをあまり好まない。なぜならこの壮大な幻視シーンは、それ自身として、すでに自律しており、動物だけを切り離して、それが〈４福音書〉と対応するのだといったような〈解釈〉は、本質からはずれる余分なものといっていいのではないかと、おもうからである。あくまでその象徴記号としてまず神秘的な幻視が降臨し、動物が描かれている。決してその逆ではないからである。

こうした、幻視を、一つの図像として解読したとしてもそこにどれ程の新しい意味があるというのか。幻視は、あくまで言葉の中にひそみ、それが、読まれる人の心で解釈され、さらに大きく幻視がはばたいてゆくのではないか。文字言語から逸脱して、絵画言語によって、いかほどのものを語りつくせるというのか。これらの疑問は、当然であろう。エゼキエルの幻視は、より具体的なもの、青銅、動物、貴かんらん石、サファイヤ、水晶などの高価な宝石で表象している。それらをどう描くのかという制約を受けるのは当然ではあるが……。

しかし、ラファエッロのこの作品は、こうした危惧を一掃せしめるものである。具体性の濃い要素を、彼は、神と天使、動物に限定して選びとり、地上の描写については、かなり意識して省略する方法をとった。画面の左下にかろうじて一条の光がエゼキエルの姿を包みこんでいるだけだ。

ここにおいて、ラファエッロは、まちがいなく新しい絵画としてのエゼキエルの幻視をつかみとったのであろう。ラファエッロの独創は、エゼキエルが抱いていた古代的かつ砂漠的な幻視をうけつぎつつ、彼の時代精神であるルネサンス的精神、つまり神的なものと、人間的なものとの融合という新しい美学によって、それを独創的に変容せしめたことによる。そこにはミケランジェロの影響があるというのだが……。

ラファエッロは、霊的なものに、より具体性を帯びさせつつ、色彩をうまくつかって表現しようと試みた。その一つがルネサンス絵画の一つの特長となっている〈黄金色〉の使用である。

神々なるもの、霊的なるものを、〈黄金色〉としてミンボライズしたのだった。小品であるが、ラファエッロの絵画技量がいかに卓越していたことを示現しているのだ。小品ではあるが今でも時空をこえて私の心の中に残っている作品の一つである。

★「三人の兵士《聖ピエトロの殉教》のための下絵」〔Three Soldiers〕

ミケランジェロの作品である。この作品も「西洋の誕生」展に出品されたもの。紙に黒チョーク、紙で描かれている。サイズは〈263×156cm〉。現在、ナポリの国立カポディモンテ美術館に所蔵されている。

ミケランジェロの晩年の作品である。1545年以降、ミケランジェロはパウロス4世の委嘱で、ヴァチカン宮の「パオリーナ礼拝堂」の「聖パオロの改宗」と「聖ピエトロの殉教」を描くことになった。（ここではパウロをパオロと、ペテロをピエトロと表記してゆくことにする）

死神が、彼の魂をとらえる直前の仕事が、この2つの壁面図であった。ではこの素描の価値はどこにあるのであろうか。私は、この〈カルトン〉（下絵）をみて、うなり声をあげた。うなり声を上げる以外に、なすべをもたなかった。なぜならこの〈カルトン〉には、ミケランジェロの熱い血と息がこもっており、それが圧倒的パワーで私に襲いかかってきたからである。

この〈カルトン〉は、よくみると、下絵の土台が数枚の紙のつなぎによってつくられていることがわかる。たて長の大きな紙の上に、黒チョークを用いて巨大なる人物デッサンを描き出していった。その兵士たちの形態は、絶妙である。黒チョークは影をもちつつ、太い線とあいまって、兵士像を浮き出たせるのである。神妙なる的確な線は細く、あるときは太く連結しつつ、まさしくいのちをもった線と化している。この伸びのある線を、私はどう表現したらいいものだろうかと、ただとまどうばかりだった。

さてこの三人の兵士は、礼拝堂の壁面画では、決して主要な役割をはたしてはいない。あくまでこのテーマは〈聖ピエトロの殉教〉であるから、逆さ十字架で処刑されたピエトロその人を描出することであるからだ。ただいわば、どちらかというと脇役ともいえる兵士に対しても、綿密なデッサンを駆使しているのだ。絵全体における兵士の配置をたしかめつつ、実に、すぐれた空間把握力をみせていることが、読みとれるのである。

本来は脇役的位置にあるべき兵士にして、なんとすぐれた造形力で描出しているのであろうか。黒チョークは、広い背中、大陸のように広い腰部を重心をかけて移動し、体をひねる3人の兵士の動作を完璧にとらえている。兵士達は、よくみるとほとんどが裸身に近い。さらにその体の上に、薄いレースのような衣服が、描かれているのに気付いた。

裸身化と薄手のレース（布）。これは、ミケランジェロが、この人物達の骨格と筋肉を可能な限りリアルに把握するためであったことが理解できる。さらに斬新な試みをした。ミケランジェロは、人体の後ろ姿から造形に挑んだ。改めてバックから人体像をつくり出すというこの意志力に驚嘆させられるのである。

もう1つ驚いたことがある。あまりに彫刻的であるのだ。デッサンによる彫刻以外の何物でもないともいえるほどだ。そして無駄のない線が脈動しているのだ。ここでのミケランジェロの形態把握と空間造形は、かなりマニエリスム的ではある。

ふたたびこのデッサンをよくみると、所々に針をおした跡がみえた。このことは何を物語るのであろうか。それは、ミケランジェロ自身がこのデッサンを原画として実際に針をおとして写しとって壁に作品を描いたことを語っているのだ。

私は、まだ残念ながら「ピエトロの殉教」の全図をみてはいない。それがいつ実現できるのか今は分らない。それにしてもこの作品のサイズは巨大だ。改めてそれにおどろいている。先にもふれたがサイズは〈625×622cm〉という途方もない大きさだ。同サイズの「聖パオロの改宗」と対をなしている。

では美術史的な価値とは何だろうか。いくつかある。ミケランジェロの最晩年のフレスコ画であること。さらに当時大仕事だった「最後の審判」を完成したばかりであり、この〈審判図〉の人体フォルムと、天上と地上をクロスさせる二分法などがよく似ていることもあげておきたい。

この大フレスコ画は、教皇パウルス3世によって依頼されたもの。教皇庁内にある私的礼拝堂たるパオリーナ礼拝堂を飾るため、「パオロ」と「ピエトロ」の2大聖人の物語を描いたのである。

私は「最後の審判」とはちがった視座からこの2作品に、心を奪われている。70歳にならんとするミケランジェロは、肉体的にも、精神的にも老いを意識していた。未来への希望をもてなくなり、現実生活に対してもどこかあきらめにも似た、何かいい知れぬ悲観的感情が心をとらえていたはずである。鉛のごとく心は、沈んでいた。今までのように、美を光輝あふれるものとして表現できなくなっていた。沈む心は、想像力の飛躍をはばんだ。老いた心は、描くべき画像全体に、悲愴の色調を与えていった。それはもはやさけることのできないことだった。

ミケランジェロは、この2つのフレスコ画にいつわらざる内的感情を注ぎこんだ。みずからの老いたる顔や姿を描きこんでいった。醜と老いに支配された自画像と真正面でむかいあったのだ。偉大な魂の持ち主たるミケランジェロは、死とむかいあった。彫刻では、最後となる「ピエタ像」においてはニコデモの姿をかりて、みずからを刻んだ。「ピエトロの殉教」では、ミケランジェロは、数回、意識してみずからを描きこんだ。この企図をどうみるか意見のわかれるところではある。ただ私は、ある種のこの芸術家の祈りの声がそこに響いているとみている。それはまちがいなくみずからの老いたる境地を、逆らわずに受け入れようとすることではなかったか。再び、あのデッサンに戻ろう。全図では、今しも、逆さ十字架に両手・両足を打ちつけられ、処刑されんとする情景が開示されている。最後にひとことを記しておきたい。ミケランジェロは卓越した〈眼の人〉であり、人体のフォルムづくりにおいて他の同時代の画家や彫刻家とは群を抜いた技量の持ち主であったと。この〈カルトン〉はそのことを雄弁に語ってくれるのだった。ミケランジェロを正しく知るためには、こうしたカルトンや習作を味わうことも大切なようだ。

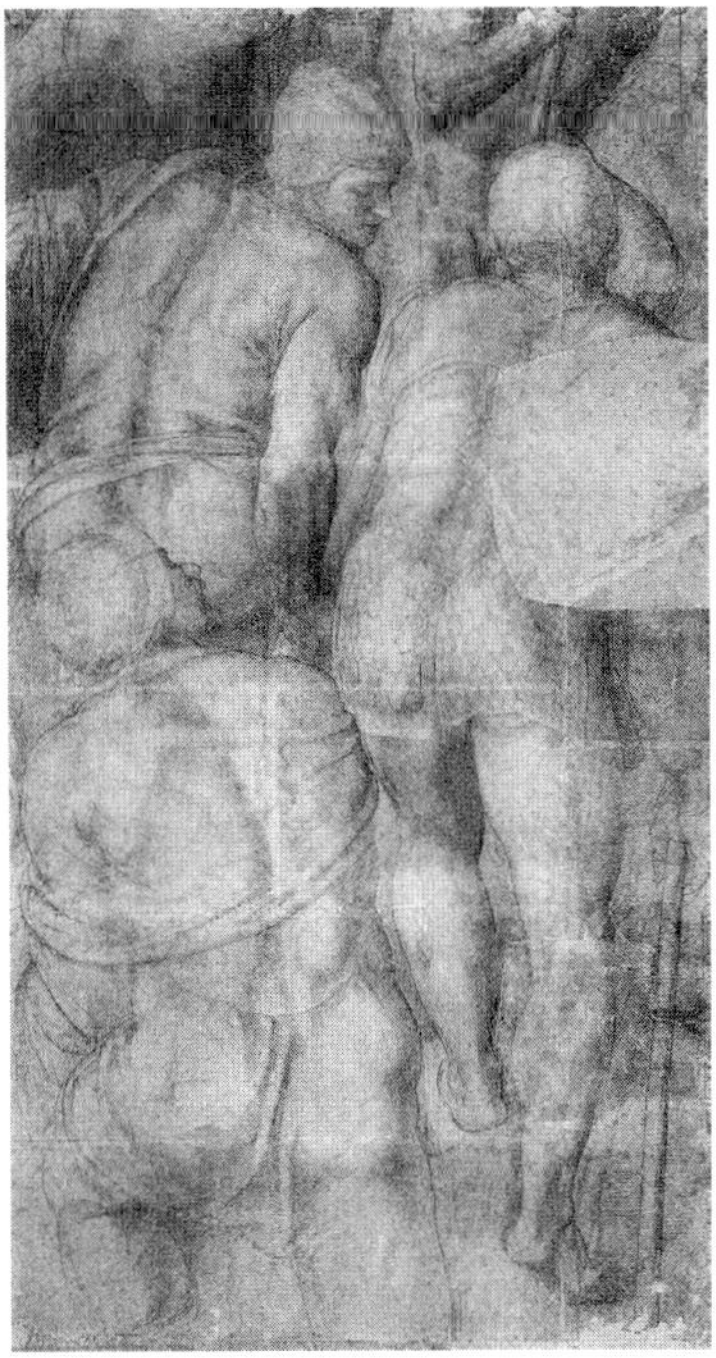
ミケランジェロ・ブオナローティ「三人の兵士《聖ピエトロの殉教》のための下絵」(ナポリ国立カポディモンテ美術館)

郵 便 は が き

63円切手
を貼って
投函して
下さい

0 8 5-0 0 4 2

釧路市若草町３番１号

藤田印刷エクセレントブックス 行

■芳名《ふりがな》

（　　　才）

男・女

■ご住所〈〒　　　-　　　〉

■メールアドレス：

■ご職業

■今までに藤田印刷エクセレントブックスの単行本を読んだことがありますか

①ある（書名：　　　　）

②ない

『ミクロコスモスⅡ
美の散歩道《プロムナード》1 柴橋伴夫』愛読者カード

ご購読ありがとうございました。お手数ですが、下記のアンケートにお答えのうえ、恐れ入りますが切手を貼ってご投函下さるようお願い致します。

■お買い上げの書店

◉書店：地区（　　　　　　）店名（　　　　　　　　）

◉ネット書店：店名（　　　　　　　　　　　　）

■お買い上げの動機

①テーマへの興味　②著者への関心　③装幀が気に入って

④その他（　　　　　　　　　　　　）

■本書に対するご感想・ご意見をお聞かせ下さい

■今後、どのような本ができたら購入したいと思いますか

ご購読、およびご協力ありがとうございます。このカードは、当社出版物の企画の参考とさせていただくとともに、新刊等のご案内に利用させていただきます。

II. 南仏・プロヴァンス美術紀行

マーグ財団美術館(サン・ポール・ド・ヴァンス) ＊

「ああ。ミストラル。あるいはおまえを讃え、あるいはおまえに耐え、胸一杯におまえを吸い込みながら、私は思う、ミストラルよ、おまえは海と大地の支配者だ。」（アンドレ・シュアレス『プロヴァンス讃歌』（高野優訳）から

1　ニース〔Nice〕、サンポール・ド・ヴァンス〔Saint Paul de Vence〕、ヴァンス〔Vence〕
——芸術家の園

南仏ニースの空港は、途中で乗り換えたロンドンの寒々としたヒースロー空港とはかなり違っていた。降りた時から、地中海気分がむんむんと満ち溢れていた。コート・ダジュール〔Côte d'Azur〕（紺碧海岸）の名称が、すでに心を躍動させてくれるから不思議だ。空港全体の色彩は、白で統一され、いたるところに色鮮やかな花がおかれていた。

コート・ダジュール空港からは、ホテル・アトランティックまでは、わずか20分もかからない近さ。「プロムナード・デ・ザングレ」〔Promenade des Anglais〕（イギリス人の散歩道）を通って、市内にはいると、しだいに人リゾート地の横顔がみえてきた。

豪華かつ華麗なホテルは、あたかも純白の衣装に身をつつんだ花嫁のようだ。ここには、「冬の王」は不在

であった。なによりイルミネーションに照らし出された豪華な噴水が、いやがおうにも、ここが南仏ニース〔Nice〕であることを実感させた。

ここを拠点にして、サンポール・ド・ヴァンス〔Saint Paul de Vence〕では「マーグ財団美術館」〔Fondation Maeght〕を、ヴァンス〔Vence〕ではマティスの「ロザリオ礼拝堂」〔La Chapelle du Rosaire〕を、アンティーブ〔Antibes〕では「ピカソ美術館」などを見るという、なかなかの豪華版だが、かなりの強行軍でもある。

やや心配なのは、公共の交通機関をどう有効に使いながら、ニース市内の自由行動ができるかということ。ニース市内を見ないで、すぐに郊外のサン・ポール・ド・ヴァンスに行くことになっているから、全く地理的把握なしに、ぶっつけ本番でニースにある「マティス美術館」〔Musée Matisse〕と「シャガール美術館」〔Musée national Marc Chagall〕に行くことになる。そこで、帰りに市内に戻ってから専用バスで、この都市の地理的特徴をおおづかみで確かめることにした。

翌日は、やや睡眠不足のまま、7時過ぎに起き、ホテルで朝食をだれよりも早くとった。完全なコンチネンタルスタイルで、少々物足りない。部屋もふくめて、全体に全盛期をすぎた老ホテルの感じで、ここのホテルのレストランで夕食もとったが、塩気が多く、とても美味しいといえるものではなかった。これで4つ星というから、とても残念である。

でも外は快晴そのもの。ニースの青が、爽快に空を蓋っていた。

9時にはサンポール・ド・ヴァンスへまず向かう。しばらく走ると、左手に巨大な白い伽藍風の建築物が目に飛び込んできた。その地の名物のマンションだという。一路、小さな高地をめざしていく。

朝靄が立ち篭め、車窓には、絵のような風景がパノラマ的に続いた。ミモザの花もみえた。目を奪うような心やすまる風景という表現があるが、その言葉は、このためにあるのでないかと思ったほどに、美しい。このゆったりとした田園風景、それは、心の故郷に来たような安心と平安を与えてくれた。

ところどころに白い煙がたなびき、糸スギが垂直に立ち、レンガ色の家並と調和している。

これは、もはや美しい一枚の絵だ。

スペインの古都トレドも、タホ川を眼下にみて、手に収まる風景ということを感じたが、それに似ていた。

塀のあまり高くはない城壁都市を横にみつつ、マーグ財団美術館に着いた。山のヒンヤリとした空気を吸い、丘を登っていくと、左右にこの美術館で開催されたこれまでの展覧会ポスターが、道路の両脇に展示されていた。小屋風の受け付があり、そこで写真撮影（お金を払うと許可してくれるシステム）の手続きをした。

★マーグ財団美術館〔Fondation Marguerite et Aimé Maeght〕

この美術館はフランスを代表する現代美術館であり、有名なマーグ財団が経営している。建築物がとてもユニークだ。現代風だが、なかなか清楚なおもむきをみせている。

それはバルセロナにある「ミロ美術館」と同じ建築家ホセ・ルイス・セルト（Josep Lluís Sert i López）の手によるもの。

芝生の上におかれた彫刻群が、まず迎えてくれた。入口空間の広大な敷地には、緑濃いグリーンベルトが広がり、彫刻家アレクサンダー・カルダー〔Alexander Calder〕やジョアン・ミロ〔Joan Miro〕の彫刻が静かに横たわっていた。ここには、野外の彫刻空間、美術館、さらに古い石組の教会もある。それらの空間が、全て現代美術家の作品とマッチしていた。

近づいてみると、この教会外壁には、フェルナン・レジェのレリーフがさりげなく組み込まれており、厳格な祈りの空間というよりも、むしろ小さな作品展示室という感じだった。中世ロマネスク時代のものであろうか、あまり大きくないサイズのキリスト磔刑の彫刻が、さりげなく壁に置かれていた。そのうしろの小窓は、ジョルジュ・ブラックのデザインによるステンドガラスが嵌め込められていた。また内部壁面には、現代作家の作品も展示され、いわば中世と現代が美しい調和を保ちながら、素敵な結婚をしていると感じた。

野外彫刻であるが、カルダー、アルベルト・ジャコメッティ〔Alberto Giacometti〕、ジョアン・ミロの作品たちが澄んだ空気を吸いながら、のんびりとここの主人（あるじ）であるかのような風情で佇んでいた。

カルダーは、はじめ素材として針金を使い、集合彫刻「サーカス」などを制作していた。このアメリカ人カルダーは、とても大切な2つのコンセプト（革新的なスタイル）を現代彫刻界にプレゼントしてくれた。台座から自立し動かないものと、空間の中で動くもの。まず大地そのものの上にそのまま据えられた「スタブル」。さらに自然の風をうけて「動く彫刻」、つまり「モビール」をはじめて制作した。

この「モビール」は、都市環境のなかで今や大流行であるが、その元祖がこのひとである。こういういい方が許されるならば「モビール」は、彫刻と空間に「軽み」と「舞い」（動き）を与えたのであった。

なんとこの「モビール」のなづけ親は、現代美術の天才（鬼才ともいえる）といえるマルセル・デュシャンであった。

ただ、「モビール」の全てがカルダーの独創ではない。２人の同時代の美術家から影響をうけていることも忘れてはならない。これはモダンアート史を飾る逸話である。「モビール」の軽快さを演出する色彩（青・赤・黄）は、抽象画の先駆者ピート・モンドリアンから、また単純なるフォルムは、抽象彫刻家のジャン・アルプから。その２つの異なる要素を融合したわけだ。それをさらりと行うのが、カルダーの実にうまいところ。

さて、この美術館はヨーロッパの現代美術家の作品が盛りだくさん集められている。やや日本人には馴染みのないものもあるかもしれない。が、充実していたのは自由な発想にあふれたミロの部屋。「男と女」などの陶器による作品を見ていると、おもわず「さすがミロだな」「遊び心いっぱいだな」と頷きたくなる。

星と太陽をこよなく愛した地中海人のミロ。カタルーニャ人のミロ。

なによりも彼は、表現の自由を愛し、太陽（自然）の下に生きる全てのものを平等にあつかった、つまり人だけでなく、虫、鳥、樹などを無心にひとしく愛した。

どうみてもここは、「ミロのための専用の庭」の風情をみせていた。ユーモラスな池。噴水の口。巨大な生物のような門のような彫刻。そして壁画。ミロ芸術の本質である自由な遊び心が、実にのびのびと伝わってきた。それをまかせたマーグ財団のミロへの敬愛心を強く感じた。

もうひとつ印象深いのは、ジャコメッティの作品だった。ジャコメッティとは、こんな人だ。１９０１年にスイスのボルゴノーヴォで生まれ、１９６６年に炎症性心臓病でスイスでなくなった。彼もまた彫刻の概念を根本からかえてしまった。パリでは、彫刻家ブールデルにも学んでいた。一時は、シュルレアリスト（超現実主義者)とも交友した。ジャコメッティは実存的な考察を深め、次第に彼の彫刻は、どんどん肉を失い、かつ細くなっていった。日本人のすぐれた哲学者矢内原伊作とも親しく付きあっていたという。

さて哲学者ジャン＝ポール・サルトルが、「絶対の距離」と命名した彼の空間は、とても実存的風貌をもっている。油絵は少なかったが、顔のデッサン、細長い彫刻が、見るものを不思議な感慨にグイグイと誘い込んでくれた。求心的な美をさがした生き方をした方だ。現代という時代状況に生きる人間が、象徴的に表現されているようだ。

このあまりに孤独な線。線が刃物のように生きている。それだけでは終わらない。存在するものが、いかに孤独であっても緊迫した生をみせるかを究極的に問いつめた。

だからであろうか。肉をそぎおとされた人体は、雄弁に語り始めるのだ。私はこれを〈雄弁なる沈黙〉と名づけたい。

ジャコメッティは、対象を凝視しながらも、他の彫刻家とは全く違う方向に向かった。いつも見ることは、苦痛であり、それを再現することは、空虚さを味わうことであった。そのことをこんな風にのべている。

「1人の人間の全体を捉えることは不可能だった」。

そしていざ、モデルの顔をデッサンしていくと、たちまち道に迷った。

「鼻の一方の翼と他方の翼との間の距離はサハラ砂漠のようだ。はてしなく、なに1つ固定されず、すべてが逃れ去る」。

この様にジャコメッティにとっては、人間の顔をデッサンするとは、地図のない、さらに方位のない旅となった。私達は、簡単に見るという言葉を使うが、本質的に対象物を見るとは、こんなにも恐ろしく、難しいことなのだ。そのことをジャコメッティは、教えてくれるのだ。

当然にもというべきか、一体の彫刻を実存的な沈黙の中で造り出すことは激しく苦難の道であった。モデリング（肉づけ）をして、より量塊性を加えるという、他の彫刻家がやるような対象の再現の道には入らなかった。だが肉体の豊かさを喪失した人体は、他の彫刻家の作品よりも人間が存在するということを根元的につめた。手足も針金のように細くなったが、どんな彫刻家も表現できなかった強靭な意志を帯びるようになった。詩的にいえば、線は一本の樹のように立つのだ。

ここには「ジャコメッティの中庭」があり、数点の彫刻がおかれている。一つ一つの作品には孤独な実存が表現されている。洞察するような眼、骨のような人体ではあるが、代表作「歩く男」のように、しっかりと大地を踏みしめて動き出そうとしているのが分る。

いつみても私の内心が突き動かされる彫刻であり、現代を象徴する秀作といえる。

それにしても、それぞれの彫刻達はサンポール・ド・ヴァンスの風景を眼下にしつつ、悠然とゆったりと呼吸している。それが他の美術館と全くちがうところだ。

その後、坂を下るようにして、ここに20年間暮らしたマルク・シャガールが眠る墓地まで散歩した。陽光のシャワーを浴びつつ、絵のような風景が連続し、とても解放感に満ち満ちていた。〈なんと素敵な空間であろうか〉と連発したくなった。可憐な野花が咲いていた。そのひとつひとつを摘みつつ、墓地に着いた。

この墓地は、狭いがとても見晴らしのいい絶好の場所に立っている。

どういうわけか突然に、この場所をみて「ここでなら死んでもいいなあ……」「死んだらここに埋葬してほしい」という気持ちになってきた。

冬の柔らかい光があり、美しい花がある。全く墓地にいるという気持ちにならなかった。

カトリックの墓地らしく、大理石や石に彫刻が施された幾つかの墓は、優雅でさえある。暗く重い雰囲気がなく、死者の埋葬場（墓地）というより、永遠の眠りの場、さらには「魂の休息場」という表現がピッタリとしてきた。

シャガールの墓は、純白そのもので、なかなか大きい。飾りは何もない。予想とちがった。たださりげなく生没年のみが彫られていた。１９８５年に、彼はこの地にある自宅でなくなった。98歳であった。

この何も語らない大地に横たわっている白い墓（つまり石）をみて、激動の人生を送ったこの画家のことに想いを馳せた。

ふとシャガールの『わが回想』（朝日選書・１９８５年）の一節のことを思った。

それはシャガールの誕生シーンである。１８８７年、ロシアのヴィテブスク（現在はベラルーシ）でのこと。なんとこうある。「死んだ状態」で生まれ、それは「生きる望みのない白いあぶく」のようなものだったという。初め声を発せず、ピンでつつかれ、水桶の中に沈められ、ようやく産声をあげたと。貧しい家に与えられた子供だった。父は実直な労働者。その服は、いつも鰊の塩水で光っていた。母は無学であったが、感受性の強い女性であった。

そんな貧しいが両親の温かい、無垢なる魂に囲まれて育った。

だからシャガールは、愛するヴィテブスクこそが魂の原風景であると、こう賛美する。「ここに私の魂がある。ここに私を見つけてくれ。ここに私はいる。ここに私の絵が、私の誕生がある。悲しみよ、悲しみよ！これが私の肖像画である」。

さまざまなシャガールがいる。ユダヤ人として生き、さまざまな迫害を受けたシャガール。ロシア革命の激動期を生きぬき、画家を目指してパリにきた放浪者。幻想的な画風で、人に夢と愛を教えてくれた画家。魂の安らぎを絵の中に、見出そうとしたシャガール。

でもシャガールは、この回想では「ここに私の魂がある」と故郷ヴィテブスクへと誘うのだ。たしかにシャガールは南仏で心の平安をえたあとでもこうもおもったようだ。どうも異邦人シャガールの悲しみは、南仏の空には完全には溶け込むことはなく、私が思うよりも故郷への想いは深かったのかも知れない。

この街の人は、今も彼を愛し、この墓を日々護っている。誰かが置いたようだ。深紅のシクラメンの鉢と、さらに脇に添えられた小さな素朴な野花。その野花が風で飛ばないように、そっと小石が置かれていた。そのためであろうか。墓石の上にはどんどん小石が増えていった。

★ロザリオ礼拝堂〔Chapelle du Rosaire〕

バスに戻り、ペタンクに興じる男達をみた。フランス人が路上で行う遊びだ。木製の球に、ブール（金属製のボール）を投げ合って、相手の球よりより近づけることで得点を競う人たちをあとにして、ヴァンスに向った。こういう山の上の鷹巣城をたどっていると、狭い小路が多く、徒歩であるくとたしかにとても疲れるが、次にどんな風景が展開するかという楽しみもある。

ヴァンスでは、まずアンリ・マティスの「ロザリオ礼拝堂」（英語でいえば、ロゼール礼拝堂となる）のデザインを展示している民家を利用したような小さな美術館に足を踏み入れた。ここで先に、「ロザリオ礼拝堂」のための素描（クロッキー）や衣装デザインを確認してから、次に「ロザリオ礼拝堂」を訪れる計画だった。そのため「ロザリオ礼拝堂」をみたときはより一層感動が深まった。

１９４７年より亡くなる直前の１９５１年まで、マティスが精根こめて（いや不自由な体に鞭を打ってというべきかもしれない）制作したのが、この「ロザリオ礼拝堂」の仕事であった。

それは、一人の女性モニク・ブルジョワとの出会いによる。

彼は、人生の節目で、とても大きな病に犯されていたが、それを克服し、その時々に絵の中に生きている喜びを込めていった。

最後の大病は、腸の病気であった。１９４１年のこと。大手術をしたが、さらに合併症に苦しんだ。その大手術後の回復期に、献身的に看護してくれた一人の女性がいた。それがモニクであった。

その後、モニクはドミニク修道会の修道尼になった。入信した修道会は、ちょうどヴァンスのサン・ジャック街道にあり、ちょうどマティスの家の向かいであった。ある時、彼女はドミニコ派の修道尼《シスター》の姿で、ひとつの願いをもってマティスを訪問した。それは、修道会が経営していた療養所の小礼拝堂が焼失してしまい、その再建への協力依頼であった。

マティスはモニクの願いをうけ入れ、喜んでこのドミニコ派の礼拝堂デザインに着手した。

私は、全ては順調に進んだとおもっていた。でもそうではなかった。というのも、〈そうではない〉というある女性の証言があるからである。その女性とは、フランソワーズ・ジロー。いわずとしれたピカソが後半共に生活していた女性である。

フランソワーズ・ジローは、『マティスとピカソ―芸術家の友情』（河出書房新社・野中邦子訳・１９９３年）を著した。この本はこの偉大な芸術家同士の親しい交友を実に愛情をこめて描いていた。とても貴重な証言を伴う記録ともなっている。

それを読むと、ピカソは、ドミニク修道会の依頼を受けることに大反対したという。２人の間の友情にヒビが入ったようだ。いや、対立といっていいほどの深い問題を孕んでいた。

フランソワーズの言葉を借りて、ピカソの反対理由を聞いてみよう。

「パブロのようなスペイン共和派にとって、教会のために仕事をするというマティスの決断は、異論を唱えたくなるのも当然のことであり、歓迎すべからざる事態であった」。

私たちは、ともするとスペインとフランスは、同じカトリックの国と単純に見てしまう。だが国家と宗教の関係でみるとまるで違ってくる。

ピカソは、真っ向からこう批判している。スペインのカトリック教会は、かつて異端審問という思想弾圧を行い、また平和と自由を抑圧している反動的なフランコ政権を支持しているではないかと。

だからピカソはマティスに、やや揶揄しながら、「君は、信者になったのかね」「祈りを捧げるのかね」と、問いただす。マティスは、いやちがう、あくまでこれは芸術的試みであると反論した。「祈りはしない、瞑想するのだ」と返した。（東洋思想にも精通したマティスは、この瞑想という言葉に仏教的ニュアンスを込めているようだ）。また「これは、礼拝堂という環境全般という仕事だ」とも言を重ねた。当時は、第2次世界大戦の最中である。ピカソは、反フランコ主義をつらぬき、フランコが強権支配している祖国スペインには、断固戻ろうとしなかった。この2人とのやりとりには、そんな厳しい時代状況の反映と、さらには芸術観を伴いつつ、個人の思想・信条とも絡みあう国家と宗教をめぐる対立が影を深くおとしている。

さて当時、マティスは、ニースのシミエ地区の高級マンション「レジーナ」を購入した。この依頼を受け、可能な限り完全なる仕事を目指した。車椅子に座りながら、なんとマンションの壁に、紙を張り、そこに不自由な体をつかいながら木炭でデザインを重ねた。

ステンドガラスから、燭台、ミサ用の僧衣、陶器づくりにいたるまで全てをオリジナル作品として創造した。さらに礼拝堂の空間は白をベースにしたタイルとして指定した。ステンドガラスの色彩は、マリンブルー、レモンイエローなどを基調するように指示した。

ピカソとフランソワーズは、完成した礼拝堂に入った。2人とも「霊妙な雰囲気」が強いと感じた。さらにこの空間をじかに感知したフランソワーズは、ただ混合されて生まれる赤紫の光線はどうも気に入らなかったようだ。

私はこう解釈している。礼拝堂という祈りの場ではあるが、あくまでこのマティスは、モニクの願いに答えつつもここでは「環境と空間」という現代的テーマに取り組んでいると。そこがとても新しく、モダンである。まちがいなくル・コルビジェ（建築家）の「ロンシャン礼拝堂」と共に現代的感性に根ざした新しい環境空間を創造したにちがいないと。

＊

私は、冬の光を浴びながら、真白のタイルに透過してきたステンドガラスの光を静かに受けた。それはとても淡く、そしてとても優しかった。またシンプルで入魂の線がとても美しかった。簡素だが、とても生きた線だ。心と眼にしっかりと刻印される線だった。まさに画家の祈りが描かせた線ともいうべきか。

また聖母とイエスの図像も清楚だ。よくみると、イエスも聖母マリアも顔は省かれているではないか。眼も鼻もない。空白のまま。何もないから、かえってその顔をイメージする。余白の美を大切にしている日本的感性さえ感じたほどだった。

イエスのゴルゴダの丘までの十字架の道行。この悲劇のドラマ、受難へのクライマックス。それもあまり重くはない。響き方は違うのは、全ては白の上に置かれているからであろうか。だからこの教会空間は、全体のイメージとして「白い伽藍」とも形容できるのではないか。私はそう強く感受した。白い空間につつまれている礼拝堂。でもミサの時には僧衣のやや派手な色彩がくわわることになる。とすれば、この白は、マティスに代って送ってくれた天使の声か？それとも平和と救済の徴《しるし》であろうかと、ふと思った。

この小さな礼拝堂に身をおくと、彼の平和を願う聲が肌にまで伝わってきた。しばし体は浄化された至福感に満たされて心はうち震えた。

この空間には、私はフランソワーズのように「霊妙な雰囲気」はさほど感じなかったが、むしろマティスの声を聞いたと感じた。それは世界へ響く声であった。対立や血ではなく平和を、なにより心の平安を願うと、そんな祈りみたいなものを感受した。フォルムと色彩のおりなす〈聖なるドラマ〉をみたと感じた。

この後、ニースに戻り、アンティーブまでバスで走った。

アンティーブの港も、高級ヨットやクルーザーでぎっしりと満杯状態。日本のリゾートとは、この辺が違うようだ。贅沢の格が「月とスッポン」位ありそうだ。真っ白いクルーザーを年間通して停泊させ、バカンスになると、ここに遊びにくる。こんな風景は、フランス映画の一シーンなどでしか知らなかったが、それがここにあった。

ここでも陽光を浴びつつ、のんびりとペタンクに興じる一群がいる。港から、ピカソがアトリエにしていたグリマルディ城に向かう。みるからに強固な城である。この場所を一時期ピカソは借り受け、制作の場所にしていた。

世界中に、ピカソの個人美術館というものが幾つかあるが、私はすでにバルセロナ、パリと回ってきて、ここが3ヶ所目となる。あとはピカソの生地マラガと、最晩年に生活した南フランスの陶器の里ヴァロリスを訪ねれば、一応全部見たことになる。

ピカソにとってもこの美術館は、とても記念碑的存在といえる。というのも、初めての個人美術館であるからだ。彼は、招かれて１９４６年の7月から11月まで、フランソワーズ・ジローと共に生活し、制作した。

初冬の寒波が訪れ、それから退散するまでに、この短い期間に油彩が34点、デッサン33点、彫刻2点、78点の陶器が制作されたという。

さて、この美術館は、海に接し絶好の場所に建てられている。ピカソの絵画は、ケンタウロスや「パンの神」などギリシャの神々など地中海の神話世界を主題にしたものが多い。ほとんど子供の絵の感じだ。さらにピカソの陶器類とも出会える。城の野外には、彫刻類が展示され、他の美術家の作品もコレクションされ、現代美術館の顔もある。

心地良い海風を浴びると、実にのびのびした気分になった。野外空間には、6点のジェルメーヌ・リシエの彫刻があり、また中庭には、アルマンの壮大な彫刻作品がそそりたっていた。

★「悲の人」ニコラ・ド・スタール〔Nicolas de Staël〕

ここでとてもうれしいことがあった。ニコラ・ド・スタール(1942―1951)の作品と出会えたこと。それは、上の一室の奥にさりげなくあった。たしかピアノとコントラバスが描かれていた。これは遺作の1つ「コンサート」(1955年)のはずだ。サイズは〈350×600センチメートル〉。ニコラ・ド・スタールは、1955年に、前衛的な音楽家ウェーベルンとシェーンベルクの演奏会を聴きに、パリへ行く。この地に帰るとすぐに、コンサートをテーマにした大作に取り組んだようだ。ピアノやコントラバスも描かれている。どうもその時のものらしい。調べてみると、未完成のようだ。

いつもニコラ・ド・スタールのことを想うと胸が痛む。あまりに悲しい人生だから……。1914年1月生まれのド・スタール。帝政ロシアのサンクト・ペテルブルクの名門貴族の家系の出であった。折悪く数歳になった1917年にロシア革命が勃発した。それを避け一家はポーランドに亡命した。不幸は続くもので、7歳と8歳のときに、相次いで父母を亡くし、孤児となる。ベルギーで育てられ、そこで美術教育を受けた。1948年には、フランス国籍を得た。結婚し、子供も3人いたという。ド・スタールは、自由の地としてアンティーブをこよなく愛した。

この亡命画家は、特に青を愛し、また海を愛した。その透明感のある、のびのある色調には、とても不思議な開放感が漂っている。池澤夏樹の父、小説家福永武彦は、この画家を愛し小説『海市』の中で、ある会話でこのようにド・スタールを登場させている。「その男は自殺したんだ。ちっともそういうふうには見えない穏かな絵だがね。」「藝術家なんてそんなものだろう。デモンが取り憑く、デモンが離れる……。」

人知れずに、この画家には芸術のデモンだけでなく、精神の病がとりついていた。

時代に引き裂かれた人生は、とても重くのしかかった。けっして芸術の魔物（デモン）のせいだけではなかった。デラシネ（根なし草）のように各地を訪れても心の安息をえることはなかったからだ。そんな故郷喪失者の一人だった。だから心の中にはささえ切れないものをかかえていた。悲劇は突然おこった。

ある日窓から路上に身を投げてしまう。死に向けての旅となってしまった。残されたのは未完の画布のみ。死の向こう側にしか、幸福を感じられなかったのかも知れない。あまりに悲劇だ。でも〈なぜ、どうして〉と反問したくなる。この地の平和な光景は、彼の孤独な心を溶かすことはなかったのだろうか？身を投げた時、彼の眼には、いったい何が見えたのであろうか？青い空か、それとも幼い時みた故郷のロシアの黒い空であったか？

これはド・スタールの言葉だ。

「絵の空間はひとつの壁だが、そこには世界中の鳥という鳥が自由自在に飛んでいる。奥の奥まで」ピカソならこうはいうまい。絵の空間は、冒険と祝いの場そして変革の場、闘争の場であると。でもド・スタールにとっては、どうしょうもなくぬけ出すことのできない鉄の壁だった。救いを感じるのは、ある作品には鳥が飛んでいること。たしかにカモメが飛んでいる絵もある。透明なグレー調の絵だ。彼は鳥になり、故郷の北の海に飛んでいきたかったのかもしれない。でもそんなことはできるはずはなかった。だれにいわれるまでもなく、故郷喪失者だったのだから。

ひとえに私がド・スタールの色に心が奪われているのは、そこに他の画家がもちえなかった純粋さと透明さがあるからだ。さらに他の画家にはない「澄んだ悲しみ」の音を感じるからだ。そうだ！　ド・スタールは「悲の人」なのだ。だからこそ色も形も静かに水のように心に響いてくるにちがいない。

あまりに純粋であるがゆえに、画廊主たちの注文にそう安易に応じられる画家ではなかった。絵は売り物ではなかった。画廊のためや金銭のためだけに描く人ではなかった。傷ついた人生であったが、絵はいまも不滅の光を放っているのだ。

「未完の作品」の「コンサート」と「悲の人」のことをおもいながらホテルへ戻った。

2　マティス〔Matisse〕とシャガール〔Chagall〕

ここニースには、個性派の美術館の代表、「マティス美術館」と「シャガール美術館」がある。

予定にはなかったが、まずニースの「近代・現代美術館」〔Musée d'Art Moderne et d'Art Contemporain〕に立ち寄ることにした。というのも、シミエ地区で昼食をとるのは、そこにはレストランもなくどうも無理のようなのだ。まず、この美術館のレストランで食事をしてから「マティス美術館」に向かうことにした。

春めいた太陽の光がそそぎ、噴水も寒さを感じさせない。街では、2月に行われる世界的に有名なカーニバルの準備が開始されていた。フランス風というよりもむしろ、アメリカ的ともいえる色彩感覚の巨大な看板が建ち並び、とてもハデハデな絵が、メインとなる会場にもう勢揃いしていた。私の知人画家にカーニバルにとりつかれてそれをテーマに絵をかいている女性もいる。一度、本物のカーニバルを見聞したいと願っているのだが、まだその時がきていないようだ。

「近代・現代美術館」に一番乗りをしようと思ったが、着いてみると、開館は、11時とのこと。やむなくもう一度アルベール1世（ベルギーの皇帝である）庭園（Jardin Albert-1er）周辺をブラブラした。

そこに、鉄を素材にした壮大な彫刻が、ドカーンとニースの空に弧を描いていた。彫刻家の名は、ベルナール・ヴネ〔Bernar Venet〕（1941年生まれ。アルプ・ド・オート・プロヴァンス出身）という。

ふと「なにやらどこかで見た彫刻である」と感じたが、その直感は正しかった。この彫刻家の作品とは、数年前に、札幌芸術の森美術館で開催された『フランスの芸術と都市計画』展で出会っていたのだった。

この展覧会のサブ・タイトルは、「芸術が都市を開く」というもの。このコンセプトがすごい。普通なら〈都市が芸術を開く〉というであろう。そうではなく、芸術作品が都市を活性化させてゆくというのだ。この視点はフランス的でありとてもすばらしい。この美術家の彫刻作品とマケットが出品されていた。

この時に、あまりに優れたコンセプトに感銘を受け、札幌時計台ギャラリーが発行していた美術ジャーナル誌『21ACT』（私が担当しているアートコラム）に、この展覧会のことに触れつつこの彫刻家の仕事を少しではあるが紹介した。さらに私の美術論集『風の彫刻』に、写真入りでこんな風に紹介していた。

〈パリ郊外110キロメートルの高速A6号線に設置される予定のもので、ベルナール・ヴネ（ミニマル彫刻の影響をうけて作品づくりをしている）の「Arc de 185.4°」（1986年）は、「Arc de 115.5°」などの姉妹作ということになる〉

この「Arc de 115.5°」が、まさにいまここで見ているものであった。これも奇遇な出会いである。とてもうれしくなった。こんなこともあるのだ。設置は、1988年という。大地から弧が、突き出るように、伸びのある曲線となり、「115.5°のアーク」を描いている。その曲線の軌跡が、〈虚空に消える〉（ミシェル・ラゴンの言葉）のだ。その虚空に消える軌跡をじっと目で天に追っていると、いささか顎が痛くなった。

少し離れてみると、この彫刻は、幾つかのパーツの集合体であることがわかった。夏の真っ青な空の下で、もう一度みてみたい作品であった。ベルナール・ヴネのもう一作が、通称「ピラミッド」と呼ばれている建築物前に設置されていた。

さて、「近代・現代美術館」は、なかなか魅力いっぱいの美術館であった。

イタリアの色大理石で壁面が外装されているが、それに反して内装は、白を基調にしていて作品がとても映えてくる。まず驚かされたのは、この美術館は、その円形中央空間部分が、筒状（空洞）となり、その下には道路が走っているのが見える仕組みになっていること。〈仕組みになっている〉という表現は、正しくはない。道路の上に、美術館をつくったというべきかもしれない。

さて、肝腎の中味のほうであるが、１９６０年代のフランスとアメリカの現代美術が、ほぼ概観できる内容になっていた。

ここでの１つの収穫は、活きのいい、ピチピチなフランス現代アートと出会ったこと。パリの新名所になっているポンピドゥーセンター横にある噴水彫刻でも有名なニキ・ド・サンファールのジャスパー・ジョーンズ風の１９６１年作の「Tir」があった。ほとんどジャンクアートであった。この女性の代名詞となっている特有な（派手な）色彩も、いつものユーモアがなく初期作品のようだった。

消費文化を批評するようなセザール〔César〕の圧縮された茶色のフォード車が、壁にぶら下がっていた。近づいてみて確認した。タイトルは、「Dauphine」（ドフィーヌ）。つまり海をジャンプするドルフィンに「見立て」たようだ。このタイトルの付け方も洒落ていないか。

戦後美術を牽引したヌーヴォー・レアリスムの運動の旗手イブ・クラインや、フランスの革新的グループ、「シュポール／シュルファス」の実験的作品、さらに、「梱包の芸術家」クリストの作品も多い。

一室には、ウォーホル、トム・ウェッセルマン、リチャード・セラ、フランク・ステラなどのポップ・アート系や抽象表現主義の作品などを並べたアメリカン・アートが展示されていたが、やはりフランスの作家のものが、ここには肌があうというかピッタリとくる。こうしてアメリカ現代美術と比較してみるとフランス人の創造するものには、どんなに破壊的、前衛的であっても、どこかフランス的エスプリみたいなものが、宿っているように思えてならなかった。

★「青の人」イブ・クライン〔Yves Klein〕

やはり、圧巻はニース出身の芸術家イブ・クライン（１９２８年生まれ）の作品であろう。彼は、青年時代に、「薔薇十字会」（秘密結社であり神智学）に入会する。また、若者独有のやや高慢な自意識で仲間の美術家であるクロード・パスカル、アルマン・フェルナンデスらと、世界を相互に分割することを提案した。アルマンは、動物界を、クロードは、植物界を選択し、クラインは、迷わず全宇宙の実体、虚空の青を選んだという。そんな有名なエピソードがのこされている。

この芸術家は、私が個人的に最も関心のある一人である。というのも、彼には、ひとつの宇宙観があり、また独創性が彼の作品からは脈々と流れ、現代美術の偉大な先駆者となっているからである。彼は32歳での夭折という、とても短い生涯ではあったが、「薔薇十字会」の思想を実行していったともいわれるほどに、この神秘主義と深い関係を保っている。

美術家として、一貫して物質、精神、身体を考察しつつ、この世界を超越して、宇宙の何かと交信したかったのかもしれない。

この美術館には、イブ・クラインが１９６０年からはじめた「人体測定」（アントロポメトリー）〔Anthropometry〕とよばれる日本でいうところの〈魚拓の手法〉をつかった作品行為がある。直接に女性の人体にペイントを塗り、それをいわば〈版〉として刷り取った作品である。また宇宙の色彩というべき青を、絶対視した。

独自に自分の青を創造し、それにインターナショナル・クライン・ブルー（ＩＫＢ）となづけ、それを使った「モノクローム（単色）絵画」や、仲間の人体にペイントをした「人体レリーフ」を制作している。

なんとクラインは、日本ととても縁がある。ニースの警察学校で、はじめて柔道を習い、１９５２年には来日を果たし、講堂館柔道を学び、四段の資格をとり、フランスに帰り教室を開いた。来日時には旭川出身の美術家山口正城の世話になっている。いっしょに映っている写真ものこっている。この様にヨーロッパ全体に日本柔道を広める役割を果たしてもいる。

そんな柔道できたえた丈夫な体をもっていたが、１９６２年に心筋梗塞で天に飛翔していった。実質的制作年は、わずか7年間であった。

この生誕地ニースで、クラインをみて特別な感慨に撃たれた。

優れた芸術とは、どこか哲学的な部分もあると思った。つまり、ただ絵を描き、彫刻するのではなく、もっと根源的なものを探しながら、創造する崇高な行いであると！作品とは、「絶対的なもの」を「純粋に探求」したもう１つの哲学的な言語（言葉）でもあることを、改めてしらされた。

このあとこの敷地内にあるレストランで、昼食をとった。中央の広場には、とても大きなカルダーの彫刻がおかれている。青い空に映えて美しかった。

★マティス美術館〔Musée Matisse〕

このあと15番線のバスに乗り、一路シミエ地区に向かった。料金は、均一料金で8フラン。ここでは周りをさがしたがどういう訳か、あまりタクシーを見なかった。バス網が、予想以上に発達しているようだ。バスの中で私達日本人をみてガイド役をみずから買ってでて、熱心にフランス語で説明する中年男性と出会った。「そこは国立音楽学校だよ」とか、「あのホテルをみなさい。有名人がよく泊っているよ」とか、なかなか丁寧だ。「マティス美術館にこれから行く」というと、「うん、そこはいい」と同意してくれた。

少し坂を登っていくと、中央にヴィクトリア女王の銅像が見えた。この〈リビエラの女王〉ニースは、イギリス人が避暑地として昔から滞在しており、ヴィクトリア女王もこの地を一度ならず訪問していたという。どうもその記念碑のようだ。

古代ローマの史跡が残っている〈アレーナ〉という停留所で下車した。このシミエ地区は、ニースでも最も古い地区で、閑静な地区である。この競技場の外壁が残されたローマ遺跡地区が、公園となっている。市民はのんびりと日光浴を楽しんでいる。この公園で一際眼をひく建物が、「マティス美術館」だった。改装されて数年という。

外観がとても変わっている。マドが描かれているが、それは、絵であり本物らしく見せている「騙し絵」(トロンプ＝ルイユ）のようだ。

入口は、階段を降りた所にあった。ニースで没したアンリ・マティス〔Henri Matisse〕（１８６９－１９５４）の初期から円熟期までの作品が、３００点あまり展示され、彼の全体像を把握する上で、大切な美術館となっている。素敵な開放感のある美術館だった。

アンリ・マティスは、１８６９年にフランス・ノール県に生まれる。最初は、法律家を志すが、病気の後、療養生活を送る中で絵を描くことを開始する。パリの画塾アカデミー・ジュリアンに通い、のちにエコール・ド・ボザールで教鞭をとっていた象徴派の巨匠ギュスターヴ・モローの教室に通った。一時トゥールーズで生活するが、１９０４年頃より南フランスでの生活を断続的に始めた。

新印象派のシニャックらとサン・トロペにも行った。そして、１９０５年に彼は代表作となる「豪奢・静寂・悦楽」を無審査の「アンデパンダン展」に出品した。それが大きな反響を呼んだ。（余談だがこの作品は、シニャックが購入することになる）。色彩が、強く自己主張をするフォービスム（野獣派）がうぶ声をあげた。この後、ドランと共に南仏のコリウールに滞在する。１９１４年には、コリウールに移り住み、さらに１９１７年には、ニースにやって来た。何度かパリと往復をしつつ、最終的にドイツ軍の攻撃から逃れるようにして１９４３年にはヴァンスにすんだ。

彼の人生の軌跡をみていると、当初は、経済的にも大変で決して恵まれた人生ではないことが分かる。二度の世界大戦を体験しているし、政治運動とは、無縁には見えるが彼の愛する妻は１９４４年には、ナチに対するレジスタンス運動に参加し、投獄もされている。

彼は20世紀の時代の嵐を潜っているが、それが、絵のなかに投影されていない。あくまで自分の絵画の完成が、最大の課題であり、純粋に絵画空間を芳醇にさせることが最大の使命であると考えていたようだ。

彼の芸術には、色々な要素が複合されている。彼は世界各地を旅しているが、ひたすら光と色を求めてのことであることがわかる。コルシカ島、アルジェリア、それにとどまらずなんとタヒチにまで赴いた。また装飾性ということでは、モザイクなどのイスラム文化などにも強い関心を抱き、それを絵の中にとり入れている。

この美術館にも、有名な「赤い手箱のあるオダリスク」があり、その色彩の饗宴は見事である。これまで求めてきたものが、彼の中で複合されて独自な世界が獲得されている。

一方彼は、「窓」の画家でもある。「コリウールの窓」「青い窓」などたくさんある。ではマティスにとって「窓」とは一体なんだろうか。どうも彼の描いた「窓」は、こちらと（室内）と向こう（外界）の通路であり、2つの世界をつなぐ〈通路〉でもあったようだ。

「ザクロのある静物」では、色の饗宴は、比類のない価値をもってくる。

ここには、初期の作品も展示されているが、後半には、有名な色紙のカットによる「ジャズ」のシリーズが、一角に集められ、みていても楽しい。

なんという手の自在な動きか！そしてなんと遊戯精神が充満していることか！

この色紙をカットするシリーズの制作時は、ほとんどが車イス生活者になっており、絵筆を満足に握れない状態であった。精神的にも肉体的にも大変な時期であったのにもかかわらず、こんなにも色彩を愛し楽しんでいるのには感動する。このシリーズは、「ジャズ」という音楽的タイトルとなっているが、おおよそ3つの主題からなっている。サーカス、古代の神話、タヒチなどのポリネシアの風景などが素材となっている。有名な「イカロスの墜落」は、ギリシャ神話に源を発するもの。青系を主要トーンにした「ポリネシア」は、若い頃のタチヒ旅行の思い出から発している。このシリーズはもはや紙によるあそびではない。それをはるかにこえている。簡素な形と色彩の持つ力を最高の状態で表しており、ある意味でみずからがめざした絵画空間の集大成ともいえる。

マティスというと、いつも彼の有名な言葉のことをおもい出す。

「私が夢見るのは、心配や気がかりのない、均衡と純粋さと静穏の芸術であり、すべての頭脳労働者、たとえば文筆家やビジネスマンにとって、肉体の疲れをいやす座り心地のいい安楽椅子に匹敵するような芸術である」。

ただ「安楽椅子」の「芸術」という言葉を誤解してはならない。そのままだと、心と身にやさしい「家具」になってしまう。

マティスの素晴らしさは、彫刻も制作してはいるが、あくまで絵画であることに留まったことにある。絵の空間を考察し、どう平面化するか腐心した。だからピカソのような、「絵画の解体」という実験的な方向には行かなかった。そんな一途の歩みであった。だからこそ、絵が豊潤になった。フォルムが単純になっていった。まちがいなく、この流れから代表作「ダンス」が生まれたにちがいない。「ダンスⅠ」（１９０９年）はニューヨーク近代美術館に、「ダンスⅡ」（１９１０年）はエルミタージュ美術館に所蔵されている。「ダンスⅡ」は、平面と色彩とのダンスでもあった。緑の丘と青い空、そこに5人がダンスをしている。軽やかにリズムを刻みほとんど抽象画に近い。豊潤な色彩や絵画的高揚感は、他を寄せ付けないものがある。多くの画家がマティスを敬愛するのも色彩の豊潤さ、それがみる者に与えてくれる幸福感のためであろうか。

この後、考古学博物館にも足をはこび、そこにあるマティスの墓や、この地を愛したル・アーブル生まれの画家ラウル・デュフイの墓詣でをしたかったが、どうやら時間が不足してしまった。

早足で次の「シャガール美術館」にいそいだ。つまり〈聖書のメッセージ〉〔THE Biblical Message〕を主題にした美術館でもある。

途中でハプニングがおこった。坂を下りながら歩き始めたのはよかったが、どうも道に迷ったようだ。途中で、薬局に立ちより確認をする。すると、別な道のほうが近いし安全だということになった。私達はこの指示された方向に向かっていると、この薬局にいた初老の男性が、車を走らせてくれて、わざわざ曲がるところを指示してくれた。「旅は、情け」とは、よくいったものだ。旅先でこんな思いやりをうけると、心にジーンとくるものがあった。

★シャガール美術館〔Musée de National Message Biblique Marc Chagal〕

しばらくすると、清楚なたたずまいの「シャガール美術館」がみえてきた。予想に反して外観は、さほど目立つ建物ではなかった。でも一歩足を踏みいれると気持が一新した。

入口の処の正面に置かれたタピストリー（ゴブラン織り）をみて、深い感慨にうたれた。図像をみてみる。

中央には、シャガール特有の天界に舞う太陽や人が、右にはヴァンスの風景が、そして左にはユダヤ人の故郷エルサレムが描かれている。さらに右側の木の根元には、詩人（預言者）が、なにやら本を開き瞑想している。つまり、シャガールは、特別の感慨を込めて、この２つの愛する都市風景を一つの空間の中に描きこんだようだ。

シャガールとその妻ヴァランティーヌ・ブロツキーが、17枚の巨大な画布を、フランス国家に寄贈した。アンドレ・マルロー（当時の文化大臣）は、それに応えるようにして、国立美術館として構想し、かくも立派な美術館をつくったという。建築物の色彩も派手さを押さえ、クリーム色で統一されている。自然光を生かした館内は、とても美しい。美術館というよりも礼拝堂のように感じた。なにより色彩が伸び伸びと呼吸しているのがわかる。個人美術館のひとつの理想的スタイルが、ここにはある。

ニースに、こうした個人美術館が沢山あるのは、元をただせばこの地の開放的な地中海気候を愛した芸術家が、多く住んでいたことの証拠《あかし》でもある。

さてシャガールは、『旧約聖書』の中から3つの主題を選んで17枚の画布に表現した。それは「創世記」〔Genesis〕（天地創造）、モーゼを中心とした「出エジプト記」〔Exodus〕、「雅歌」〔the Song of Songs〕の3つからなる。画布が、とても大きく、私が今まで見てきたものとはかなりちがった。そのためシャガールの絵画言語を十分に堪能できた。ほかに、39枚のグアッシュ、１０５枚の銅版画、75枚のリトグラフ（石版画）などが所蔵されている。

ユダヤ人としてロシアの寒村ヴィテブスクに生まれ、その地のゲットー（共同共住区）で生活し、最後にはフランス国籍を修得したが、亡命と放浪の人生をおくったこの芸術家にとって、精神の祖国のひとつとは、なにより民族の出自をしめす『旧約聖書』の物語であったにちがいない。

だからこそ、魂と感性を動員しあらんかぎりの想像力を発揮して、ある種の民族誌ともいうべき『旧約聖書』の物語を描き出したのであろう。

ここには、単に『旧約聖書』の宗教的主題にとどまらずに、現代性にみちた、みるものを感動させる至福のメッセージがこめられている。

それにしても、なんという色彩の饗宴であることか。シャガール特有の青、赤、グリーンが、そして豊かな黄色が重く、そしてある意味は強い精神性を帯びて一大交響曲を奏でている。

かれ自身は、「私は幼年期以来、聖書によってずっと魅了されている私は、常時、それから詩的な想像的インスピレーションをもっとも特別な源泉として考えていた。人生と芸術の両面においてそれはもっとも私が関心をもっていることだ。聖書は、自然のシニスムであり、私が理解しようと努めていることなのだ。みずからの人生の行程において、私は、しばしば私自身ではなく、他の誰でもないという感性をもっている。それは、私は、天と地のはざまのどこかに生まれるということでもある」という主旨のことをのべている。もちろんシャガールのいう聖書とは『旧約聖書』のことだ。

野外には、シャガールのモザイクが、池の面に映しだされている。これは、この美術館のために新しく創作したもの。その色調は、少々押さえぎみであり、別な味わいがある。奥の部屋には彼のリトグラフなどが展示され、さらに奥の部屋は、小さな音楽ホールとなっている。そこにシャガールのステンドガラス「天地創造」

が嵌められている。

舞台の上には、小さいチェンバロが置かれているが、それには、シャガールがじかにペイントした絵が、描かれている。演奏者は絵をみながらどんな気持ちで音を奏でるのであろうか。このようにこの美術館はすべてがシャガールづくしであり、マティス美術館とはまた一つちがった性格がある。

ここでは、一冊のカタログと、作品が素敵な印刷で仕上がっているシールを、おみあげに買った。

夜は予約してあった、旧市街のメセナ通り7番地にあるイタリア風レストランの「ボッカチオ」で魚料理をたべた。このレストランは、壁全体にイタリア各地の港が、ガラスに描かれている。カキ、海老、ムール貝を中心にした料理で、それが白ワインととてもマッチし、とても美味しかった。興に乗り酔いにまかせて、日本の歌を歌うことにした。日本の代表的歌である「さくらさくら」なら知っているかと思って歌ったが、少々拍手が、お客さんより巻き起こった程度。どうも出来が悪かったようだ。

レストランを出てこの後、数人の画家たちとハーゲンダッツのアイスクリームをたべた。13フラン。そして少々海の方へ散歩することにした。酔いを覚ましつつ、幅30メートルのプロムナード・デ・ザングレ通りにあるニースの代表的ホテルである「ネグレスコ」〔Negresco〕まで散歩した。

このホテルは最後の宮殿ともよばれる豪華なホテル。歴史的建造物でありフランス唯一の国定史跡ホテルというから、日本の帝国ホテル的存在といえる。シャンデリアや装飾が、凄い。豪華という言葉が、こういうことかと肌で感じることができる。この中には、ロトンドという超有名なレストランがあった。

ニースの最後の夜を、惜しみつつしばし豪華な気分を味わいつつ、ホテルに帰った。

3　エクス・アン・プロヴァンス〔Aix-en-Provence〕

今日の行程は、国道をとおってカンヌ〔Canne〕へ、そしてプロヴァンス地方へと向かう。はじめの計画では、この日にカーニュ・シュル・メールにルノワールのアトリエを尋ねる予定だった。だが調べてみると、冬期間はあいにくオープンが午後の2時というから、どう工夫しても時間が合わなくやむなくとりやめた。

特別に途中に映画の街カンヌに向かってもらった。今日からガイドがかわった。新しいガイドは、Kazuko Putod Iizuka 氏で、現在マルセイユに住む日本人。アヴィニョンまでのスルーのガイドとなる。飯塚さんは、彼女自身がプロヴァンスに魅了されているようで、歴史的文化的な知識は、とても豊富であり、その解説はひとつも手抜きなく快活かつ的確であった。

あたかもローヌ河のごとく、清くそしてあるときは、激しくかつ流暢に、この地の魅力と特質を教えてくれた。これ以上のガイドは、いないという適格者であった。車の運転は、フィリップさん。実直そうな小肥りの背の低いプロヴァンス人であった。

高級リゾートのメッカであるが、冬のカンヌは少々雨混じりで淋しい。

この小さな漁村であったカンヌが、有名なリゾート地になったのは、ひとりのイギリス人が関係している。その人は、英国の蔵相であったブローガム卿。彼が、はじめ１８３４年にイタリアに行こうとした。だがニースでコレラが流行したので、やむなくカンヌに足止めされた。むしろイタリアよりもこの地の魅力の虜となった。退職後は、この地に住みこの地で死んだという。

カンヌの宣伝役ブローガム卿が死んだあとには、以後英国人がこぞってこの地にやってきた。

カンヌでは、あまり時間がないので、クロワゼット通りをバスで走り、映画祭開催の記念的建築（フェスティバルホール）のところで降りて、港とヨット・ハーバーを覗く程度となった。

この映画祭で受賞した俳優の手形があるところに立ち、数枚シャッターをおした。ソフィア・ローレン、ジャンポール・ベルモントの手形などを確認できた。ソフィア・ローレンの手が、異様に長いように感じたのだが……。日本の映画人を探した。「羅生門」（１９５０年）で一躍国際的映画人の仲間入りをした黒澤明監督のものを探したが、残念ながら発見できず。代わって大島渚のものを確認できた。

そういえば、１９９５年は映画にとって記念碑的年でもある。というのも、映画の父リュミエール兄弟が、映画を発明してちょうど１００年になるからだ。

ヨット・ハーバーも小雨でとても寒そう。途中、ドライブインで休憩をとり、エクス・アン・プロヴァンスに向かう。

次第に紺碧の海の風景に代わって、とてもゴツゴツした石灰岩の風景が目に入ってくる。

★古都エクス・アン・プロヴァンス

さてエクス・アン・プロヴァンスは、地理的にいえば、海港マルセイユ（ここは、元を辿ればギリシャ人が建設した植民都市マッサリアに由来する）の北30キロの所に位置する。12世紀以後、ここはプロヴァンスの首都であった。新興都市マルセイユにその座を奪われるまで、政治的にも文化的にも隆盛を極めていた。

現在は、古都としてまた大学都市、夏の音楽祭などの開催場所として独自の評価を保っている。もちろんなにより画聖セザンヌ〔Paul Cézanne〕（１８３９―１９０６）と、文豪エミール・ゾラ〔Emile Zola〕の生誕の場でもある。

エクスが近くなると、セザンヌが終生の主題とした聖なる山、「サント・ヴィクトワール」〔Montagne Sainte-Victoire〕が、車窓に飛び込んでくる。この山が、遠景や近景となり言葉で表現できないくらいに、刻々と変幻していく。

この山、石灰岩でできた異様な山だ。だから一見禿げ山のようだ。いや、それだけではない。城塞のような山にもみえる。山というよりも巨大な塊にもみえた。色彩の変化も一様ではない。断層の部分は、赤茶をみせることもある。総じて絵画の題材には、向かないようにみえるのだが……。

サント・ヴィクトワールとは、〈勝利の山〉のこと。外敵の侵入を防ぐ軍事的な〈勝利〉の意味もあるのだろうか。セザンヌにとっては全く別の意味があった。富士山のように刻々変化をする壮大な存在。絵画の尽きぬ対象であった。

「ミラボー通り」〔Cours Mirabeau〕をみつつ市内に入り、予約してあったレストランへ。落ち着いた雰囲気のいいレストランであり、魚料理がメインであった。調理人が、魚を焼いて、骨の部分をきれいに取り去っている手裁きをみて、おもわず「すごい」と感嘆の声をあげた。まるで日本人のようだった。料理の合間を縫いながら、カメラをもってひとりミラボー通りを散歩した。

この通りは、この地の出身者である政治家オノレ・ガブリエル・ド・リケティ伯爵（１７４９－１８９１）、つまりミラボーからとられている。

フランス革命の初期段階で活躍した貴族。なによりフランス絶対主義（アンシャン・レジーム体制）を崩壊させたフランス近代史を飾る政治家であり、なかなかの雄弁家でもあったという。

ただこの地で、〈ミラボーに似ている〉というのは、あまりいい意味には使わないという。なぜなら彼が天然痘に罹ったことがあり、それが原因であばただらけの顔の持ち主だったからという。雄弁となり力が入ると、その顔がとても恐ろしい形相となったという。でも、彼の名称がつけられたこの通りは、世界でも有数の美しい通りといわれている。

通りの幅は確かに狭いが、優美でどこにもない落ちついた気品がある。この近くにコンセルヴァトワールがあるせいか、キャフェには大学生がいっぱい。この街では至る所、学生の顔ばかりをみたという感じ。またリセの放課時とちょうどぶつかりすごい数の生徒が、校門からでてくるのにおどろいた。映画監督ルイ・マルなどのフランス映画のワンシーンを見ている感じだった。とても活気のある街であった。

かなり寒いはずなのに、陽だまりに集まり、学生たちはワイワイやっている。この通りは、２列に並ぶ大きなプラタナスが総ての葉を落とし、異様ともおもえる幹や枝ぶりをみせている。老成した風格をみせている。ルネ王の名のキャフェもある。そのキャフェが、とても素敵な色彩感覚、シックなデザイン感覚をもっていた。濃いグリーンのイスやテントの布地が、乾いた青い空と調和している。

街を歩いていて、とても古い建物と出会った。巨大な男女人体像が柱となっている「L'hotel D'Agut」だった。人体像が古代の息吹をそのままで伝えてくれる。よく保存されている。これだけでなく街の通りには、このような歴史的建造物がさりげなく街中に点在していた。

さて中央の苔の生えた噴泉（フォンション）からは、温水がでているという。

もともと〈エクス〉とは、「水」を意味するラテン語アクアから派生したものという。それにこの地を支配したローマの執行官である〈セクスツゥス〉の名が混じりあった。

水の豊かな土地である。ローマ人は、水の豊かな土地や、温泉の出る土地を選んで、陣営や街を開いたという。その土木的才能は、群を抜いていた。

まず、中央にあるルネ王〔Le Bon roi René〕（ル・ボン・ルネ）の銅像に近づいてみる。

この王は、この地の善王（良き王）として親しまれている。それは、銅像の下に彫られているものを見れば分かる。王は、この地に移植したマスカットを手にしている。さらに書籍のたぐいが置かれている。プロヴァンス文化の自立を求めた最後の王といわれる。余談を一つ。ちょうどこの紀行文のメモをホテルでしたためている時、テレビで、映画「男と女」（１９６６年）のシーンが写しだされていた。アヌーク・エーメとジャン＝ルイ・トランティニヤンが、いだきあい、あの哀愁感あふれるフランシス・レイの音楽がながれている。

番組は、監督のクロード・ルルーシュが生出演して、対談形式で進められている。「映画の国」らしい番組ではないか。日本でもこういうスタイルの番組が欲しいものだと思った。

★グラネ美術館〔Musée Granet〕

この場所には、数々の美術館があるが、やはりここでは、ポール・セザンヌの作品が見られる「グラネ美術館」を抜かすわけにはいかない。マルタ騎士団修道院跡に建てられたという由緒ある場所である。エクスの画家であるグラネをはじめ、16世紀宗教画から19世紀までの絵画がおさめられている。下の階では、特別展として写真の展覧会が開催されていた。期待に反してインフォメーションコーナーはあまり良くない。２階が、展示空間となっているが、ただセザンヌの作品が数点ある程度でなんとも淋しい。

ひとつのコーナーがセザンヌに当てられているが、ただし、目玉となる「水浴」の絵を捜したがどうも見当たらない。他に貸し出されているようだ。あまり資金のないような美術館のようだ。セザンヌ作品が資金集めの〈横綱〉のようだ。もうひとつの目玉であるルナンの「トランプをする人々」をいくら探してもない。係員に聞くと、これも貸し出されているとのこと。この作品は、有名なセザンヌの「トランプ遊びをする人々」の図に影響を与えたものであり、楽しみにしていたのであるが……。

美術館収蔵作品のカタログが無いので、ここで開催された特別展覧会のカタログを一冊購入した。セザンヌのセント・ヴィクトワールを主題にした１９９１年の展覧会のものであった。

★サン・ソブール寺院〔Cathedrale St.Sauveur〕

代表的なロマネスク教会である。「サン・ソブール寺院」という。ソブールとは、〈救世主〉のこと。この寺院は5世紀から16世紀までかかって建設されたためロマネスク、ゴシックなどの異なる美術様式が、そのまま継ぎ足しのようにみられる。ここの回廊は小さいが優美である。

この教会では礼拝堂の壁に架けられた宗教画が特に目をひいた。とてもめずらしい図像をもっていた。「燃える柴」の上に聖母子がいる。タイトルは、「燃える柴の三幅画」。ニコラ・フロマン〔Nicolas Froment〕という画家の1476年の作という。

こんな図像となっている。両脇にはこの都市に纏わる人物が描かれている。聖人達とともにルネが左に、ルネ王の第2の妻ジャン・ドュ・ラバルが右に膝まずいている。中央の図には、大天使ガブリエルが登場し、右には羊飼いたちがいる。

特異なのはその上方には、小高い丘が築かれ、そこに生えた緑豊かな壮大な柴の木が、燃えておりその中央に聖母マリアとイエスがいること。初めてみるとても不思議な図像であった。

三連画を閉じた状態では画像が一変する。イエスの誕生を告知(予告)するシーンが北方的な匂いをただよわせていた。

★「燃える柴の三幅画」〔Le Triotyque du Buisson Ardent〕

実は、この「燃える柴の三幅画」に強い感銘をうけ、特異な図像の由来などがずっと脳裏から離れずにいた。教会堂内がとても暗く、写真を撮ることもできず、さりとて教会のパンフレットや絵葉書もないので、作者とこの図像が分かる資料をいろいろと探していた。

ようやく、この旅行中にアヴィニョンの「パレ・デュ・パパ」〔Palais de Papes〕の売店でプロヴァンス紹介の本『LA PROVENCE』（ＭＳＭ・１９９４年）の中に、この絵が挿入されていたのですぐに買い求めた。

日本に帰りしばらく経ってから、突然、テレビの画面にこの絵が写しだされてとても驚いた。ＮＨＫ・ＢＳの音楽番組で、夏のプロヴァンス音楽祭を紹介していた。演奏曲を紹介するタイトルバックに、なんとこの絵がしばらく静止画像となっていたのだった。

ちなみにこの演奏は、「サン・ソブール寺院」で行なわれたものだった。

こんな事もあり、さらに詳しい資料がないか、いろいろ手を尽くしてプロヴァンス美術の文献を探した。ようやく１９９６年秋になり、ぐうぜん北海道立図書館の書棚でひとつの書物と出会った。俊英の美術史家西野嘉章による『15世紀プロヴァンス絵画研究』（岩波書店・１９９４年）だった。

この研究書は〈祭壇画の図像プログラムをめぐる一試論〉というサブ・タイトルの如く、南仏の２都市アヴィニョンとエクス・アン・プロヴァンスに限定して、１４４０年代から１４７０年代に制作された５点の祭壇画を新しい視点を導入しつつ考察したもの。

その5点とは、「エクスの受胎告知」。アンゲラン・カルトンの「聖母戴冠祭壇画」。ルーブル美術館のなかでも名作の誉れたかい「アヴィニョンのピエタ」と「ブルボンの祭壇画」。ニコラ・フロマンの「燃える柴の三幅画」。

これらは、美術史においては、通称「プロヴァンス派」とか「アヴィニョン派」とよばれる画派に属する。西野の視点はとても卓越していた。従来のエミール・マールに代表されるキリスト教的図像学や、エルヴィン・パノフスキーのルネサンス的人文主義に基づく解釈学的図像学（いわゆる〈イコノロジー〉）とは異なる視点からアプローチしていた。

その作品自体を精査し、作品に潜む内的な視点を見出しつつ、図像プログラムを統辞する「構造化原理」を導きだそうとしているところが、とても斬新であった。

特別に1章割かれており、第5章は、ニコラ・フロマンの「燃える柴の三幅画」となっていた。図番も豊富で、カラーとモノクロで記録されていた。

西野の意欲的なかつ精緻極めた論考に沿いつつ、あまり馴染みのないニコラ・フロマンについて、もう少し紹介しておこう。

美術史においては、闇のままに置かれていた画家に光があてられ、突然に復活してくるということが起こることがある。オランダの画家フェルメールもそのひとりである。

なんと、このニコラ・フロマンは、19世紀まで光があてられていなかったという。

1876年に古文書学者ルイ・ブランカールの手によって、ようやく発見されたという。

この学者は、「ルネ王の御遊楽帳―１４７５／１４７６」から、ニコラ・フロマンへ宛てた支払書を発見した。そこからいろいろなことが分かってきた。

西野は「燃える柴の三幅画」については、ベルギーのファン・エイク兄弟の「ゲントの祭壇画」に匹敵する重要性を持つものと高い評価を下している。

出生については、まだ論議のある所らしい。これまでの小邑ユゼスの出身説は誤りとされ、現在は北のピカルディー地方の出といわれている。その後画家として修業時代を経て、さらにフランドル地方のブリュッセル、ルーヴァンでロヒール派の影響をうけたという。

同時期の画家には、ボルツがいる。その後、南仏に来て15年間生活し、しだいに北方のゴシック的伝統から脱却し、新しい造形言語を開花させたようだ。

美術史には、フランス的な秩序と調和を造りだした〈第2のジャン・フーケ〉ともいわれ、現在は、15世紀プロヴァンス絵画の白眉として不動の地位をしめているという。

もう少しくわしく、私を魅了させた神秘的な「燃える柴の上の聖母」の図像解析を試みてみたい。なかなかスリリングな知的な謎解きの興奮を味わうことができる。と、同時に自分が勝手におもいこんでいた重大な誤謬にも気づかされた。まず誤謬について整理しておきたい。

中央の手前に描かれた図は、てっきり天使による羊飼いへのイエスの生誕の告知として理解していたが、全く違った。生半可な知識による安易な早読みは危険である。羊飼いではなく、『旧約聖書』の「出エジプト記」に登場する預言者でもあり指導者であったモーゼのようだ。

それにしても、あまり見慣れない図像ではある。そのことが、私をひどく混乱させてしまったようだ。さらに犬をつれ、履物を脱ぐシーンもあった。

どうもこの祭壇画には、複数の図像が組み込まれているようだ。

改めていうまでもないが、キリスト教絵画は、とても奥が深い。それは仏教美術の場合も同じであるが……。なにせキリスト教絵画は、軽くみても2000年以上の歴史がある。いや『旧約聖書』の世界を含めれば、さらに優に1000年は遡ることになる。そんな膨大な歴史の営みを下地にして生まれた映像には、それだけの重みがあるのは当然のこと。

絵画や彫刻に表現された1つの映像には、神と人間との生きた歩みがすっぽりと埋めこめられている。だからこそこういえるはずだ。それは地層から化石を掘り起こし、その化石の記憶を調べていくことで、地球の営みが少しずつ分かるのに似ているのではないか。

そのため、新旧の聖書に関する知識（歴史学、地誌学、民族学、福音書学、聖人伝など）がどうしても必要となる。

そうなると、私なりの言い方をすれば、特にキリスト教絵画はただ見るものではなく、「聖書の物語を読み取り」「ユダヤ教とキリスト教の歴史と文化をさぐる旅」となるのだ。

そうした知識をもたずに旅へ出るのは、羅針盤を持たないで海洋に出で行くのに似て、とても無謀なことだ。そして地質学において、発見された品々の価値を判別するためには、しっかりとその地層の年代を読み取ることがなにより大切であるように、「オリジナルなイメージ」（イメージのイメージ、つまり原イメージ）

を読み取り、それをその時代において画家たちはどんな想念をこめて宗教画を描いたかにおもいを寄せることがとても大切となる。

では描かれた図像を再度みてみたい。こんな風にイメージが複層化している。まず聖母の純潔性と崇高性を象徴させ、さらにマリアへの受胎告知という型式をとっている。

それに加えて、「受胎告知」の予形として、ここにはマリアの父ヨアキムへのお告げと、イエスの養父ヨセフへのお告げが伏線として填め込まれているのだ。

これだけで終われば、私のような誤解は生じなかったのであるが、さらにもう1つの主題が重なっている。マリアへの「受胎告知」、ヨアキムへのお告げの予形として、『旧約聖書』のモーゼの物語が登場しているという訳である。つまりこのように旧約と新約という2つの世界が、密接に繋がっているわけである。

新しい発見もあった。特に私が不思議な図像だとおもった「樹上の聖母」とは、14世紀の歌（ロマンス）で歌われた「魂の遍歴」という主題に絡んでいた。それは純潔性の象徴である〈林檎の樹〉に由来するという。

それでほぼこの聖図の意味性が解かれるのであるが、でもまだ全ては終わってはいないのだ。一番大切なことがのこされている。では〈燃える柴〉とはいかなる象徴を示現しているのであろうか。

それを知るためには、『旧約聖書』におけるモーゼのホレブ山で神と出会うシーンを思い出す必要がある。『出エジプト記』の3章1－8節には、次の様な物語（シーン）が記載されている。

モーゼは、妻の父ミデヤンの祭司エテロの羊を飼っていたが、その群れを連れ荒野の奥に至り、神の山ホレブにくる。

その時、主の使いが柴の炎の中に現われた。しかし不思議にも柴は燃えてもなくならなかった。神は、柴の中から彼を呼び、ここに近づいてはいけない。足からくつを脱ぎなさい。あなたが立っているその場所は「聖なる場所」だからである、とのべるのであった。

そして最後に神は、イスラエルの民を奴隷の地より救済する使命をモーゼに与えるのである。本来〈神の神性〉であった「燃える柴」に聖母子が存在するという図像が誕生するには、このように気が遠くなるような時間が流れていたことになる。つまり〈イメージの解釈〉とはそれ程までに複雑で難しいことなのだ。

研究によれば、この祭壇画は、カルメル会の礼拝堂に奉献されたことが大きく関与しているという。なぜならこの修道会は、聖母に格別の信仰を抱いていたという。また寄贈者であるルネ王自身も「無原罪のマリア」信仰の持ち主だったのかもしれない。

いずれにせよ、本来はビザンティン（東ローマ帝国）においては多く見られた「燃える柴」と聖母との相関思想がこのプロヴァンスの一都市において継承されていったことは事実のようだ。

作品の構造、特に図像の骨格について、少々専門的にはなるが紹介してきたが、この一枚の祭壇画は、このように単に宗教画であることに留まらず、文化混在の証拠となるのだ。旧約と新約聖書の相関性。ビザンティン的な図の継承。さらにフランドル派の影響下にあったニコラ・フロマンが、北方の祭壇画型式をとりつつも、優美かつ神秘的なプロヴァンス様式をもりこんだ作品であることが分かってきた。

もうひとつ特別に公開してくれたものがある。

入口扉の内側を、開いてくれた。「エッ、アッ」という驚きとも感嘆ともつかない、声をあげた。そこに見事なゴシック様式の彫刻が幻のように立ちあらわれてきた。精緻な彫刻だった。16世紀初頭の作で、ジャン・ギイラモン〔Jean Guiramond〕という彫刻家の作品という。

鈍い光をみせているが、そこには卓越した技法が実在していた。一般に公開していないため保存状態がよく純度を保つことができたのであろう。

ここの聖堂回廊もすぐれている。アルルの「サン＝トロフィーム教会」の回廊よりは小振りであり、装飾も控え目にみえた。石もどこか明るくみえた。この旅の中では、忘れることができない教会の一つとなった。

★セザンヌのアトリエ〔Musée Atelier de Paul Cézanne〕

この後、画聖セザンヌのアトリエを訪れた。それはエクスの中心街の北、レ・ローヴと呼ばれる丘にある。かれは、１８３９年にエクスのオペラ街でうまれた。銀行経営をする資産家の息子として生まれたセザンヌは、パリでの生活をやめてこの生地にもどって制作をする。以後ここを離れることはなかった。パリなどで活躍する印象派の仲間から離れて、独自な絵画をひたすら目指したわけだ。

画家の家の前に立つと、この画家の息づかいや足音さえ今でも聞こえてきそうだった。まずアトリエが狭いので、二手に別れて中に入った。最初に庭の方を散歩した。この道をセザンヌがイーゼルを背中に負いつつ、歩いたと想うと、なにか熱いものが込み上げてきた。

アトリエは、飾り立てたものはなにもない。手を加えずに生前のままに全ては置かれている。窓が両方にある。絵の具箱、絵筆、静物達、キューピット像、骸骨、机などがセザンヌの眼に日々見つめられていたのだ。彼の作品の主要モチィーフとなった林檎が、セザンヌがいまでも筆を動かして描くことができるように、なにげなく数個おかれ、さらに窓辺の方には萎びたリンゴがおかれていた。いましもセザンヌが絵筆をもって登場しそうな気配がした。完成しなかった作品の断片もある。梯子も立てかけられている。この梯子にのり彼は、静物を上から見下ろしたり、いろんな角度から対象の把握につとめたのである。

のちに画聖とよばれ、キュビスムの先駆的偉業を成し遂げたこの画家は、「眼の人」であり、一個の林檎でも、それをひとつの存在体として認識し、その林檎の形と本質をたえず追及した画家だった。自然をみつつ、そこに生きづいている人間をとらえた秩序と理知をみようとした画家だ。そしてセザンヌは、自然を球、円筒、円錐として再構成することを一つの理念とした。この理念は従来の遠近法を否定することになりキュビスムの先駆者といわれている。

絵を描くこと、それは人間とは何かをさぐりつつ、本質を見極めようとした哲学的思索のような行為でもあった。そこにセザンスの偉大さがある。特にセント・ヴィクトワール山は聖なる山であった。

この地では、アーモンド入りのカリソン〔Calisson〕という菓子が、とても有名であるという。このお菓子は、他のお菓子と違って特別な性格をもち、年3回たべる習慣があるという。それは、イースター（復活祭）、9月1日、クリスマスの3回という。飯塚さんが1つの店を案内してくれた。この店では、私はカリヨンではなく、純白の砂糖菓子（名前は忘れてしまった）という感じのお菓子を1つ買ってホテルでたべた。とても上品

ポール・セザンヌのアトリエ＊

な、決して甘すぎず絶妙のティストだった。口の中でミルクの薫りが充満した。印象的なお菓子であった。そういえば時間がなかったので入ることはできなかったが、素敵な菓子店がホテルの前にもあった。帰ってから少しプロヴァンスのお菓子も調べてみたいとおもった。

ここのホテルは、メルキュール系のチエーンであるポール・セザンヌ・ホテルである。内装デザインがプロヴァンス風で統一されていた。近くには、ロトンドの噴水がある。冬でも噴水が水を吹きだしている。

夜は、疲労がたまっているので、一番近くのレストランに予約をしにいった。ディナーで２００フラン程度の値段であり、早速予約をした。メニューには日本語での説明も書かれて、安心した。そこで現地の人と混じってたのしく食事をした。

4 アルル〔Arles〕――ゴッホの記憶

今日は、アルルからアヴィニョン〔Avignon〕への旅となる。アルルでは、「古代競技場」、「サン＝トロフィーム教会」〔Cathédrale Saint-Trophime〕、「ゴッホの跳橋」と足跡を訪ね、アヴィニョンでは、「プティ・パレ美術館」〔Musée du Petit Palais〕、「アヴィニョン教皇庁宮殿」〔Palais des papes d'Avignon〕を見ることになる。

アルルは、エクスより小振りの都市である。街にはふぞろいな程大きな古代ローマの遺跡が残っている。ここは古くは、「ゴール人の小ローマ」とも呼ばれた。冬のせいであろうか観光客だけでなく、人影もまばらであった。ここにはガロ・ロマン時代の古い遺跡が残されている。

まず市役所があるレピュブリック広場に立った。17世紀に再建されたという市役所の入口天井がユニークな建築構造となっている。石組が特異で、建築学を勉強する人は、この工法に特に興味を示すという。中央にオベリスクが立っている。西側には、古代劇場の遺跡から出土した作品が収められている「異教芸術美術館」があった。

今回は、見ることはできなかったが、ノーベル文学賞者ミストラルが設立した、アルルの民族博物館の性格を帯びた「アルラタン博物館」がある。

一番みたかった「サン＝トロフィーム教会」の有名な正面部分は修復中だった。カバーがかけられて全体を確認できなかった。私の下調べが不足していたようだ。修復中とはおもってもいなかった。旅とは計画通りにはいかないもの。ロマネスク美術のひとつの典型的な主題である「最後の審判」が彫られたティンパヌムもその全容を実見できないのを悔んだ。この「最後の審判」の彫刻をじっくりと目に刻みたかったのだが……。

まずローマの古代競技場遺跡（アレーナ）へ。ここでも容赦なく強風ミストラルは襲ってくる。看板のねもと部分は、この猛烈な風のことを計算してゼンマイ構造をとりいれ自在に揺れるように考案されていた。1世紀末建造という壮大な石組がそこにはドーンと在った。ニームにも有名な競技場があるが、ここは現在も闘牛などが実施されているという。中には足をふみいれなかったが、直径が長い所で136mもあるという。階段が34段になっているという。収容人数は、およそ2万人というから驚きである。

すこし歩くとすぐに右手に古代劇場跡がみえてくる。この場所にできれば入って、半円形の舞台に立って古代時間にフィールドバックしてみたかったが、飯塚さんはここには入らなかった。脇から覗いてみるだけであった。2本の大理石の古代の列柱が、すぎ去った栄枯の時間を象徴していた。

ここで開催されるミス・アルル選定の祭が有名であるという。少しアルルを舞台にした楽曲について語っておきたい。

ビゼーの音楽でも有名な異国情緒いっぱいの「アルルの女」である。ビゼーの代表作のひとつであるこの曲は、ドーデー作の劇に対する付随音楽であり、1872年の作曲という。

私も何度も聞いたことがある名曲であるが、ストーリーはどんなものであるが掴めないまま聞いていた。調べてみると悲劇的な物語であることがわかった。

音楽の軽快さとは、全く違っていた。粗筋はこうだ。アルルに近い街の小さな農村が舞台。この地の旧家の長男フレデリは、ある娘と恋に落ちるが、反対されてやむなく幼なじみと婚約する。しかし、ある祭の日、その娘の愛人と称する男と出会う。それを機に次第に嫉妬に狂い、気が変になり最後には絶望して窓から身を投げて死んでしまう。

こんな悲劇的ドラマとは、全然おもってもみなかった。今度は、この事を頭にいれて聴くことにしたい。普通は第一組曲4曲、第二組曲4曲、計8曲だけを聴いているが、全体は、27曲からなる長大なものという。前奏曲やファランドールなどには、この地特有の踊りや行進が、モチィーフとなって生かされているという。

さて飯塚さんの説明によれば、ミス・アルルになるための条件とはこんな感じだ。年齢は、17歳から22歳まで。民族衣装を着る事。そして特有な髪型を結うことができること。プロヴァンス語を話すことができること。アルルの歴史に詳しいこと。このようになかなか資格審査はかなり厳しい。ここでは、〈女王〉ではなく、〈レンヌ〉と呼ぶという。

7月1週目にこの劇場で表彰があり、しっかりとプロヴァンス語で挨拶ができることが最も大切なことという。この後の仕事も大変という。なんと3年間は、代表としての特別の仕事があり、どんなことがあっても結婚できないというから大変だ。

ちなみにゴッホは、このアルルの若き女性をほとんど描いていないという。私はなぜ描いていないのか疑ってみる。「若いモデルがいなかったということか」「それとも、それだけアルルの人から嫌われていたことの証拠であろうか」。

さらに不思議なことに、ゴッホは、闘牛場などの古代遺跡や教会をほんの一部しか描いていない。歴史や文化には興味がなかったのだろうか？こんなに素晴らしい歴史的建築物があるのに考えてみれば「ひとつの謎」ではあるのだが、彼の関心は別なところにあったようだ。

どうも彼の関心事は、いつもアルルの光であり、自然の美しさ、郵便配達人などの素朴な民衆の方に興味があったようだ。

話を元に戻したい。早速「サン＝トロフィーム教会」の内部空間に足をはこんだ。

サン＝トロフィーム（聖トロフィムス）とは、アルルの聖人のことをいう。

7世紀の創建といわれる「サン＝トロフィーム教会」は、スペインの聖地サンチャゴ・デ・コンポステラへの巡礼への道にあたる。

信者は、フランスからスペインの聖地へと、膨大な日数をかけてひたすら歩いた。功徳を積み、聖なるものを希求する厳しい旅であった。信仰が生活の中心にあった中世世界ではそれが最高の信仰告白だった。

なによりロマネスク美術の回廊が、とても素晴らしい。石の色や表情が、とても重い。ここに立つと、初期キリスト教から中世にかけての悠久とした時間感覚が私の身体の中を通っていった。

ロマネスク美術では、素朴な石組という建築用法を主体とする。特に教会の正面や回廊を飾った空間に、聖書の主題などを彫り込んだ。

それを通して聖書世界を身近に民衆に解説した。この時代は、彫刻家という職業的地位も明確ではなかったが、無名の職人の卓越した技には、敬服してしまう。

ここで見るべきは、柱頭の彫刻である。素朴なその石に彫られた彫刻から様式の変遷が一目で分かる。幾何学的な植物紋様、キリスト伝のような主題、動物・怪物などのキリスト以前の異教の神々などが記されている。柱の頭部分という小さな空間の美。石も黒ずんでいて古式の色彩を保っているが、その表情がとてもいい。全てが素朴で愛嬌があるのだ。

この教会の奥には、アルルの民族文化を紹介する美術空間があった。

この地方特有の民族衣装に身をつつんだキリスト生誕劇を構成する「サントン人形」が、展示してあった。「サントン」とは、キリスト誕生劇に欠かすことができない3人の東洋の博士、羊飼い達や羊などを造形した泥人形のことをいう。文字通り「サントン人形」の洪水であった。古い時代ものや新作物が、ところ狭く並んでいた。これもアルルの民族意識のあらわれであろうか。民族意識の自立といえば、フレデリック・ミストラル〔Frédéric Mistral〕（１８３０－１９１４）という文学者のことを忘れることはできない。

その銅像が、ゴッホが描いた「夜のキャフェ」の作品で有名になったそのキャフェの広場中央に立っている。多くの人は「夜のキャフェ」を訪れるが、ミストラル像の存在を知らないでいる。

ここで、この希有な詩人・文学者を紹介しておきたい。

この人は、私たちを苦しめている強風ミストラル〔mistral〕と同一の名をもっている。ひとことでいえば、プロヴァンス語の復権をおこなった愛国的、愛土的文学者である。

フランス語は、北と南ではおおいに異なる。北の言語は、俗ラテン語の末裔であり〈オイル語〉〔d'oïl〕とよばれ、南の言語は、〈オック語〉〔lenga d'òc〕とよばれラテン語の方言の性格を帯びており、約33県がこの〈オック語〉圏になるという。たとえばラングドックとは、〈オック語が話されている場所〉のことという。

ミストラルは、プロヴァンスの独自な文化と歴史をのこすためには、言語がもっとも大切であると考え、「フェリブリージュ」〔Le Félibrige〕（元の意味は、赤子のことであり、詩人はムーサの赤子であるということ）という文学結社を結成した。

さらに機関紙「アマナクル・プロヴァンサル」を発行し、もっぱらギリシャのヴェルギリウスやホーマーの詩を貪るように読み、あえてプロヴァンス語で作品を創作した。

それが、『ミレイオ』〔Miréio〕という作品に結実した。厖大な詩の連鎖によるこの作品は、ある若者の悲劇的恋愛を主題にしている。

貧しい篭つくりの家の息子ヴァンサンと、その地方の由緒ある家の娘ミレイオ（この語は、本来ヘブライ語であり、美人のことを、「あなたはメリアムだ」といったのが祖型であり、それが変形したという）との、実らぬ恋が、この地方の風物とともに、美しく謳歌される。

最後に、実らぬ恋の成就をねがって「サント・マリー・ド・ラ・メール寺院」（海の聖母マリア寺院）まで、荒れた小石だらけの〈クローの地〉を徒歩で行くが、この寺院の階段の処でバッタリと倒れ、息をひきとってしまう。

この作品が、当時の文豪、のちには政治家としても名をなすラ・マルティーヌの高評価をうける。フランス学士院からも賞金をいただくという栄誉もうける。それを基金にしてこのアルルの地に、「民族博物館」を創設した。

さらにこの『ミレイオ』は、世界的評価をうけ、ついに１９０４年にはノーベル文学賞をうけた。これは、有名な逸話であるが、この受賞を祝う会が、この地であったとき、彼が演説すると、突然に天空からミストラルが舞い、それを祝福したという。

いまプロヴァンス語は、特別な言語構造をもつといったが、その簡単な一例を紹介しておこう。そのひとつが語尾の省略にある。プロヴァンス語ではミレイオを、〈Mireille〉ではなく〈Mireio〉と記すという。

言語は、それぞれの民族にとって文化の基層であり、民族意識を連帯させる大切な武器でもある、それゆえ権力者は、その禁止や弾圧に熱心なのであろう。言語は民族の血そのもの。民族のアイデンティティそのもの。他からどんなことがあっても奪われたりしてはいけない。独自な少数言語をしっかりと保存保護することが、とても大切なのであろう。私達はどうしても言語を「共通語」という視点でのみ評価してしまう。それではいけない。言語は民族性と不可分であるのだ。これを忘れてはいけないのだ。

自由時間の最後をつかって買物をした。ひとつは、グラースの香水。プロヴァンス地方のグラースは、世界の香水のメッカともいわれる。

またグラースの出身では、ロココの画家フラゴナールがいる。そこには彼の美術館もあるという。もうひとつは、この民族色豊かな織物と、ラベンダーのポプリ。2本の50ミリリットルの香水。ひとつは「Rose de Mai」と記されていた。〈5月のバラ〉の意味がある。あとでかいでみると、とても素敵なあまずっぱい薔薇の薫りがした。

このあと、ゴッホの足跡を辿った。

まず、ゴッホが療養していたゴッホ病院跡をたずねた。ゴッホの絵にあった同じ植え込みされた中庭があり、現在は、街の文化センター的建物となっている。ただなんとも殺風景な風景ではある。この時はゴッホが入院していたという、記念碑的なものは探したがなかった。

この日はさらに郊外にある、あまりに有名な「跳ね橋」をみたが、冬のせいであろうか、その風景も凄かった。

ここでは、最大級のミストラルに襲われた。バスから歩を踏み出すと自分の足で立てないほどの強風。足をとられて杭に胸をうたれる人まででた。ひょっとしてゴッホがこのミストラルのすごさを体験させてくれたのかも知れない。

この橋は、「ラングロワ橋」という。第2次世界大戦で、ドイツ軍の空襲で破壊されており、いまあるのはあとから作られたもの。この川面が、風の手荒い愛撫をうけて細かい波紋をみせていた。バスに急いで避難した。

みんな言葉を失い、青ざめていた。あっけにとられ凄いものを体験したという顔であった。

でもここで、こういう体験したことも、厳しい冬の時期しか味わえない貴重なものだということで、どこか充実した表情をしていた。まちがいなくゴッホも全身でこのミストラルを味わったのであるから……。

最後に、ラ・マルティーヌ広場で「黄色い家」があった場所もみた。

ここでもゴッホの気配は、ほとんどなかった。

「黄色い家」は、あらためて絵の中でしか生きていないことを思い知った。

ところでゴッホは、どうしてこの地を選んだのであろうか。

それは種々の理由があるという。まず、なにより光と自然を求めた。実際にゴッホは、この地に足をふみいれた時、その空気と光に感動して、「日本にきたようだ」と感動した。わずか1年と3ヶ月の間に200点もの作品を生み出した。もっと詳しくいえばこうなる。さらに100点の素描と水彩画を描いた。そして約100通の手紙を書いた。それらは、全てゴッホの貴重な資料、肉声となっている。この膨大な数字。このとんでもない性急さ。何かにとりつかれていたとしか思えない。自分に残されている時間はあまりないと感じていたのであろうか。それとも遅れて画家となったため、その失った時間を早く取り戻して、他の画家と早く並びたいと決意していたのであろうか……。

ゴッホは、あまりに俗性のない「純粋《ピュア》な人間」なのだ。いや、これだけはいえる。この地は、間違いなく彼が理想とした「芸術家の共同体」(ある種のユートピア)を築くという、その夢を実現するために選ばれた地であった。

こんな分析もできるのではないか?ゴッホは、イエスと弟子12人とが行った共同生活を理想にしていた。そのため、実際に「向日葵《ひまわり》」を12本(弟子の数)描いて、部屋に飾ろうとしたとも……。いうまでもなく、「向日葵《ひまわり》」は、太陽の恵みをいっぱいに受けて咲く花。太陽が放つ光は、神の恵みそのものだった。光は神の言葉であった。それゆえ、ゴッホにとって「向日葵《ひまわり》」は、単なる野に咲く花ではなく、「聖なる花」「信仰の花」となったようだ。

さらにミストラルやドーデーの文学への興味もあった。ゴッホは、かなりの読書家でもある。また親しい画家アドルフ・モンティセリが、マルセイユに在住していたことも一因かも知れない。またみずから日本の「浮世絵」などを収集しており「ジャポニスム」への興味で、この地を日本との類似で興味を深めていたことはより大きい。どうもこうしたことが複合されたようだ。

ゴッホは、ポール・ゴーギャンとの共同生活を夢みた。この夢は理想的すぎていた。現実離れしていた。「芸術家の共同体」の大切な仲間と思い、招いたのだが……。わずかの期間ではあるが、共に住んだ二人の間にうめられない亀裂が入りこみ対立してゆく。ゴッホらが住んだ「黄色い家」は第2次世界大戦中、爆撃で破壊され、この後ろの建物は残されているが、家の部分は、空無の空間となった。アルルにきてみて、ゴッホがこの地で制作したことは、この街の人には決して好ましい事ではなかったのだと実感した。ゴーギャンとの軋轢により「耳きり事件」（実際には、耳たぶの一部を切った）以後、ゴッホは「気のふれた画家」としてみられ、冷たくこの街から石をもって追放されていったのである。これほど有名なゴッホのはずなのに。観光客のためにも記念の美術館をつくるとか、記念建築物の保存などを市も本腰をいれていいはずだが……。エクスでは、地面にセザンヌのプレートまで埋め込み、街をあげてセザンヌの足跡を残そうとしているのに反して（たしかに名目だけの〈ゴッホの散歩道〉は設定されてはいるが）あまりにも落差が大きいといわねばならない。ようやく２０１４年にヴァン・ゴッホ財団はここにアルル・ヴィンセント・ヴァン・ゴッホ財団美術館を設立し、現代作家がゴッホにオマージュした作品を収蔵した。

アルルの太陽は、ゴッホに光を与えてくれたが、アルルの人は、ゴッホを全面的に受容しようとはしなかった。それを知った。この悲しい現実。

地上ではどこにも安息の場所がなかったゴッホ。私たちは、「種まく人」や「向日葵《ひまわり》」などの絵画に何を込めたか、もっと深く知るべきである。絵の中に宿ったゴッホの聲に耳をかたむけるべきなのだ。アルルにきてみて、この世の「地上の彷徨者ゴッホ」の苦悩の声が、ひときわ大きな音となって聞こえてきた。

「キリストの誕生」を表現する〈サントン人形〉

5　レ・ボー＝ド＝プロヴァンス〔Les Baux-de-Provence〕――不思議な街

さらに不思議な街レ・ボー＝ド＝プロヴァンスに立ち寄った。

この地名は、ボーキサイトの名で有名である。この鉱物名は、この地名からとられている。またここの風景は、ダンテの『神曲』の〈地獄篇〉のモティーフとなったという説があるというのだが……。

この地の素晴らしさは、来る前に資料では調べていたが、実際にここに来てみてその絶景には、だれもが感嘆の声をあげるようだ。人口は５００人程度なのに年間１００万以上の人を集めるプロヴァンス第一の観光地であるという。地理的にはアルピーユ山の一角にあたり、石灰岩の異様な風景が特色である。

ここには、11世紀頃、レ・ボー家とよばれた豪族が、栄華を誇っていた。この豪族の祖先は、東方の三博士の一人バルタサールであるというから、気の遠くなる昔までさかのぼることになる。

その真偽は別としても、「ベツレヘムの星」がその紋章であるというから、それだけこの地に東方の人が、昔から住んでいたということなのだろう。

一時期レ・ボー家は、南仏一帯に君臨した領主であった。が、フランスが中央集権国家づくりをする17世紀には、ルイ王朝の宰相リシュリューの命で、１６３１年にこの城の取壊しが断行された。日本と同じく廃城政策を展開したわけだ。

さらに名目上の支配権は、モナコ王国に委譲されてゆく。それ以後は、ここは文字通り廃墟となった。それが、今日までそのままで残されている。岩肌が荒々しく穿たれている。破壊されるままに、時間が過ぎ去っていったことを無言で語り出してくれる。それが、日本的な無常観や郷愁を遥かに超えて、風景が、私たちの眼を圧倒的力でもって奪ってゆくのだ。

バスは、駐車場まで入った。そこから、徒歩で無人に近い城跡を「サン・ヴァンサン寺院」まで歩いた。この場でのクリスマスにおこなわれる「深夜ミサ」は、特に有名であるという。真夜中に街の人や羊飼いたちがイエスの誕生を祝ったという。

ここで出会った人は、なんと門番の様な男の人と、小さな店で出会った女性の2人のみだった。これは、観光シーズンを過ぎた冬のみの現象かもしれないが、文字通りここは、息を止めた「死んだ街」のごとし。寂しさとはちがうものがここに漂っている。いい知れぬ不気味さがある。

でも風景は、言葉で言いつくせない絶対的な凄さをもっていた。眼下には、この町が広がり、全ての時間が完全に停止したような感覚を味わった。なにせそこには動くものは、何もないのだから。

その後アルフォンス・ドーデ〔Alponse Daudet〕の風車小屋〔Le Moulin de Daudet〕まで車を走らせた。ただし、本物のドーデの風車小屋は、現存していない。

ここは、フォントヴィエィユの村にあたる。この時にも、広大な野にはミストラルが吹いていた。小さな丘に登って、この風車をみようとするが、強風のため、近くに行けないほどだ。立っているのがやっとという感じだった。

ドーデの『風車小屋だより』の冒頭部分には、こうある。

「不意を打たれたのはうさぎたちである！……ずっと前から風車小屋の戸が閉められて、壁も床も草にうもれている有様に、彼らはとうとう粉ひきという人種が滅びたのだと思い込んで、これはよい場所だとばかり、総司令部か、参謀本部のようなものにしてしまった」（桜田佐《たすく》訳）。つまり、うさぎ達のすみかとなっていたのだ。

ドーデ（生まれは、南仏の古都ニーム）は、使用されていないこの風車を買い求めて、住み始めたわけだ。兎などが住家と化していた廃屋同然の風車に生活して、純朴、素朴な民衆の生活や、この地方の風物をパリの友人に紹介した。

さて風車には、この地方特有の風の名称が、書付けられている。でもそれが確認できないほどに、風が前進を阻止してしまう。あとで買い求めた、図版がとても素敵な『La Provence』（ＭＳＭ・１９９４年）で確認すると、風車にはなんと32もの風の名称が記されているという。これをみると風の名称はこの風車の外壁に記されているのではなく、内部の器械の所に書かれているようだ。この中から少し紹介すると、〈Damo〉、〈Souleu〉などという風に個別の名称が記されているという。

バスは、強風にあおられながら猛烈に左右にゆられながら、アヴィニョン〔Avignon〕をめざした。

途中で、ロマ族の一群のキャンピングカーをみた。また、背の低いブドウの木などが、車窓にみえてくる。

バスから、降りてすぐエクスと同じ、メルキュール系のホテルに荷物をおいた。ホテルでは歓迎の飲物を用意してくれた。サイズは小さいがこぎれいなホテルであった。このホテルは、アヴィニョン教皇庁宮殿とは眼と鼻の先にあった。

6　アヴィニョン〔Avignon〕——プティ・パレ美術館

かつての教皇庁宮殿の見学の前に、まず「プティ・パレ美術館」に足をはこんだ。教皇庁付属美術館という感じである。時間を1時間余とったはずだが、予想したよりもみるべき部屋が多く、駈足となってしまった。

全部で13室。すべてがキリスト教絵画だった。一部に、棺と彫刻があった程度。それもトスカーナ、シェナ、フィレンツェ、ボローニャ、ヴェネツィアなどの各地で開花したイタリア学派の変遷が、時代毎にみられる形式になっている。もちろんここはイタリアではないので、質の面ではかなり低下はするが、静かに、ゆったりと見られるというのは好ましい。目玉は、ボッティチェッリの聖母子像。一番目立つ処に、一点のみ展示してあった。ただし、彼特有な優美な線や憂愁美をもった女性としてのマドンナではないように感じた。表情がやや固く、非ボッティチェッリ的でさえある。

ここでおもしろいプロヴァンス派の画家の図像をみた。〈ヤコブの夢と梯子〉という『旧約聖書』の物語の一場面であるが、梯子から昇降する天使像が、群列をなし、現代的な時間構成となり、とてもシュールな感覚をみせていた。またヴェネツィアで活躍したカルパッチョの「聖なる対話」も、荒涼とした崖が上部にあり特異な図となっていた。またルーブル美術館の名作のひとつである「アヴィニョンのピエタ」の作者といわれるアンゲラン・カルトンの「Le Retable Requin」があったが、完成度と価値は、やや低いとおもわれた。

この美術館で、修復技法の勉強のためであろうか、それとも宗教画勉強の授業なのであろうか、先生がついて学生が、熱心に模写をしていたのが、印象ぶかかった。東洋人（日本人）らしき人の顔もみえた。

最後は歴史的にも有名な「アヴィニョン教皇庁宮殿」〔le Palais de Papes〕訪問である。

その前に少しアヴィニョンについて語ってみたい。フランス南東部、ボークリューズ県の県都でもあるが、私たちには、二つのことでとても馴染みがある。ひとつは、歌で有名になったフランス民謡「アヴィニョンの橋」〔Le Pont Saint-Bénézet〕である。この〈橋の上で踊ろう〉というこの歌は、誰もが一度ならず歌ったことがあるだろう。（私たちもバスの中で、この唄を歌った）

この橋は正式には「聖ベネゼ橋」ともいわれる。この橋に関しては、不思議な物語がある。

１１７７年のある日、ひとりの牧夫に「このローヌ河に橋をかけなさい」という神の告知があった。その事を、みんなにいうと信じる者が少なく、むしろ狂人あつかいまでうけた。そしてみんなから、そのお告げが、真実かどうかはこの街にある大きな石を、河の中洲まで動かしたらそれを信じると要求されたという。

不思議なことがあるもので、彼は、その石を動かした。この奇跡に対して、教会もようやく重い腰をあげ、全面的に協力し、現在ある橋をかけたという。そして彼も、聖人に叙せられたという。ただその橋も、洪水により壊れてしまい、いまは半分しかのこっていない。

もうひとつは、「教皇のアヴィニョン捕囚」という歴史的事件である。

これは、フランス王フィリップ4世とローマ教皇ボニフェイス8世との権力争いである。結果としてローマ教皇庁が敗北し、フランス王の領地であるアヴィニョンに連れてこられたことをいう。それをユダヤ人が迫害された故事（「バビロン補囚」）になぞらえて〈教皇のバビロン捕囚〉と呼んでいる。それは、１３０９年のことである。

実際には、その後のローマ・カトリック教会内部の対立である〈大分裂（シスマ）〉も含めるとおよそ１００年近く、ローマ・カトリック世界の中心ともいえるローマ教皇庁が、ここに置かれていたのであるから、ここはいわば宗教世界の中心でもあったといえる。

都市は、次第に発達し、宗教的都市としてだけでなく、世俗的な場ともなり、商業都市、文化都市ともなり、学者、商人、ユダヤ商人、遍歴芸人などあらゆる階層が勢揃いしたという。その人口は、２万人をかぞえたというから、当時としては壮大な都市でもあった。

その残光を、まず威容をほこる城壁から、伺うことが可能だ。実は、物の本を読めば、〈アヴィニョン捕囚〉と呼んだのは、イタリア側であり、そこには嫉みの意識が反映していたという。

あまりの繁栄を怨んで、バビロンという音と絡めつまりゴロ合わせ的に〈アヴィニョン捕囚〉と呼んだという説もあるほどだ。外壁は、高さ50ｍ。敷地の面積は、１万５千㎡と広大だ。しかしながら、内部に身をおいてみて実感したのは〈壮大な空虚〉ということであった。

その空虚とはいろいろな意味があるが、文字通りここでは虚しく何もないのだ。建造物は、壮大なサイズをしめしているが、壁、家具、絵画、日常品など部屋を形成していたものがごく僅かであるということ。火災などにより器体だけがとり残されたという感じさえした。また別ないいかたをすれば、ローマ教皇庁が、80数年もここにあったということを、記録にとどめたくないという意識の反映ではないかとさえおもったほどだ。

がらんどうの建築物では、人間の話声だけが、異様に響いてくる。ふと音楽空間にすれば、やや反響が強いが最高であろうとおもった。まずガイドは、中庭を通り、一室にはいり、この建築物の模型を前に構造を説明した。壁には、ズラリと歴代教皇の図がかかっていた。初めは、クレメンス５世である。彼は、ボルドーの司教であったが、コンクラーベ（教皇選出選挙）で選出されが、ローマを嫌い自分の土地に近いこの地に教皇庁をおいた。

さて２人の人物が、建造に名を残している。ベネディクトゥス12世が旧宮殿を、そしてクレメンス６世が、新規に華麗な部屋をつくり、装飾性の強い新宮殿に変えた。特に、新宮殿の方が、壁へのペインティングなど、美術的には見るべきものが多い。

ここでも初期のイタリア・ルネサンス文化が開花し、芸術家も招かれたようだ。そのなかには、マルティーニやジオットと並び称されるジョバネッティらがいるし、ジョバネッティは、この壁画装飾にあたったという。

「教皇の間」の壁に描かれている植物模様の図や、そこに鳥達が、見え隠れするなどとてもかわいらしい画像もあった。その色彩が、数世紀も経て鈍く光っている。ふとこんなこともおもった。これを修復したらきっともっと華麗な色彩が浮かびあがるであろうとおもった。でも一方で、このままの方が古淡の美があり、〈それもありかな〉とも感じた。修復で失うものもあるからだ。

この書籍（売店）コーナーで、プロヴァンス関係の書籍をまとめてかった。

この場所だけが賑やかであった。ここでは、カメラ撮影はできなかったのでこのアヴィニョン教皇庁宮殿を紹介する「The Other Rome」(「もう1つのローマ」)というビデオテープをかった。帰国して見ようとおもったら、まったく画面には映像がでなかった。VHF方式なので大丈夫かなとおもったが、甘かった。フランスのビデオは方式が違い、日本のとは適応していないようだ。これもひとつの勉強である。

この都市は、現在は、旧教皇庁の中庭で毎年実施される国際的に有名なアヴィニョン演劇祭が開催されている。特に前衛劇のメッカとして有名である。

たしか1994年には、日本の「能」が演じられたという。それは創作能「スサノオ」(1994年)だった。草月流の家元勅使河原宏が日本の竹をつかった舞台が、なかなか好評であったという。

ホテルにもどり、ロビーで飯塚さんにお別れの挨拶をした。彼女は今夜列車で仕事のためモナコへ向かうという。

暗い街をトボトボ歩いて、いつものようにディナーのためのレストランを捜した。一番近くのレストランに明かりがついているのを発見するが、ドアは硬く閉まったまま。かなり強引にドアを叩いて、ようやく開けてもらう。素敵な若い女性と交渉して予約をする。どうも営業日ではなかったようだ。かなり無理をかけてしまったようだ。どうしても準備の関係で、20時からということになった。お客は、ほとんど私たちだけだった。22時ぐらいにホテルに戻る。ここのホテルの部屋は、プロヴァンス風であり、とてもこぎれいな感じ。

はじめてプロヴァンス地方をおとずれてみて、その文化の重厚さと特異さには、やはり驚嘆させられた。

この近くの「サン・レミ・ド・プロヴァンス」には、天文学者でもあった予言者ノストラダムスが生まれているし、またフランス文学者澁澤龍彦が心頭した貴族マルキ・ド・サドの城も近くにあり、さらに『昆虫記』で有名なファーブルもこの地の人間《ひと》である。

こうして見てくると、実に個性的な人物像が浮かび上がってくる。その輝ける個性と独立心や反抗心は、やはりこの地の独自な歴史、風土、文化によって醸成されたものであろう。そのことを強く感じた。

プロヴァンス最後の夜は、今まで見てきたものがいっきに走馬燈のように、グルグル回り終わることはなかった。なかなか眠りにつくことができなかった。

プティ・パレ美術館で〈模写〉をする学生

［アートコラム1　画家ゴッホの人生と苦悩］

★日本とゴッホ

ゴッホという画家を語ろうとしている。

オランダの画家、ヴィンセント・ヴァン・ゴッホ［Vincent van Gogh］。１８５３年3月30日（3月30日というこの日を記憶しておいてください）に、オランダのズンデントで生まれ、１８９０年にフランスのオーヴェール・シュル・オワーズで、37歳でこの世を去った画家。

１９９０年には、没後１００年を迎えました。オランダでは、大規模な回顧展覧会が開催され、世界中から、美術ファンが集まったそうです。

つまりほぼ１００年まえの画家のことを話そうとしている。

日本人は、昔からかなりゴッホが好きなようです。画集などを通して、あの強烈な色彩に情熱と力を感じる人も多いことでしょう。

ただはじめ、日本に彼を紹介したのは、文学者でした。いわゆる白樺派の人たちが、雑誌『白樺』などで日本に伝えた。このことは、あるひとつの限界と問題点をもっていました。ということは、ゴッホの作品が、当然にもシロクロでのせられていた。そのため彼特有な色彩を感じることはできません。残念ながら文学者の趣向から、「苦悩するゴッホ」像が定番となり、それが単一性を帯びて大きく歪められるようになりました。

まずゴッホというとすぐに私たちが頭にうかべるのは、「向日葵《ひまわり》」の絵、そして「はね橋」でしょうか。

さて、美術史の中では彼は、ポスト印象派に属する画家です。たしかにそのように見ることは可能ですが、こういう主義（美の系譜）で評価することは、一見すればとても理解し易いことですが、誤解が生まれます。決して本人が「わたしはポスト印象派の画家である」と宣言してはいないからです。そんな意識や認識を抱いていたわけではない。後の時代の人たちが、便宜的、あるいは前の時代とは違う傾向に対して総括的に名づけたものです。つまりある種の符標です。

たしかに印象派は、野外に出て、光の下で、目で見たものをそのまま画布に残そうとした。それは従来の画家達とは全く違うことを始めたことになります。

でもこの印象派達は、光を追い求めすぎて、絵画の主題が無くなる危険がでてきます。こうしたなかで、ゴッホとゴーギャンは、「生きるとはなにか」「人間とはなにか」「新しい絵画の形式と主題をどう作り出すべきか」、つまり自分は一体なにを描くべきなのかを真剣に追及していったわけです。むろんそこには、当時の社会的思想や背景が色濃く反映しています。やはりそこには、19世紀末の雰囲気が影を落としているようです。とはいえあくまでその画家自身の個性によるものが大きいともいえます。

人間への確信、信頼が崩れ、また社会の進歩も楽観的に賛美できなくなり、不安に満ち満ちた人間、孤独に苛まれる人間、しかし、何かを追い求めようとする心情はむしろ高まっていきます。そんな世紀末の時代を生きたのが、ゴッホです。つまり単純化していえば、人間の内面を見つめつつ、新しい絵画を築こうとしたのです。(この時代をおおった不安感が、いかに深く深刻なものであったかを知るには、ノルウェーの画家ムンクの絵のことを思い出すだけで十分です)。

ゴッホの絵は、現在パリのオルセー美術館で多く見ることができます。

この美術館の名前のもとはオルセー駅からきています。とてもすばらしい美術館です。当時のミッテラン政権は、総力をあげてパリの新建築をつくりだし、文化の中心としての地位を再び確保しようとしました。そのひとつが、この駅の改修であり美術館づくりといえます。

私も、そこでかれの作品をみて、とても感動しました。なにに感動したかといえば、かれの作品がとても新鮮に見えたのです。「ゴッホの絵は、こんなにも色彩が美しかったのか」と溜息をついたほどだった。うねる様なタッチ、鮮やかな色彩に感動したのです。

私は、ゴッホの作品を、初めてパリの印象派美術館で見ましたが、この場所には、外光が全く入らないため、ゴッホの絵を間違って理解していたわけです。

オルセー駅は、当時の新素材であるガラスを豊富に使っています。改造後もそのままにしました。上から光が差し込み、ゴッホが自然光の下で、作品を描いた同じ条件で鑑賞することが可能になったわけです。

★伝道者として

実は、ゴッホという人物を一言で語ることはできません。複層した心情の持ち主です。いろいろな職業を転々とし、あまりに性急に美術の歴史を消化し、自分のスタイルや主題を掴み取ろうとしたため、激しくその傾向を変化させていったゴッホ。

一方でゴッホには「悲劇のドラマ」がつきまとっています。カーク・ダグラス主演の映画「炎の画家ゴッホ」にも取り扱われているように、ポール・ゴーギャン〔Paul Gauguin〕との共同生活は、「耳きり事件」を挟みながら、悲劇的結幕を迎えます。最後の地、オーヴェール・シュル・オワーズでは、畑のなかで、一説では「それは不可能だ、それは不可能だ」と呟きながら、最後に自分に向かって銃を発射して自殺していったゴッホ。また弟テオとの特別な類まれな兄弟愛など。それぞれが、とても大切なテーマです。

ここでは、彼の内面世界（信仰面）にも触れながら、その人生を足早に辿ってみようとおもいます。

一時期、熱心なキリスト教伝道者でした。ゴッホが、牧師になろうとしたのです。

これはなにかの間違いではないかと、思われる人も多いはずです。でも実際に6ヶ月ちかく、ベルギーの炭鉱町にはいり、見習伝道士として、福音をのべ伝えています。

彼の精神（性格）形成にとても重要な要素となったのが、プロテスタントのキリスト教（厳格なカルビン派）であるということは、彼の人生の歩み、さらには彼の絵画を理解する上でも重要な鍵となります。

全生涯を見渡してみて、彼ほど、あまりに生きいそぎ、結果として不幸な生き方をした画家はいないのではないかとつくづく思います。短い37歳の人生。画家としてはたったの10年間。そこに「幸福な時期」を探すことは、とても難しいことです。

ここに一冊の本がある。『芸術の人間学』。著者は、徳田良仁。彼は特に、精神病理学の立場で、とても興味深い分析をしています。

徳田は、彼の出生に纏わることが、彼の人生を決定することになったと分析します。彼につけられた名前が、彼の心に深い影を落としたようです。

〈ヴィンセント〉という名前。どうも宗教的な意味での「勝利者」「征服者」の意味らしい。そんな立派な凄い名前をもらいながら、どうしてそれが彼の心に圧迫を加えたのであろうか。

その名前が、亡くなった兄と同じであったことによるようです。

その兄は、1852年3月30日に初の男子としてゴッホ家に生誕します。なんと同じ日にゴッホは生まれます。死産の兄。その名前が、同じく自分に付けられた。このことを、徳田良仁は、〈子どもの置き換え〉と表現し、心への影響をこう分析します。「こうした置き換えは当の本人に強い影響を与えないではおかない。その子供に何らかの責任と自覚の負荷、そうした罪の負い目が生まれないとは、誰もいい切ることはできない」。

さらに、不幸なことに、ヴィンセントは、自分の名前を、近くの教会の墓地に毎週のように見ることになります。

もうひとつ名前と同じく、大切なことがあります。

厳格な家庭での宗教的雰囲気が幼児期の心理的な面での影響、性格形成において、多大な力を持ったようです。こうした宗教的雰囲気が、「画家ゴッホ」を解読するキーワードになりそうです。

実にいろいろな職業を転々とした。でもいつも牧師だった父の存在が、そして〈ヴィンセント〉という名が、さらに聖書の教えが、いつしか重荷になって迫ってきた。

一時、イギリスに渡ります。美術商の道をやめて、英国のラムズゲイトにあるストゥクス氏の寄宿学校に学務補助員として採用され、アイルワースに移転します。しかし金集めだけに熱心なこの学校の体質に嫌気を感じ辞していきます。

次にメソジスト派（新教）のジョーンズ牧師説教補助員を勤め、聖書の教えを広めるため巡回しました。しかし、それも長くは続かなかった。極度の貧困と過労で帰省し、今度は書店の店員をします。

ここに来て、本格的に神学の勉強をします。さらに実践的な伝道をもとめ、ブリュッセルの伝道養成所に入ります。日本でいう農村伝道神学校みたいな所と考えていいでしょう。ようやく6ヶ月の伝道を試験的に許可されます。

「伝道士」ゴッホの誕生です。このままでいけば、「画家ゴッホ」は地上に誕生しなかったことになります。だが余りの献身的行為が、逆に非難の元になり、深い挫折を味わうことになります。

派遣された場所は、ベルギーの田舎、ボリナージュのヴァム炭鉱。この場で目撃したものは、労働者たちの悲惨な生活でした。彼は、誰にいわれるまでもなく、「聖書の言葉」そのままに行動します。

「キリストのように」、それを字句通り実践します。

ボロを着て、ほんの僅かばかりの自分の持ち物を彼らに与え、労働者によるストライキがあれば、一緒に座込み、「パンと水」だけで生きようとします。

任命した側の伝道師委員会は、この余りに常軌を逸した「過激な行為」を許容することはできなかった。不興をかってしまう。失望に打ちひしがれた彼はこの地から、ブリュッセルまで、何にもなくなって、靴もなく裸足で歩いて帰ったといいます。

このように、彼の行動様式は、しばしば世間の常識レベルを著しく超えてしまいます。ここで確認すべきことは、聖書の言葉は、そのように「実行すべき言葉」であったということです。決して修辞や紙の上での言葉ではなかったのです。「生きた言葉」であり、信仰と生活の規範であり、自己犠牲さえ強いる「絶対のルール」でした。

この純粋さには、驚かされます。これほどの率直な信仰は、類をみません。こうした純粋無垢な信仰に、さらに拍車をかけたのは、被虐的な性格、つまり攻撃ではなくいくぶんサディステック（自虐的）な性格だったようです。

彼の絵画の描き方もそうですが、とても性急な感じがします。何かを求めて、一途に走り込むこの一本気さ。純粋な子供のような心。それが、社会の常識に合わなくなっていきます。でも、思索と自己省察を深めれば、私達は、なんとゴッホの心から、遠ざかっていることかと思わざるをえません。

いつしか知らず知らずのうちに、その純粋さを無くしているのではないでしょうか？また、無くしていくのが、「大人になる」ということと、割り切っているのではないでしょうか？

ゴッホの悲劇（むしろ〈受難〉といってもいいかも知れない）を調べてみて、感じるのは、むしろ純粋さをなくした私達の心が、透けて見えてくることになります。

誰が、果たして彼の行為を非難できるでしょうか？極端にいえば、「キリストにならい」「キリストに近づこう」としたこの行為からむしろ学ぶべきことが多いのではないでしょうか。こうした視点にたてば、劇作家アントナン・アルトーによれば、ゴッホの自殺は個人レベルのことではなく、それをこえてしまい、苦悩と葛藤の渦にまきこまれた「社会的自殺」という側面もあったという見方も十分に頷けます。

★ある悲劇的事件

ゴッホを語るときに、どうしても避けることができない、事件があります。

それが、アルルでの〈耳きり事件〉です。彼の人生のなかでも最大の悲劇といえます。

これを契機に、ゴッホの精神の病が、広く知れ渡ることになります。

新聞は、次のように報道しました。

「昨日、日曜日の夜11時半頃、ヴィセント・ヴァン・ゴッホと名のる画家がメゾン・ド・トレランスに、ラシェルという名前の女性を訪れた。このものを大切に取っておけといって彼の耳を手渡した後に立ち去った」と。

少々説明が必要でしょう。これだけでは何のことか分からないでしょう。

この〈メゾン・ド・トレランス〉とは、娼婦の家。このいかがわしい家の商売女のラシェルを尋ねて、自分の耳を渡していったというわけです。耳を渡したというのも、これだけでは耳全部を切りとったかのように思えるでしょう。かなり誤解の生じる表現です。私も、初めてこの話を読んだとき、片耳全部を本当に切ったと読んでいました。

またこのあと彼は自画像を描いており、その作品をみても、たしかに耳に包帯を巻いた状態で描かれており、それをみても、そのように考えていました。

でも実際は、左の耳たぶの一部を切ったということになります。この日は、ちょうど12月24日です。つまりクリスマス・イブの夜のこと。何か特別な象徴的な意味合いがありそうです。ひょっとして受難のキリストと自己を同一視してはいないでしょうか？それはかなり独断的直感ですが……。

では一体、この日彼らになにが起こったのでしょうか。どうも総合的に再現してみると、おおよそ次のようになります。

ゴーギャンが、ゴッホが「向日葵《ひまわり》」を描いていた姿（肖像画）を描いていた。ゴーギャンが描いた絵を見て、ゴッホは、「これは、まさしく僕だ。でも気違いになった僕だ」、とやや興奮してのべたという。

そのあと、二人は、酒を飲みに行きます。そこで、彼は、内部から吹き上がる感情を抑えることができずに、持っていたグラスをやおらゴーギャンに投げつけたといいます。ゴーギャンは、黙してひとりこのカフェをあとにして立ち去ります。それをゴッホがなおも追い駆けてゆく。その手には、カミソリがしっかりと握られていた。目と目があい、そのあとしばらく睨み合いが続き、ゴッホは、何かに打ちのめされたようにしてそこを立ち去っていきます。

そのあとで、先に紹介した新聞記事のようなことが起こります。

このことはいろいろな解釈ができます。研究家により、諸説が出ています。こんな感じです。ゴーギャンとの性急すぎた共同生活の破綻。娼婦をめぐる対立。ゴーギャンと父との同一視、つまり父への憎悪など……。

また、ある人たちは、スペインの闘牛士が、勝利したとき、その牛の耳を切って愛人や客席に向かって投げる風習があることが影響しているのではないかともいう。

しかし、それらはあくまで仮説的解釈です。そのようにも見えるということであり。それ以上の説明はできません。なぜならそれについてはゴッホは沈黙しているからです。

これは、私なりの解釈ですが、「聖書の教え」と関係があるのではないかとおもえてなりません。

先にも、ゴッホの生活に聖書(そのイエスの教え)が、強く影響しているとのべましたが、ここでも、その影響を見ることが出来ます。

「聖書の言葉」の文字通りの実践者であったゴッホ。彼をそうした行為に押し出したもの。それが、「キリストにならい」「キリストに近づこう」としたのではなかったか。こういう考えをするのは私だけかと思っていたら、そうではありません。先にのべた、徳田良仁は、ほぼ同一の視点に立っています。

たしかに極度の精神の興奮が彼を襲ったことは間違いないといえます。しかし、耳たぶを切り取るという行動、これはやはり普通では説明が付かないはずです。

むろん聖書から影響という視点に対して、反対の見方もあります。それは否定しません。たとえば、ゴッホは毎日、直射日光にあたり仕事をしていた。そのため強い日射病になり、精神に異常をきたし、幻覚を聞いたのではないというもの。〈自分の耳を切れ〉という声を聞いたのではないかという説もある。

みずからの罪の償い。その意識が、このような行動に駆り立てたのでしょうか?そして、イエスが娼婦マグダラのマリアを深く愛したように、ゴッホがラシェルという人々から蔑まれる女に渡したのも、そういう人たちこそ、心が純粋であり、彼らに共感を抱いていたために、おこなったのではないでしょうか？

一つの聖句が、彼をそうした行為に駆り立てたということ。本当にそうだったとしたら、私はそこに象徴的意味を見い出したい気がします。なぜなら、彼はこのあと病院に入院するが、そのあとで書かれたものには、とても聖書を主題にしたものが多いという事実です。ドラクロワの影響がある「良きサマリア人」やレンブラントの「ラザロの復活」を模写しているのですから……。これはとても偶然とは思えない。

さらにゴッホは、ミレーという農民画家に特に関心を抱き、彼の絵を模写しています。いうまでもなくミレーの絵が聖書を題材にしており、さらにそのミレー絵画にはどんなに貧しくても純粋な心をもった農民への共感が迸りでているからに違いありません。（ぜひ「種蒔く人」の絵をぜひ思い起こしてください）。

不幸は続きます。このあと、弟テオが、愛する兄を追うようにして数ヶ月後にこの世を去ります。

現在ゴッホの墓は、この弟と共に並んでいます。

ゴッホの絵をみるとき、私はただ「地上の放浪者」としてだけでなく、純粋なる信仰者（「イエスの教えの実践者」）としてのゴッホをイメージします。

すこしでも、利害を超えて、狭いエゴを捨てて生きること。人間としてそれは大切なことです。そのためにも、ゴッホの「子供のような」純粋な信仰に少しでも近づきたいものです。

＊この「画家ゴッホの人生と苦悩」は大学での講義や朝日カルチャーセンター札幌教室でのレクチャー内容をまとめた。そのため文体をかえてあります。

〔Vincent van Gogh and Japan〕
（ゴッホと日本展・1992年・世田谷美術館）図録

［アートコラム２　「シャガール展」の「キリスト像」を巡って］

これまで、日本でもその都度いくつかの「マルク・シャガール展」が開催されてきた。今回の「シャガール展」（北海道近代美術館・6月26日―8月25日　以後全国巡回）は、特にパリ・オペラ座の天井画にかかわること、またメッス大聖堂やイスラエルにあるハダサー医療センター付属シナローグ（ユダヤ教の会堂のこと）のステンドガラスや、さらには陶器やタピストリーなどの造形体に焦点を照射したものとなっていた。絵画作品よりも、モニュメンタルな作品にかかわるものが集められ、日本未公開のものもあり、これまでとは違う質をみせていた。

オープニングには、この展覧会の実現に特別協力してくれたシャガール家のベラ・ベイヤーやメヘット・メイヤー、さらにニースにあるマルク・シャガール国立美術館のモーリス・フレジュルらも出席し、華やいだ雰囲気に包まれた。会場構成も斬新なものになっていた。ハダサー医療センター付属シナローグの空間を映像で再現してくれた。会場の壁に大きく写された色彩美は、無限の歓喜を見るものに与えてくれた。

私は、色彩が溢れた海のような会場に飾られた作品を見ながら、あらためて、シャガールはユダヤ人の血が濃いと感じた。特に、ハダサー医療センター付属シナゴーグのためにつくられた下絵をみて、そう確信した。そこには、私たちには身近ではない、イスラエル民族誌を飾る12部族（ヨセフ族、レビ族、ベンヤミン族など）が形象化されていたからである。一見すると、夢幻の空間に鶏、魚、牛などが登場し、色も多彩で、見ていても楽しいが、そこには夫々の民族のドラマが象徴化(あるいは寓意化)されているのだ。たとえばレビ族では、「ダヴィデの星」を鳥や動物達が賛美する図となり、他の作品では、ユダヤ教の中心図像である「律法の石板」や燭台、さらに『旧約聖書』に登場する動物たち(ライオン、雄牛、ロバ、蛇など)が登場している。私たちは、それらを純粋に美術的な作品として鑑賞しているが、イスラエル人は、そうではないはずだ。たとえばベンヤミン族からは、有名なサウル王やモルデカイが出ており、またこの部族の子供達の多くは、イエス誕生の際に、ヘロデ王に虐殺されている。当然にも、ユダヤ人たちはみずからの民族がたどった歴史ドラマに想いを馳せながら、まさに民族の精神史と繋ぎあわせてみるはずである。

私はかなり前になるが、南フランス、ニースにあるマルク・シャガール国立美術館で、17点による旧約聖書を題材にした秀逸な連作(「楽園追放」「ヤコブの夢」「ノアと虹」など)をみていて、大きな疑問が湧き上がっていた。いろいろな文献やシャガールの自伝『わが回想』などを読んでみても、一向に解決しないことがあった。

それは何か。それは、シャガールの描く「キリスト像」をいかに解釈するかということにかかわってくるからである。よく知られているように、ユダヤ教では「イエス」を「救世主」(メシア)としては、認めていない。一方キリスト教世界では、ユダヤ人を「キリスト」の殺害者としてみて迫害した歴史もある。さらに一切の偶像を認めないユダヤ教世界では、神も人間を描いてはいけない、これは絶対的掟である。だからシャガールが、キリスト教会から依頼され、ステンドガラスに「キリスト」を描くことは、ユダヤ教信者からみれば背信的行為にもみえてくる。それゆえ、シャガールの「キリスト像」をどう解釈するかは、美術史を超えた、宗教的（キリスト教とユダヤ教との間での）難題でもあった。

この問題を解き明かしてくれた書物がでた。今回の展覧会中に、特別レクチャーしてくれた圀府寺司（編）の『ああ、誰がシャガールを理解したでしょうか？』（大阪大学出版会）である。副題は、「２つの世界間を生き延びたイデッシュ文化の末裔」であった。そこに「シャガールはキリスト教徒に対してはキリストをユダヤ人として描き、ユダヤ教徒に対してはキリストの十字架を見せることで、２つの社会の融和をも求めているのであろう」と記されていた。

シャガールは、敬虔かつ神秘性にとんだ〈ハシディズム信仰〉の持主だった。また政治的には亡命者であったシャガールは、家族や友人をいわば「人質」にとられており、活動（言動）はかなり制約されていた。だからこそ私たちは、シャガール作品を、特に宗教的主題を味わう時には、そこに「融和」の思想が脈打っていることを知るべきなのである。

シャガールは、ステンドガラスの制作について、こんな言葉を残している。「マチエール、そして光、これが創造なんだ！」と。さらに「祈るときには、人は心でも見る。僕にとってステンドガラスは、僕の心とみんなの心との間にある透き通った境界なんだ」と。「融和」の思想に包み込まれた「光」。〈透き通った境界〉、とても美しい言葉である。作品に託されたシャガールの心。それを忘れてはならない。主義や体制さえも無とする、〈透き通った境界〉それこそが、シャガールは終生にわたってもとめたものかもしれない。

Ⅲ・パリ
――いくつかの〈美の館〉

ガルニエ・オペラ座へ通じる広場にて*

今日の行程は、アヴィニョンのホテルを、朝8時に出て真っすぐにマルセイユの空港にむかった。途中で運転手のフィリップの計らいで、昨日は見ることができなかった「アヴィニョン橋」(聖ベネゼ橋)を、教皇庁宮殿を逆光にしつつ、見ることができるようにシャッター・チャンスを与えてくれた。とても暖かい気配であった。

ただマリアンヌ空港は、郊外にあるためマルセイユの街は、外から眺めるだけにおわった。石油タンクなどが乱立しており工業都市の顔も持つようだ。海と都市の外観を見るだけにとどまった。

もしも時間があれば、このマルセイユ市内にはル・コルビジェが設計した「集合住宅建築」(ユニテ・ダビタシオン)などがあり、それを実見したかったのであるが、とても無理。コンクリートを素材にしたウルトラ近代的な構造を持っており。現在も使用されている。ぜひみたかったのであるが。楽しみは別な機会にのこした。

さてこの港街は、古くは日本人が欧州にくるには船に乗り、数ヶ月の長旅のあと初めて出会うことになるフランス最初の都市であった。

この都市は、第2次世界大戦ではドイツ軍と連合軍との戦いでかなり荒廃したという。またここでは有名な地下抵抗組織である「マキ」〔maquis〕が、活発に活動し、散々ドイツ軍を苦しめたという。この街の人は、「浜っ子」らしくなかなか反抗心も強いようだ。

そういえば、この都市の出身画家では、オノレ・ドーミエ〔Honoré-Victorin Daumier〕がいる。なかなか鋭いカリカチュリスト(風刺画家)であり、ブルジュア資本をバックにして樹立された7月王政を辛辣に戯画として表現したが、そこにもプロヴァンス人特有の批評精神が強く反映しているという。

マリアンヌ空港から10時55分発のエア・インター５５２６便に乗り、パリに向かった。12時10分。オルリー空港に到着した。この後、バスでパリ市内の半日見学をザット行った。パリの気候はようやく寒波が過ぎ、８度位あった。

すこし前は、雪が積もったというが、寒波（寒風）に苦しめられたプロヴァンスに比較すれば、ここはもう天国だ。この日の昼食は、バスティーユ広場の近くにあるレストランで中華料理をたべた。やはり東洋人である。お米や麺類やスープが食べられて、生きた心地がした。なんともお腹の方も、安心した様子だ。

1　オランジュリー美術館〔Musée de l'Orangerie〕

まず、印象派の巨匠クロード・モネ〔Claude Monet〕の睡蓮の最高傑作がならぶ「オランジュリー美術館」に立ち寄った。この美術館を訪れるのは2度目だが、冬とはいえ結構な観光客を集めていた。モネを知るためには、睡蓮〔Nymphéas〕の連作（8枚）をみなければならない。

ここでは、モネの晩年の仕事と出会える。１８７０年頃より、彼は白内障に罹り視力がどんどん失われてゆくが、そんな画家としては最悪の状態で、10年間もかけて、この大作を制作したという。完成は、１９２６年12月5日であるが、それは、画家の死でピリオドが打たれたということなので、正確な言い方をすれば、未完成ともいえる。

作品のサイズは、高さが2ｍ、横幅の合計が、楕円形の2室あわせると90ｍになるという。

この空間の知覚方法、いや素敵な鑑賞方法を教えよう。ここには、「８つのテーマ」が表現されている。第一室には、日没と緑の反映が対になり、雲と朝が対になっている。それぞれの部屋の中央に立つと、自然とボートで池の中央までいき、そこでぼんやり一日を過ごすことができるのだ。私はそう夢想している。そうすればなんとも贅沢な感覚を味わうことができる。

第二室は、樹々の反映と日本の柳が対となり、朝と朝が対になっている。ここでもこの中央に立つと、周囲がすべて池で、自分が池の中央で取り囲まれた島の中央にいるという感覚を味わうことができる。

では、この素敵な美術館は、どのようにして誕生したのであろうか。それには、当時の首相クレマンソーの多大な尽力があった。たったひとりの画家のために、クレマンソーは国家を挙げて援助した。まず王侯貴族が道楽で作らせたオレンジの温室を改造した。温室だから、上から光が入るはずだった。「これはとてもいい空間になりそうだ」と考えた。だが、現在見るように、睡蓮の部屋の二階に、ポール・ギヨーム・コレクションを展示する空間を作ったため、下の空間には外光は入ってこなくなってしまった。ただ2001年から6年におよぶ大改装工事で自然光が降り注ぐことになった。

クレマンソーは展示する空間のデザインを画家自身に任せた。モネは、パリ郊外のジヴェルニー〔Giverny〕を、その庭と空間をまるごと、いわばここに「移築」することを構想した。こんな奇想的なプランを国家は、「ウン、ウン」と受け入れてくれた。どうみてもこれは芸術家に対しての最大な賛辞である。

この美術館を賛美（表現）した名言を紹介するだけで、この空間の素晴らしさが、分かるはずだ。アンドレ・マッソンという現代画家は、ここを「印象派のシスティナ礼拝堂」と呼んだ。つまりローマのシスティナ礼拝堂に匹敵する聖なる空間であると評したわけだ。

つまりモネにとって、さらにモネを賛美する人々のための「システィナ礼拝堂」となったわけだ。

本来であれば、はやり、この作品が制作されたパリ北東にある車で1時間というジヴェルニーにいって、そこにある池を直接見てからこの作品を鑑賞すると、より深くこの作品の神髄を堪能できるのであるが、それはまだ叶わぬ夢となっている。

モネは日本美術を特に愛好しており、日本人の感覚で、日本の美と自然をこの地に再現しようとした。池に雪が映り、柳がしたたり太鼓橋がかかるという日本の池を、ひとつひとつの花や植物や木を植えつつ、かなりの長い時間をかけて一つ一つ作り上げていった。

当時風靡した〈日本文化かぶれ〉や、日本趣味〔japonisme〕（ジャポニスム）の一典型を示している。この日本文化の洗礼を受けるのにあたっては、当時のパリで活躍していた美術商である林忠正が関係している。林はモネに浮世絵を渡し、さらには牡丹や菖蒲などの花もプレゼントしたという。それゆえこの睡蓮の連作はその意味で日本文化と西洋文化の融合により、はじめて完成したものといえる。

それにしても、ここにあるのは、なんと素晴らしい〈モネの眼〉であろうか。

池という実体は、まったく消え去り、湖面のゆらぎや、光の反映だけが追及されているではないか。モネの新しさは、池、花々、庭を描くのではなく誰もがつくりえていない純粋な空間を、掴みとろうとしたことにある。

モネは、つぎのように語っている。

「水平線も岸辺もない水と波の幻影」「仕事に疲れた神殿が静かに溜っている水が憩うかのように、そこで解き放たれ、そこに住む人に、この部屋は、平和に瞑想する場である」と。

なんというすばらしいモネの審美観であろうか。ここは、瞑想し自己を発見し、人間性を回復する場でもあるというのだから。

この美の空間には、いらだつ気持ちを落ち着かせ、精神を集中させるための、ゆったりとした滞在時間が必要なのはそのためだろう。だから一人でこの空間を知覚することが一番いい。なぜならまちがいなく日本趣味の〈わく〉をこえた日本文化への深い愛をじかに感受できるから……。

日本人の美意識に静かにひびいてくるものがある。考えてみれば、どこか日本の〈池泉式庭園〉を見ているような気がしてこないだろうか。

この睡蓮の部屋へ誘うものは何か。再び自分に問うてみたい。ここで感じるものはなによりも夢をみるようなたとえようのない愉悦感だ。ではこの愉悦感はどうして生まれてくるのであろうか？まずいえることは、私がこの空間に恋をしているからだろう。その恋心とはこんなことだ。死の前にもう一度訪ねてみたいと思う場として恋しているということだ。私の恋心は生と死をこえてくるこの空間にいだかれていたいと願うのだった。

もう少し恋心のことを考えてみたい。ここにはパリにはないジヴェルニーの光と水があふれている。そしてこれがもっとも大事なことだが、日本の花や池や橋などを偏受することでジヴェルニーで育《はぐく》まれたモネの眼がここに現存しているからだ。さらにこうもいえるかも知れない。ここにいるとしぜんとモネの眼を感じると。

私達が睡蓮と呼んでいる作品。原語のタイトルは〈Nymphéas〉という。インドの古語サンスクリット語に語源をもつ〈nénaphar〉（仏語・男性名詞）に由来する。これをラテン語・ギリシャ語風の女性名詞とした。つまり〈ナンフェア〉とはギリシャ神話に登場するニンフ（妖精）のことを指す。

私にはこうもみえる。美術館などの展示空間。その壁にかかった額に入った数点のモネの作品をみてモネを分かったといってはいけないと。私はさらに目を閉じて瞑想する。夜になり、このオランジュリー美術館がクローズすると、モネの魂は一つ一つの部屋の真ん中に立ちみずからがつくり出した光と水の空間で朝から夜明けまで、ここにひそんでいる〈水の精〉とたわむれているのだと……。

＊

さらに、美の探索をつづけた。市内をザットとバスから眺め、オペラ座前広場、列柱が荘厳なマドレーヌ寺院さらには、高級ブティックなどが並ぶヴァンドーム広場やフランス革命と深い関係のあるコンコルド広場（元は〈革命広場〉といわれた。コンコルドとは、〈一致〉という意味）を見つつ、最後に、「モンマルトルの丘」〔Montmartre〕をめざした。

たった半日という短い日程の中であったが、市内全体を見渡すことも可能なのでこの丘まで、足を伸ばした。印象派や「エコール・ド・パリ」の画家や芸術家が、家賃の安いこの地区にアトリエや生活の場を求めてやって来た大切な所である……。

クリシー通りに来ると、日本人観光客が訪れる夜の定番となっている、ロートレックの絵にも登場する「ムーラン・ルージュ」（赤い風車）が車窓に見える。丘の下にくる。さすがに、一大観光スポットらしくかなりの人だかり。この界隈には、安売り店が勢揃いしている。安い衣料を求めてアジア系、アフリカ系の人たちが、大集合している。

まさにパリは多国籍都市の顔を見せてくれる。丘の下には、パリ名物の回転木馬が、華麗なイルミネーションをつけて回っている。大人でも、乗ってみたい気にさせる。人々の夢が回っているのだ。いろいろな人の夢を乗せて、廻りつづけている。どこか懐かしいフランス映画の1シーンを見ている気がしてきた。ルネ・クレール監督の「巴里の屋根の下」「巴里祭」の映像世界にしだいに迷いこんだような気がしてきた。

夢の世界への切符を買いたいのならば、ここでわずかばかりのお金でキップを買い、この木馬に乗ればいい。世界は、夢のように巡るのだから……。

この丘を登るには、2つの方法がある。ひとつはケーブルカーで料金を払って登る。他方は直接徒歩で登りつめる。定番となっている方法をとった。つまり行きはケーブル、帰りは階段をおりるスタイルをとった。あっという間だった。あまりに短いので、満喫という訳には到底いかないが、ケーブルからは眼下にパリの風景が展開している。

最初に、「サン・ピエール教会」に立ち寄った。ちょうどこの教会では、結婚式が挙行されたあとで、新郎と新婦が、玄関入口のところで、みんなの祝福を受けていた。この新婦の純白のウェディング・ドレスが、とても華麗で眼に痛かった。この教会は、12世紀の建造というから、「サンジェルマン・デ・プレ教会」と同じくらい程に古い。

ここで殉教した「サン・ドニ」を記念する教会という。ちなみに、モンマルトルとは、〈殉教者の丘〉という。まず、モンマルトル名物の大道芸が、迎えてくれる。この時は一種の流行《はやり》なのであろうか、パリの至る所でチャップリンの真似が、断然多かった。少々太めのチャップリンであったが、あの特有の衣服に身を包み、台に乗り化粧をして楽しいマイムを見せてくれた。

2　サクレ・クール寺院〔Basilique du Sacré-Cœur〕

海抜130メートルのこの丘には、「サクレ・クール寺院」がある。日本語でいえば、〈聖心寺院〉となる。サクレ・クール（聖なる心）、つまりイエスの心（こころ）を記念するということ。それを示すように、天井にイエスの心臓を主題にした大きな絵が描かれている。

この建築様式は、変則的なもので、ロマネスク・ビザンティン様式といわれる。どうもこの建築物はパリの建築でも、新しい部類にはいるようだ。

フランス国家にとっては、とても苦い思い出を払拭するために建造されたもの。普仏戦争では、皇帝ナポレオン3世が、セダンで捕虜になり、よりもよってベルサイユ宮殿で戦勝国プロイセンが、王の就任式を行うという屈辱的体験をする。

さらに、1870年政治変革の嵐である「パリ・コミューン」〔Commune de Paris〕（史上最初の共産主義革命の性格をもつ）がおこり政治的にも社会的にも荒廃した人心を一新するために造られた。

アバディの設計により1876年起工、完成は1919年というから、43年もかかっている。すべてはローマ・カトリック教会が、資金をまかなったというから、彼らの篤い信仰の表明でもある。

入ってみると、中はとても暗い。内部の広さは、100㎡、ドームの高さは、80メートルある。天井のモザイクは荘厳な空間をみせてくれる。それは「神の御心へのフランスの尊仰」を示しているという。

ドーム前の広場の階段を降りてくると、パリの風景が、どんどん変化してくる。天気もよく、とても気持ちがいい。

この日は、この旅行初めて免税店にはいったが、買うものがない。

ホテルは、「エッフェル塔」〔Tour Eiffel〕の近くのフランツール・スフラン。部屋は、３４４号室。ちょうど隣が、ヒルトンホテルなのでタクシーを拾ってもとてもいい目印になった。

この日は、夜の演奏会に出かけた。日本から、パリでのコンサート（音楽会）の情報を集めていた。1月14日には、サル・プレイエル（コンサートホール）で、フランス国立管弦楽団の演奏会や新オペラ座（バスティーユ）で、バレエの公演があることを確認してきた。その中からバレエをセレクトした。

以下は必死のチケット獲得のための奮闘のあらまし。

19時30分が開演なので、その前に当日券を買うために並ぶ必要があるので、夕食をとらずにバスティーユ広場にある「新オペラ座」〔L'Opéra de la Bastille〕にタクシーを飛ばした。すでに大変な列ができていた。係の人に聞いても、当日券がどの位あるのかは分からないという。仕方がないので、ひたすら忍の一事で待ったが、どんどん開演時間が近づいて来る。着飾った人が悠然と入場していく。列を作った人たちも、どんどん諦めて帰り始めた。

意を決めて、〈変な日本人〉と思われても仕方ないと、最後の手段を行使した。ロビーで売ってくれる人をみつけて、値段は相手の要求どおりにして買いまくった。数人の同行者分は、とうてい無理だった。やっと6枚ゲットするのが限度だった。ほぼ３５０フラン前後の値段だった。残念ながら同行者数人とは、共に見ることは出来なかった。でも席は、ほぼ一階の前列の方で、最高の席であった。

やっとの思いで、私がゲットした座席に着くと、後の方から、フランス語でなにやら問いかけがあった。

まず、私にむかっていま質問するが、「フランス語か英語のどちらの方がいいですか」と聞いてきた。「英語で話してくれ」というと、この席には別な人が座る筈だが、「どうして、なぜ君がここに座っているのか」という。どうも、口調が尋問調だった。これにはびっくり。見るととても豪華に着飾ったご婦人だった。どうも何か訳がありそうだ。これはまずいことをしたのかと思った。ここに座るはずの男性は何かの理由で〈約束〉を破って私にチケットを売ってくれたようだ。

3　新オペラ座〔L'Opéra de la Bastille〕

この時は旧オペラ座（パレ・グルニエ）は、改装中なので、この新オペラ座で、オペラとバレエの両方が、公演されている。プログラムを買ってさっそく確認をする。「Choregraphes du XX siécle」というのが、全体のタイトル。

つまり、20世紀の振付け世界における偉大な師たる〈メートル〉〔Maître〕を記念するもの。〈メートル〉とはフランスでは単に称号ではなく総監督（芸術監督）を指している。

20世紀におけるバレエと現代音楽との実験的出会いを主題にしている。音、踊りが一体化した総合の空間美があった。私は、バレエ芸術をつくり出すためにはダンサーや音楽の力はもちろんであるが、それに勝るともおとらない程に、〈コレオグラフィー〉（振付家）〔Choreography〕の力がいかに大事であると感じた。

その偉大な〈メートル〉とは、ジョージ・バランシン、マーサ・グレアム、イジー・キリアン、ローラン・プティ。特に、前者の3人は、動きにおいて表現の新しい可能性を切り開き、ローラン・プティは、これらの3人の〈リリックな抽象〉にたいして、ジェスチャーの現代性を強調したと高く評価されている。

オーケストラは、パリ・オペラ座管弦楽団。音楽監督は、シルヴィオ・グァルダ。

作品を、順に簡単に紹介しておきたい。最初がレオシュ・ヤナーチェク音楽、イジー・キリアン振付けによる「Sinfonietta」（シンフォニエッタ）。5つの動きから構成され、フィナーレで、すべてのダンサーが勢揃いする。

次に、イゴール・ストラヴィンスキー作曲、バランシン振り付けによる「AGON」（アゴン）。休憩をはさみ、後半のプログラムが続いた。ホワイエで白ワインを飲みひと息をついた。開演のベルに促されて席に戻った。音楽バルトーク・ベラ。振り付けマーサ・グレアム（イサム・ノグチが彼女のために多くの美術装置などをつくっている）による「Temptations of the Moon」（月の誘惑）。

最後は、音楽がJ・S・BACH。振り付けがローラン・プティ。原案が鬼才ジャン・コクトー〔Jean Cocteau〕。主題がとてもコクトーらしく、青い死の影が、舞台を覆っていた。

ギリシャ神話を主題にした、コクトーが監督した映画「オルフェ」を彷彿とさせた。現代風のテンポの早い踊り。若き詩人と、〈死神〉の化身としての若き女性の織り成す葛藤のドラマが、1つの部屋（空間）で展開していく。最後には、詩人は、全てに絶望し首を吊ってしまう。

このドラマを演じた女性ダンサーは、美しいマリ＝クロード・ピエトラガラ。若き芸術家（詩人役）がヤン・ブリダード。この二人の踊りが、言葉以上に言葉を表現していた。全く無駄のない動きも卓越していた。痛々しいほどに悲しく、愛と死を形象化させていた。終演後もその余韻に酔った。

祝祭的なグランド・オペラもいいが、現代的な身体表現をベースにしたモダンダンスもすぐれた芸術性（文学性）をもっている。

それは、夢のような時間の体験であった。

もう少し賛美の声をつづけてみたい。研ぎ澄まされた肉体、それは眩しいほどに美を放出している。踊りは、詩的な言語となり、無限の地平にいざなってくれる。身体の跳躍する高さがすごい。彼等は天を目指し、地球の重力から解放されて蝶のように舞うのだ。

どうみても、もうダンサーではない。ダンサーというよりも身体一つ一つの動作・所作が「美の化身」へと高められているのだ。つまり高次の詩神になっているのだ。

このプログラムからは、「バレエの殿堂」の歴史をしっかりと根づかせ、現代という時にバトンタッチさせてゆくという強い意志を感じた。なによりバレエはオペラと同様に最高の芸術表現の1つである。それを強く感じた。

遅い夕食を近くのイタリア風レストランでとった。ピザを食べ、タクシーでホテルに向かう。市内を走っていると光に浮かびあがるノートルダム寺院が、とても印象的であった。

4　サント・シャペル〔Saint-Chapelle〕──幻惑のステンドガラス

この日は、パリ発祥の地たるシテ島〔Île de la Cité〕にある「サント・シャペル」、「オルセー美術館」〔Musée d'Orsay〕、「ロダン美術館」〔Musée Rodin〕、「廃兵院」〔Hotel des Invalides〕を巡る行程となる。

シテ島はいまパリ発祥の地とのべたが、BC２００年頃にケルト民族のパリシイ人がセーヌ川の中洲に集落を築き、住みはじめた。パリの紋章《シンボル》をご存知であろうか。そこに「Fluctuat nec mergitur」としるされている。「たゆたえども沈まず」との意だ。それはもとをたどると商人組合の人々の「合言葉」であったようだ。どんなに強い風が吹いても、揺れるだけで〈沈まない〉という。いまはパリ市民のシンボル（言葉）になっている。

まず地下鉄を降り最高裁判所を横にみてひたすら「サント・シャペル」（聖礼拝堂）へと急いだ。

この教会は、創立が13世紀。ある伝説がある。聖ルイと呼ばれたルイ9世が、十字軍遠征でコンスタンチノープルから持ち帰った聖遺物であるキリストの「いばらの冠」、「十字架の木片」などをここにおさめているという。

歴代の王の婚儀が挙行されたという由緒正しい場所でもある。建築家は、ピエール・ド・モントルイユ。わずか30ヶ月で完成させたというから驚きである。この建造物は、2層からなっている。1階は小さいが、星が輝き優美な天井が見所である。2階のステンドガラスは、類のない美を放って見る者をつつんでくれる。足元から、つまり床から天井まで、そこままそそり立つように天にむかう。その美しさをぴったりと表現する言葉はない。パリのノートルダム教会の「薔薇窓」よりも、華麗かもしれない。

１１００以上の『旧約聖書』物語が、そこに描かれているが、それが壮麗な色彩の瀧となって降り落ちてくる。

まさに「ゴシック建築の宝石」と呼ばれるほどの美しさをもっている。

このあと「ノートルダム寺院」〔Notre-Dame de Paris〕へ。〈ノートルダム〉とは〈高貴なる婦人〉つまり聖母マリアのことを示している。１１６３年に可教シュリーにより起工され、１３２０年頃に完成した。「３つの門」（ポルタイユ）それぞれに聖母マリア物語や天国・地獄図が描かれている。「門」だけでなく、バラ窓などを含めて巨大な〈芸術作品〉でもある。全長１３０メートルもあり5廊式となっている。ちょうど日曜のミサの最中だった。だから奥の方まで入ることはできなかった。礼拝堂いっぱいにミサの参加者がいる。ここは、今も生きた信仰の場所、祈りの場所でもある。ここには3つのバラ窓がある。一番大きなバラ窓は直径13メートルもある。

この場所は、フランス史にとっても記念碑的場所である。歴史をたどっていくと、１４３１年には、イギリス王ヘンリー6世の戴冠式が挙行され、百年戦争で活躍した〈救国の女性〉ジャンヌ・ダルクの名誉回復の審判が、実施されている。

また、歴代の王の婚礼も実施され近代では、ナポレオンの戴冠式が行われている。それは、ダヴィッドのあの巨大な画面に刻印されている。

5　オルセー美術館〔Musée d'Orsay〕――美の殿堂

次に、新しい美の殿堂の「オルセー美術館」へ。

ここは、〈19世紀美術館〉の性格をもち、絵画、彫刻、装飾（工芸）、建築などが総監できる。わずかの時間で全てをみることは不可能だ。それぞれ見るところが、興味によって異なることになる。

今回は一階の部分の中央通路に並べられた彫刻類をみつつ、特にみんなの興味度の高い印象派の作品をみてまわった。途中で、レストランで昼食をとった。

この美術館は、元はオルセー駅であった。建築家ヴィクトール・ラルーが設計し、高級ホテルを併設させた。１８９８年春に着工し、１９００年に完成した。王宮のような〈駅〉として姿をあらわした。それをフランス政府が全面改造をして蘇生させたもの。日本では信じられないほどに、ヨーロッパ人は一つの建造物を、かけがえのない「一人の人間」（生命体・有機体）として大切にし、可能なかぎり保存し、後世に伝えようとする。これは、とても見習うべきことであろう。

この駅の改造計画は、イタリア人女性建築家・デザイナーであるガエターナ（ガエ）・アウレンティ〔Gaetana Aulenti〕に任された。この建築家はさらにポンピドゥー・センターにある国立近代美術館の展示空間も改新した。一方で舞台美術の仕事を行っている。ちなみに１９９１年には高松宮殿下記念世界文化賞を受賞している。また２００５年には東京にあるイタリア文化会館を設計している。19世紀の新素材であるガラスと鉄で出来たこの建築物の骨格を生かしつつ、新しい空気をそそぎ、驚愕すべき新規さを現出した。それは、ひとつのマジックのようでもある。

こうした建築物は、ルーブル美術館改装を含めて、ミッテラン政権がおし進めた「グラン・プロジェ」と呼ばれた革命200年記念建築の一環の一つである。この美術館ができる前は、印象派などの作品はかつて印象派美術館に展示されていたが、そこは、外光がなくとても暗く、作品は〈死んだ〉ようであった。

自然の光を追い求めた印象派を、このオルセーの空間でみると全く新鮮にみえた。モネ、ルノワール、セザンヌ、ドガなどの作品がつづいている。一言で印象派と呼んでいるが、それぞれが個性的創造者であったことがわかる。後半は、ゴーギャンの絵画、彫刻作品、「ポン＝タヴァン派」などをみた。今回はとてもゴーギャンの彫刻が、生命力をもって迫ってきた。

実のところ私はゴーギャンの彫刻や陶芸作品がここにあるとはおもっていなかった。調べてみるとゴーギャンは年少の頃、彫刻に心をひかれていたという。それもあってかかなりの数の作品を創作している。そしてゴーギャンの彫刻と陶器は彼の絵画とは別な表情をみせている。

南の島に行く前の作品『神秘的女たれ』(1890年)には女性の顔が月の象徴となり、装飾的な浮彫には日本の版画やアール・ヌーヴォーの影がみられる。それ以上にこの作品を特徴づけるのはプリミティブな生命感があふれていること。ゴーギャンには「オヴィリ」(1894年)という死神が狼か犬のような獣を腰におしつけ、さらに他の動物を足下にしている不気味な像がある。

〈オヴィリ〉とは〈野蛮人〉のこと。死を司るタヒチの神という。なんとゴーギャンはみずからが死んだあとにはこの作品を自分の墓の上に立ててほしいと願ったという。ゴーギャンはこのように原始的生命や呪術世界に自分の生命を溶かしこんでいった。これはゴッホの〈自殺〉とはちがう意味である程の〈自殺行為〉ではなかったのか。なぜならタヒチやヒヴァ・オワ島へ行くことは西欧人である自分を〈殺す〉ことであったからだ。さらに文明を捨てようとしても、未開の地にも文明が音を立ててせまってきたからだ。もう生きてゆく「幸福」な場は地上にはなくなっているのだ。視点をかえてみればゴッホよりゴーギャンの方が〈悲劇的〉な人生であったかも知れないのだ。私はゴッホとゴーギャンを対比・対立的にみていたが、ひょっとして2人は〈自分とは何か〉〈生きるとは何か〉〈描くこととは一体いかなる意味があるのか〉そんな深い問いをかかえつつ、その答えを探していたのではなかったのか。このオルセー美術館のゴーギャンのプリミティブな香りを放つ作品の前でそんなことを強く感じた。

アルルでゴッホの足跡をみたが、ゴッホが最後までヨーロッパを捨てさることがなく、自分の内面を凝視し、袋小路に入ってしまったが、ゴーギャンは、未知の地タヒチで、新しい生命を追い求めた。ただタヒチは決して〈幸福な島〉ではなかったのだが……。

ゴーギャンの彫刻は、未開地タヒチの原始的な力から、新しい血を明らかに貰っている。セザンヌの作品も、なにか「エクス・アン・プロヴァンス」の空気を吸ってしまうと、パリの美術館でみても、肌があわないというか、なにか空気が違うという気がしてくる。

6　ロダン美術館〔Musée Rodin〕

最後に、「ロダン美術館」に足をはこんだ。

まず、「考える人」〔Le Penseur〕が向い入れてくれる。

ここは、近代彫刻の師であるオーギュスト・ロダン〔François-Auguste-René Rodin〕が住まいとしていたビロン館であり、後にフランス政府が、美術館に改造した。夕日が部屋に差し込み、少し見づらかったが、初期の「青銅時代」「バルザック像」や未完の大理石の彫刻までほぼロダン作品の全容をつかむことができた。

またここには彼の助手、愛人、彫刻家として悲劇的人生を歩むことになるカミーユ・クローデル〔Camille Claudel〕の作品も置かれている。ちなみに詩人・外交官・劇作家のポール・クローデルはカミーユの弟。

私はイザベル・アジャーニがカミーユを、ジェラール・ドパルデューがロダンを演じたブリュノ・ニュイツテンが監督した映画「カミーユ・クローデル」（１９８８年）のことが忘れられない。

愛と憎悪が交錯しながら入り混じったこの2人の関係を知っているものにとって、2人の作品が共にここに設置されているのは、やはり複雑な気持に駆られる。

カミーユがロダンの内弟子になったのが19歳のとき。ロダンはその時42歳。2人は愛を交すが、ロダンには内妻ローズがいた。三角関係が崩れ、ロダンはローズの元へ帰っていった。その後、カミーユは精神を病み、みずからの作品を壊してゆく。精神病院を転々とする。創作の道をとざされたカミーユは78歳で孤独の中で死ぬ。その後残されていた作品に光をあてたのが弟ポールであり、１９５１年に彼の尽力もあり、カミーユの作品がロダン美術館に展示されることになった。

どうも時間が足りなかったようだ。係員が、奥の部屋から追い出しにかかっている。仕方がないので、野外へ。

さらに夕日が差し込む。「地獄の門」の作品をしばし眺めていると、今度は閉館時間になってしまった。「カレーの市民」をじっくりみることが出来なくなった。

その後、ナポレオン１世に関係した廃兵院〔Hotel des Invalides〕（アンヴァリッド）まで、足をはこんだ。ここは、戦争で負傷した兵士のための施設であり、病院、ホスピス、兵舎、礼拝堂などが備っていた。歴史は、かなり古くルイ14世により設立されたもの。１６７６年に完成した。国王と兵士が礼拝のミサに参加する階には別々の入口から入ったという。一つは「王家の教会」といい、他方は「兵士の教会」といわれた。ちなみにナポレオンの墓があるのは「王家の教会」の方。フランス革命とも関係深く、この武器庫から2万丁以上の鉄砲が運びさられ、この武器でバスティーユ牢獄を襲撃したという。またナポレオンの遺骸が、セントヘレナ島から運ばれて、ここに眠ったのが１８４０年という。ここの目印は、ドーム型の教会。このドームは、３５０万枚の金箔で覆われていたという。

一度もナポレオンの墓というものを見たことがないので、丸い巨大なドームを目指したが、あいにく、クローズしていた。仕方がないので、ここで写真をとり、近くのキャフェで休んでホテルにむかった。

7　ギュスターヴ・モロー美術館〔Musée Gustave Moreau〕

最終日は、飛行機の出発時間がおそいので、午後4時まで自由行動が可能となった。ほぼ全日つかってさらにパリの美術館めぐりをした。

朝一番のりをめざして、なかなか足を伸ばすことができない「ギュスターヴ・モロー美術館」へ向けてタクシーを飛ばす。坂の前でタクシーをおり、扉をみるが、かたく締まったまま。ここでもオープンは、11時という。時間を潰すため、それでは眼と鼻の先にある「サント・トリニテ教会」〔Église de la Sainte-Trinité de Paris〕を見ることにした。正面は、あいにくと修復中なので優れた建築構造をみることはできなかったが、内部空間をゆったりとみることができた。

〈サント・トリニテ〉とは、〈三位一体《み》〉のことで、〈父なる神と子なるイエスと聖霊〉が本質的にひとつであるという、キリスト教の重要な教理を意味している。クリシー地区では、重要な教会であるという。近代的な建築様式を持ち、なかなかモダンな感じのする教会であるが、実はこの教会は、この地区での伝道を目指して作られたものらしい。余談だが、ベルリオーズの葬儀はここで執り行なわれた。

中央壇上の図像には受難の羊（アニュス・ディ／神の子羊）が、浮き彫りされているが、それに矢がグサリと貫かれているのがめずらしい。眼に入ってきたのは、見事なパイプオルガンだった。この時は、「巨大で、なかなか立派で豪華なパイプだな」という位の感想しか持たなかったが、あとでゆっくりとこの時購入したこの教会を紹介した冊子をみて、おどろいた。

現代音楽の雄であり最近亡くなったオリヴィエ・メシアン〔Olivier-Eugène-Prosper-Charles Messiaen〕の顔が、そこに記載されていた。その記事をザット読んでも、この教会にとても由緒ある音楽家であることが分かってきたし、実際に、この教会の専属オルガニスト（１９３３年より亡くなる１９９２年まで）として活躍していたというではないか。

オリヴィエ・メシアンは、カトリシズムの思想に立ちつつ現代音楽を大きく変換させ、新しい地平を切り拓いた音楽家だ。

彼の代表曲に「幼な児イエズスに注がれる20の眼差し」や「アーメンの幻影」、さらにはオペラ「アッシジの聖フランチェスコ」という曲があるようにフランス的感性とカトリシズムを基礎にしつつ、それにとどまらず異質にもおもえるアジア的音世界にも興味をふかめたスケールの大きな作曲家である。その一つが「トゥーランガリラ交響曲」であり、このタイトルはサンスクリット（梵語）に由来する。

さらに純粋な音探求の試みは、鳥の音、声を採譜してそれを素材にする現代曲「鳥のカタログ」も創造している。

さて「ギュスターヴ・モロー美術館」であるが、外から見ても美術館と気づくのはなかなか難しい。何の変哲のないただの民家風という感じなのだ。資産家であったモローの父は、息子のためにこの家を購入し、実際にモローもこの家にすみ、制作の場としていた。

モロー自身も、自分の作品の散逸を防止するためにも、一部を改造した上で、この家と作品を国家に寄贈した。それに国家が答えて、ユニークな個人美術館ができあがったという次第である。

みずからが生活し、制作していたアトリエが、そのまま美術館となる。これほど理想的な美術館の在り方はないだろう。

というのも、ここにはその画家が過ごした生活の気配や呼吸音までもが、空間に深く刻印されているからである。らせん階段を上ると3階に通じている。そこで幻想的作品と出会うことができた。

家が〈一つの魂〉を持つとすれば、そこで誕生した作品も魂の呼吸を発しているはずだ。そのことが、この場に佇めばじかにビンビンと肌に伝わってきた。

耳を済ませば世紀末の耽美の音が、壁の至る所や、部屋の扉からも漏れてきた。

実際にアトリエだけでなく、書斎もそのままになっている。書斎をさがしていたら、職員が「向こうに書斎がありますよ」と指示してくれた。本棚から、家具、コレクション、調度品まですべてそのまま。その書斎であるが、画家というよりどこか学者風であった。

それもそのはずで、彼は、国立美術学校の教授であり、彼の門下生には、マティスやルオーらがいた。壁に飾られた品々をみて感銘をうけた。

当時のパリを席巻した〈ジャポニスム〉の影響であろうか？やはり彼も「時代の子」であった。幻想主義と象徴主義の祖といわれるモローであるが、日本の扇子や冠ざし、浮世絵などがところ狭しと並んでいた。

＊

この旅で強く感じたことは、その画家自身や作品を深く知るためには、その画家が育った場所や風土を、実際に自分の眼で見ることがとても大切であるということだった。本や画集からは伝ってこないものがあるのだ。なぜ生地や制作現場を訪れるべきか。それはそこから彫刻家や画家達の「血と骨」を発見できるからだ。セザンヌを理解するためには、「エクス・アン・プロヴァンス」の風土と歴史や自然をぬかすわけにはいかないように、このモローという画家の精神を形成させたものは何かを知らねばならない。それを詩的な表現をすれば、世紀末パリがその口から吐く「蒼い羊水」であった。

都市文化が熟れた林檎のように爛熟していくのに合わせて、この画家の美の胎内には、いつしかビザンティンの闇と妖美な女が誕生していった。それを示すのが代表作の一つ「オイディプスとスフィンクス」であろうか。さらに聖書物語やギリシャ神話などが渾然と一体化し、彼の創造力の〈蒼い羊水〉の力により、耽美な花園の中に再生した。

このようなアトリエで鈍い光を知覚しつつ代表作「サロメ」や、「オルフェウス」などの「切断された首」の主題をみると、本当に背筋に冷水が走るような感覚を覚えた。

エロスと死。甘美と残酷。現実と郷愁。その相反するものが、この場で対立することなくうまく溶け込んでいるのにも、驚かされる。「切断された首」のモチィーフには、革命に明け暮れた18世紀から19世紀の歴史が影を落していることは否定できないに違いない。モローも時代の闇をみつめていたのだ。

いや、そんな美術史的な知識は無くともいい。ただ先入観をもたず、この私的なアトリエという空間に身を置き、作品を肌で感じるだけで、それがおのずと分かるはずだ。

つまり私のいうところのモローという画家の「血と骨」が、発見できるのだ。

自然光の下で、彼の作品を見て、もうひとつ感じたことがある。未完成の作品などから、実にかれは、あの濃密な暗調な画質とは一見反するともいえる〈生の色彩〉が、塗られていることに溜息をつかずにはいられなかった。塗込められた肌から露呈してくる瑞々しい素肌感覚とでも形容したくなる、そんな新鮮な色彩がそこにはあった。

この場所が優れているのは、彼のデッサン、パステル画、水彩などを、じかに見ることができること。引き出しスタイルになった収蔵所から、床に跪いて収納された作品を一点一点手にして味わうことができる。

私は、冬のパリの弱い光が差し込むこの場所に立ち、他の美術館では決して感じることができない霊感を感じとってしまった。この家には今もモローの霊が住んでいるのに違いない。

ここでは、一冊の本を買い求めた。聖書の主題に絞ったモローの展覧会カタログである。外の光を浴びても、いま見てきたものが亡霊の如く、しがみついてなかなか離れなかった。

いま見てきたものは何だったのであろうか。「オルフェウス」などの作品は、あたかもこの家の〈霊の主体〉であるモローの肉体と精神を再現して見せているかのような錯覚におちいった程だ。

途中で、クレープ屋さんを見つけて食べ歩きをした。白い息を吐きながら、熱いクレープを頬張りすいた腹を、しばし満たした。昼食は抜きで次は、最後のルーブル美術館へタクシーをはしらせた。

8　ルーブル美術館〔Musée du Louvre〕

最後の美術館は、美の殿堂、世界の美術館の中での女王のように君臨する「ルーブル美術館」。これまで数度この美術館をおとずれているが、今回は時間的にも余裕もないので特に新装オープンした「リシュリュー翼」をみることに専念した。

現在パリでは、先にも少し紹介したが、フランス革命200年を記念して「グラン・プロジェ」〔Grands Projets〕と呼ばれる都市再生改造計画が、急ピッチに進行しているが、それをひとことでいえば、19世紀都市ともいえるこの歴史的都市の文脈を押さえつつ、21世紀に向けての都市改造に新建築のコンセプトを注入するという文化政策でもある。社会党のミッテラン政権は、世界中の建築家に呼び掛け、その建築デザインやコンセプトを競合させつつ、このパリを再度、文化の中心であるということを内外に表明する政治的意図もあった。

この「グラン・プロジェ」の一つが、「グラン・ルーブル」計画という。大ルーブル計画は、この時はまだ完成してはいなく1997年まで継続した。「グラン・ルーブル」は、世界中に中国系アメリカ人イオ・ミン・ペイ〔Ieoh Ming Pei〕(建築家)の名前を告知させることになり、彼の名前とこの計画は、〈ガラスのピラミッド〉と不離不側の関係をもって語られるようになった。

さらに、今回驚いたことがある、ピラミッドを中軸に据えつつ、この周辺の都市景観全体が変貌しているということだ。その改造の都市軸は、コンコルド広場まで到達するものであり、ある意味で都市の風景をまったく新しいものにするという大胆なもの。

ルーブル宮のど真ん中に巨大なピラミッドを建設し、その空間素材にガラスを導入するというある種のこの奇想は、当初あびせられた批判的評論はなりをひそめ賛美の声にとってかわろうとしている。

まず暗かったこの宮殿美術館に光を送りこみ、地下にナポレオン広場をつくり、分散的していた通路を、整理した。またサービス・スペースや通路含めて3万平方メートルも拡張した。3つの入り口、回廊ができあがった。

「ドゥノン」、「リシュリュー」、「シュリー」とそれぞれが別々の展示室（セクション）に連動するシステムとなった。元大蔵省の建築物であった「リシュリュー翼」改造の総合受託者は、イオ・ミン・ペイであるが、そこにさらにモッシェル・マカリ、ジャン・ミッシエル・ヴィルモットらが参画した。

見学者は、北側の通路をとり自然光のみちた半地下や彫刻部門、オリエント美術部門に至り、2階の装飾美術、3階の絵画部門へと足をはこぶことになる。さらにはこの改造により絵画部門のフランス絵画やフランドルなどの北ヨーロッパ絵画にも、自然光が注ぎこみ、とても色彩が豊かに確認できるようになった。この適度の採光は、科学的データとシステムによって統制されているというから、現代技術の粋が集中されている。光の導入によって新しいいのちを与えられたのが16世紀、17世紀の彫刻である。まずみたのはマルリー城の庭を飾っていた彫刻である。こんなにも見事な空間があるのかと絶句したほどである。階段を有効につかって設置された彫刻は、不朽の生命を与えられたといえる。

少々つかれて、カフェ・マルリーに入った。このキャフェは、現代的であり現代美術家のコンセプトを導入している。

室内のデザインだけでなく、カップなどの道具もふくめて、ストライプの美術家のあだ名があるダニエル・ビュレンの作品となっている。ダニエルは1986年にパレ・ロワイヤル中庭にストライプの円柱群「2つの台地」で注目された。さらに、3つの部屋毎に、イメージをかえ、展示コンセプトに変化をもたらしている。あたかも、それぞれが、別々の作品であるかのように。廃物芸術家セザールの彫刻が、キャフェにおかれている。天気のいい日には、テラスとなっており外で飲むこともできるようになっている。

もう一つの新しい部屋は、キャフェの隣に、「ナポレオンの部屋」が、再現されたことだ。室内には、目が心地よい色彩が心をなごましてくれた。

エッフェル塔の近くのホテルまで戻り、暮れていくパリの風景に別れをつげつつ、バスにのりシャルル・ドゴール空港に着く。空港内のラファイエット支店などの免税店で少々の買いものをする。

JALの席は、2階席が用意されていた。

成田空港に着いたとき、信じられない映像が、巨大なロビーにある大スクリーンから飛び込んできた。阪神・淡路大震災の映像であり炎につつまれた悲惨なものであった。

これが、一体どれだけ悲惨なものであったかは、札幌の家に帰って深夜にテレビをみるまで分からなかった。

ただ、この大震災の映像は、重々しい映像となって、素晴らしかった旅の所々でみた映像と、混雑しつつ、私の頭のなかで巨大な渦となり、それが私を不眠の世界に連れさってしまった。それに抵抗するには、私の体と精神は、もはや余力はなかったようだ。時差ボケもさらに倍加となって苦しめ、睡眠を奪ってしまい、回復にはかなりの日数が必要であった。天国のような体験のあとには、地獄の嵐が、私を縛り付けてしまったが、これもプロヴァンス地方の人が、ミストラルが止むと、春がくるようにしばしの試練とおもって必死に耐えつづけた。

［アートコラム1　オルフェを演じた男――ジャン・コクトー］

★ポエジー〔Poésie〕の人

パリ郊外のメゾン・ラフィットで、1889年にひとりの特別の才能をもった芸術家が誕生した。その名は、ジャン・コクトー（JEAN COCTEAU）という。コクトーは自分の名前が「〈COQ〉雄鳥」にかかわるので自分が鳥にたとえられるのを好んだ。さらにもう1つ。〈JEAN〉とは洗礼者ヨハネのこと。この詩人は、幼くして父の死と遭遇して以来、死というものを不可避な実体として意識するようになり、彼の内面におおきな影をおとすことになる。8歳の多感なコクトーは、父ジョルジュ（当時55歳）のピストル自殺という忌まわしい事件を、しっかりと心の墓碑銘に刻むことになった。さらに重なるのが最愛の人、レイモン・ラディゲの20歳での死だった。この時、葬儀がおこなわれたサン・フィリップ教会は白い花で埋めつくされ、その白い棺の周りには深紅の薔薇が飾られたという。ラディゲの死はコクトーを深淵なる闇につつみ込んだ。コクトーは次第に心身共に落ちこんでいった。

天才肌の詩人は、否応なく死という主題と終生つきあうことになる。いや死というものを通過儀礼にしつつ、みずからの感性の光輝を磨いていったといっても過言ではないのかもしれない。

1966年に74歳の誕生日をすぎて、かれは病床にあった。

10月11日の金曜日、親しかったシャンソン歌手のエディット・ピアフが亡くなったニュースをきいてから大きなショックをうけ、自分の死が近いことを悟ったという。その日の内に容態は悪化し不帰の人になってしまった。一生結婚しなかった彼を看取ったのは、養子のエデットであった。その墓は、プロヴァンスのミリー・ラ・フォレにある。とっても小さなサン＝ブレーズ＝サンプル礼拝堂の裏庭に埋葬された。墓石にはコクトー自身の筆跡で〈Je reste avec vous〉（君たちと一緒にいる）と記銘された。

晩年の映画監督としての傑作が、「オルフェの遺言」（１９５９年）であるが、これは71歳の時のものという。実際に亡くなるのはその3年後の74歳。みずからの遺言の性格をもっているようにおもえてならない。この映画には彼自身が出演しており、みずからをオルフェになぞらえた特異な作品である。それにしても、どうしてこんなにもこの芸術家は、〈オルフェ〉にこだわったのであろうか。〈オルフェ〉を愛し、さらに〈オルフェ〉にさえなろうとしたこの詩人は、すでに前世において〈オルフェ〉だったのかもしれない。その前世の記憶を実生活で反復していただけだったのかもしれない。そのため仮の生活の場、つまり地上でのいとなみは全て死の反復、死の世界の再現となった。それが、彼の作品の主調音であったにちがいない。先にも触れたがラディゲの死により深刻な悩みをかかえ、阿片に救いをもとめた。詩人は、にがみと甘美をあわせもつ死の味を味わいつつ生と死の狭間で、自分の感覚を研ぎ澄ましていた。そうすることにより、虚ろな現実世界を、少しでもより色鮮やかにみせようとしていたようだ。

彼は、このことを次のように解説している。「詩人は死んで蘇る。つまり人は蘇えるために死ぬのであり、不死鳥の蘇生なのだ。灰になるために燃え尽き、その灰が再び我々自身となる」と。

死とはなにかを追及し、死というものを、これほどまでにみずからに引き寄せつつ意識する詩人は決して多くはない。特異なことは、彼の常套語句をつかって表現すれば、それが〈ポエジー〉と不可分に一体化していたこと。〈ポエジー〉とは、なにものにも優る崇高な詩的感覚であり、生の火花のことであり、なにより芸術の不滅性と等価なものであった。私はこうみている。彼の一生は、この〈ポエジー〉探求の旅であり、みずから感じた〈ポエジー〉が消え去るまえに、あらゆる方法と手法を駆使して表現することであったと。もちろんこの〈ポエジー〉は詩性と共に〈死性〉をおおくはらんでいたのだが……。その溢れるばかりの才能を、詩、脚本、映画、絵画などの世界で華麗に展開していったが、あくまで彼にとっては、それらは外からは無関係にもみえるが決して別個のものではなかった。多でありつつ本質的には一であった。すべては深遠なる〈ポエジー〉という大円の境界《ゾーン》に包含されるものであった。

コクトーは実際に、この概念を最も大切にしており、実際に評論を〈ポエジー・クリティック〉、戯曲を〈ポエジー・ド・テアートル〉、素描、絵画を〈ポエジー・グラフィック〉と読み替えている。既成のジャンルの分類方法では、どうも手垢にまみれてしまうため、わざわざこうした面倒なことをした。もちろんその背景には、当時の芸術全般にわたるうんざりした保守的傾向に対する反抗心が、めらめらと燃え上がり、どうしても革新の運動を創造せねばならないという、並々ならぬ決意も、当然のことながらこめられているのは間違いのないところであるが……。

これを検証すれば、そこには芸術の不滅性という美学と倫理が、すべての彼の精神の地層に横たわっていることに、自然と気付くことになる。それは、古代ギリシャ以来つづいていた西洋人特有の生死観が色濃く反映しているともいえなくもない。その場合、死とは、決して悲哀的事象ではなく、青い空の下での明晰なる死とでもいうべきものだった。強烈な光と影のコントラストをバックにして浮びあがる地中海特有の生と死が共存する荘厳な舞台こそ、最も彼の好んだものであった。

つまり〈オルフェ〉という美の殉教者、つまり愛するもののために死の世界に生きた古代の詩人（音楽家）と一体化した時から、この芸術家は、現代の時間を潜って、古代の時間の海で生きることをみずからに宿命づけていったのであった。

気になるコクトーの自画像がある。コクトーは〈指の人〉といわれるように線がとても生き生きとしている。その自画像は「鳥刺しジャンの神秘」（１９２４年）というメランコリーを秘めた相貌をみせている。赤いバラをくわえている。異様なのは死や邪悪のシンボルたる蛙がより寄っていることだ。これは死の形象にいろどられたコクトーの魂を示している。そして肩の上にはダ・ヴィンチが描いた心臓の部位がおかれている。

彼にとっての地中海は、すべてが光に耀き、ゆったりと流れる時間そのものであった。そこにいけば、彼は〈オルフェ〉へと化身する特別装置が偏在していると考えていたにちがいない。

★死の鏡

この文は、はじめ彼の傑作である映画「オルフェ」に関する論を書くためであったが、少々助走路が長過ぎたかも知れない。本題にはいることにする。

〈オルフェ〉。それは古代ギリシャの若き神であり、詩と音楽の神でもある。古い訳によれば、次のようになる。「楽人オルフェーズはアポローの子にして琴を善くす。幼き時森の中にて一曲を弾ずるに、蜘蛛は機を停めて巣に留まり、蜂の労作を止めて傾聴した」と。さらに樹々や岩までも周りに集まり身を傾けたという。この詩人は、死せる妻ユーリディウスを求めて冥府の世界に降り立ち、途中で掟を忘れて妻の方を振り向き、妻を永遠に失ってしまう。また地上に戻った後、秘密の儀礼を男達に伝えたことで、トキラアの女に怨まれる。そして、彼は殺され、さらに8つ裂きにされ海に投げ込まれた。その一部である頭部と竪琴だけがレスボス島にながれついた。

この神話は、ギリシャだけではなくオリエント世界にも偏在するものであり、いわゆる〈オルフェウス神話〉となり、ひとつの宗教的性格を帯びてゆく。それほどまでに根づよい伝統を反映している。ではその宗教とは、いかなるものであったか。それは死そのものを超越する儀式を伴う思想でもあり、さらに男女の交わりを蔑視し、ゼウス神を崇拝する一神教の立場をとったという。普通のものとは異質である。孤絶な秘教性をもっているといっていい。

さて映画のストーリーは、現代の著名な詩人達と冥界の死神との係りを通して、死と再生、愛と死が描かれていく。冒頭のシーンが、とても印象的である。「詩人のカフェ」という場所で、〈オルフェ〉は、沢山の礼賛者に囲まれているが、そこに死神と天使が登場する。さらに副次的人物が登場する。詩人のセジェストは、オートバイに撥ねられ死亡し、マリア・カザレス演じる死神のプランセスにつかえている。この死神は、〈オルフェ〉に恋して、その妻のユーリディスを連れ去る。これに対してユーリディスに恋をよせる天使役のユルトピースが、〈オルフェ〉を冥界に鏡を通って導くのであった。最後には、急転直下して、二人の愛を引き裂いた死神とユーリディスの自己犠牲により、〈オルフェ〉は奇跡的に現世に戻り二人の愛は、永遠のものとなる。

さて「オルフェ」（１９５０年）の映画には、いろいろな新規な映像手法が内包されているので、その事をのべておこう。ちなみに、コクトーはすでに戯曲「オルフェ」を１９２６年に書いている。特に、鏡の機能は、卓越している。類例のない価値をもっている。それは映像的にはとてもシュルレアリスム的でもあった。それだけではない。ここでコクトーは、鏡を詩的なイマージュ、つまり文学的な次元や象徴記号に終わらせることなく、むしろその対極にある日常的世界で表現しようとした。これはかなり斬新であり実験的である。

鏡は、現実世界と、別世界（死の世界）との扉となる。そのことを松田和之（フランス文学）は「鏡こそは、生者の世界と死者の世界の通用門であった」（コクトーのオイディプス：コクトーのオルフェウス『ジャン・コクトーの世界』展・Bunkamur ミュージアム／１９９５年）と鋭く洞察した。つまり鏡が、時間空間のトンネルとなり、映像ではそれが水の中を潜るかのような特異な映像表現で、暗示している。たしかに、そこには鏡には、なにかしらナルシスティックな水の気配も、ただよってはいるが、それを溺愛してはいない。いやそれどころかこの人の感性が反映しているためであろうか、実に神秘的でありつつ、明晰でさえある。さらにもっとそこに隠されている記号を見出すべきだ。この映画は、この鏡に別な機能を背負わせており、われわれ自身がいわば冥界へいくような通過感覚を、味わうことができる。つまり、鏡を通過するという映像によって、われわれを〈オルフェ〉に変身させてくれるのだ。実にシュールな手法ではないか。最後にもうひとつ。

〈オルフェ〉が、絶対に視線を交差してはいけないという掟を破るシーンが、とても象徴的であった。決してみてはいけない妻の顔を、車のミラー鏡の中にみてしまい、その瞬間に妻は、姿を消してしまう。この鏡の意味が、破局の要素を有しており、終焉への序奏ともなるというのが、とても考えさせられた。〈見るための器〉であり、薄いベールの掛かったこの鏡ではあるが、生を死に変換させる魔術的なパワーさえ内包している。それはあたかもナルシスが、透明な〈鏡のような〉水に自分の顔を写して恋をしてしまうように、鏡は、死へとつながってゆく〈愛の器〉にもなりえることをシンボリックに語ってくれている。

もうひとつある。フィルムの逆回転がとても、ひとつの手法のレベルをこえて、象徴的な機能をもっていた。最後のシーンで、ウルトビーズ（フランソワ・ペリエ）に導かれて現世に戻る時、後向きで進むのであるが、それは映像の逆回転であった。音声だけが、〈正の時間〉を生きており、その証拠に、ガラスを背にせおった男が、〈ガラス売り〉の声を上げていた。（ここでもまたガラスが登場する。そこにも鏡のメタファが引用されているではないか！）

映画を発明したのは、フランスのルミエール兄弟であるが、彼らは、「列車の到着」というとても臨場感のある画面をつくり出したが、コクトーは、映画の歴史に〈逆回転の効用〉をいかんなく発揮させた。動きということであっても、彼は、普通とは反対の〈過去から現在〉というフィルムの流れを、実に有効に作用させてみせた。これは、映画監督エイゼンシュタインが、モンタージュ手法を駆使して「戦艦ポチョムキン」という問題作を制作したように、コクトーは映画史において新しい一頁をきり開いたのであった。

はじめに、〈オルフェ〉とはコクトー自身のことだとのべたが、それは晩年になり、遺言のようにしてもうひとつの「オルフェ」を制作していることにもはっきりと示されているからだ。いまコクトー自身のためとのべたが、同時期に詩人ポール・フォール、つづいてジュール・シュペルヴィエルの死がつづいていた。仲間の死への〈追憶〉の念もあったかも知れない。それが、『オルフェの遺言』に結実した。みずからも〈オルフェ〉を演じ、また「オルフェ」で出演した仲間が、そのままの衣装で花をそえている。そればかりか、コクトー組、コクトー仲間とでもいうべき芸術家が、せいぞろいしている。その中にはピカソ夫妻も顔をみせている。

★〈美より早く〉

最後に20世紀芸術史における彼の位置は、どこにあるのであろうか。日本でのコクトー展にふれながら簡略にのべておきたい。

日本でのコクトーに関する展覧会は、調べて分ったことだが、かなり数としては少ない。その中で、生誕１００年を記念しての「ジャン・コクトー展」が、毎日新聞社主催で１９８８年に開催され、その東京展を私は、大丸東京店12階グランドホールでみた。実際には、１９８９年が生誕１００年にあたるので、その〈プレ展〉という性格をもっていた。出品作は、油彩、版画、素描、タピストリーに加えて、友人によるコクトー像が添えられていたのが特色であった。展示数１２４点。展覧会の意図は、〈文化が細分化し閉塞状態に陥った現在、「20の頭を持つ男」の魅力を再発見〉することで、新しい提起をしようと試みたようだ。

「20の頭を持つ男」とは、詩の外にも、エッセイ、評論、小説、脚本、映画監督、プロデューサー〈あるいはコーディネーター〉、画家、芸術の擁護者などの多面性をもっていたことを意味する。それは、ヤヌス的存在をはるかに超えている。それをのべるには多言は全く不要となる。この展覧会の通底低音となっている〈美よりも赤る男〉という言葉が、一番的確かもしれない。〈美より早く〉というのは、常に新しい美神を求めて、時代をきり開いていく前衛性の持ち主であったということだ。コクトーはたしかに〈20の頭〉をもっていたが、つねに死の天使とたわむれていた。唯一の例外が俳優ジャン・マレーだという。

シェルブール生まれのマレーは、1937年の出会い以後、コクトーが映画・演劇などを制作する上で大きな動機となり、ほとんどの作品に出演した。だがマレーはこの奇才の傍にあって阿片などの薬物中毒にも染まらず自立の道を歩んだのだった。それで人はマレーを「善き天使」と呼んでいる。

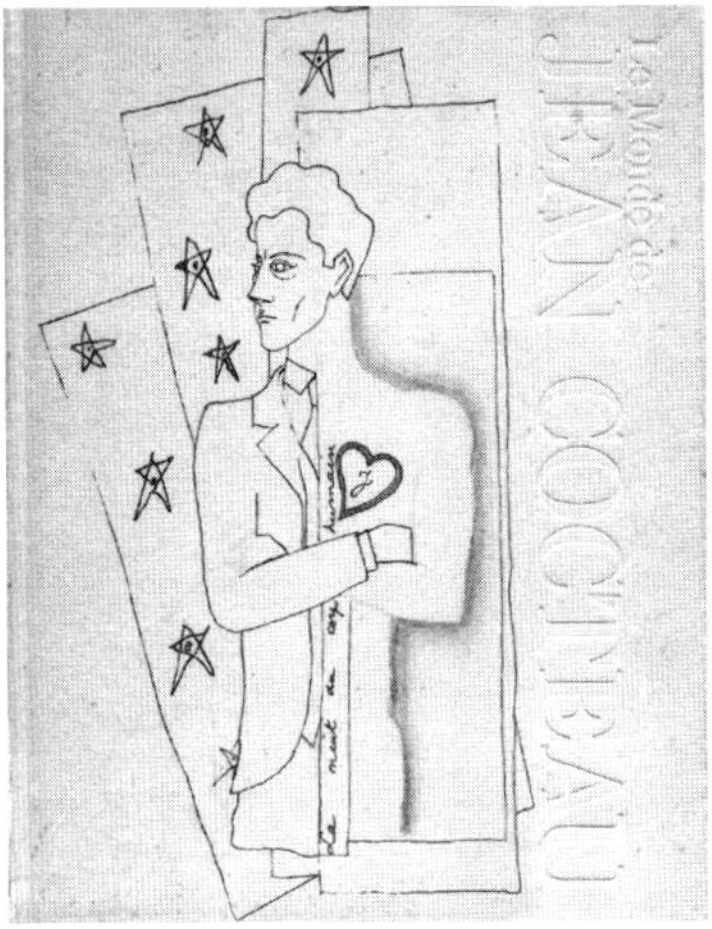

「Le Monde de JEAN COCTEAU」（「ジャン・コクトーの世界」展・1995年・Bunkamuraザ・ミュージアム）

【アートコラム２　ラスキンとヴェネツィア】

１９９３年12日、２時から東京ブリヂストン美術館（現・アーティゾン美術館）で、土曜講座を聞いた。この日は東京への一泊２日の美術館めぐりの第一日であった。

まず東京の新羽田空港の書店で情報誌「ピア」を買って、それをもって「ハロルド」で紅茶をのみながらページをめくった。そこで偶然目にとまったのは、東京ブリヂストン美術館で開かれる地中海学会主催の講座「ラスキンとヴェネツィア」であった。

講演者は、木島俊介（当時・東京文化女子大学教授）であった。

かねてから、ジョン・ラスキン（John Ruskin）という人物とその思想については興味があり、さらに１９９４年の３月にはイタリア・ルネサンス美術紀行なる旅行を立案しており、念願のヴェネツィアに行くことが出来るということもあって、これはどうしても〈聞かねばなるまい〉と決意した。

そく２日間の行程を大雑把に決めた。１日目は、目黒にある東京都庭園美術館でアンリ・ラパンなどの仕事を紹介したアール・デコの展覧会をみて、うまく時間をつないでいけば、ちょうど２時すぎにはブリヂストン美術館に入る事が出来ると見込みをつけた。

翌日は、鎌倉へ行って、神奈川県立近代美術館で「ルフィーノ・タマヨ」展をみて、そのあと横浜に戻り、横浜美術館で「ジョージア・オキーフ」展をみる。そして最後に一年に一回現代彫刻にしぼった意欲的な展覧会を企画している神奈川県民ホールギャラリーで岡部昌生と北山善夫の展覧会をみて、帰札という計画である。かなりの強行スケジュールだ。

さてこの講座であるが、会費が４００円と低料金なのがうれしい。2時間ほどの講座。会場には、ヨーロッパ建築や都市論などに関しての研究家である陣内秀信氏の姿もみえた。

さてこの地中海学会は、毎年定例会を企画しており、今年は、音楽、文学などの専門家に講演を依頼し、美術は今回がはじめてであるという。１９９３年の酉《とり》を美術がしめるということらしい。

木島俊介自身が慶応義塾大学に在学中にヴェネツィアに滞在したことや、ラスキン思想にかかわる出会いなどを含めての講演内容であったが、スライドを交えての、丁寧かつ刺激的な内容が沢山つまっていた。

この小文では私自身が聞き取ったメモなどを中心にして、その内容の概要を紹介しつつ、少し私自身の感想も含めて報告しておきたい。

まず、話を聞いて感銘を受けたのは、ラスキンへの興味が大正から昭和にかけていかに深く日本にもあったかを改めてしらされたことである。その中には、夏目漱石らがいる。

木島俊介自身は、父の書斎にラスキンの書物を沢山あったという思い出を語っていた。

また銀座には「ラスキン文庫」という店があったという。この店は、あの「真珠王」で有名な御木本家の子息たる御木本隆三が経営していた。店内には、ラスキンの本などがいっぱい置かれていたという。隆三自身、何度も渡英し、ラスキンの遺墨や遺稿の収集にもつとめたという。さらにラスキン協会を設立した。

講演のあとマイクの前にたって最後にお礼の言葉をのべた、ブリジストン美術館の当時の館長嘉門安雄

（美術評論家）は、「実は私もよくこの店にいったことを思いだしました、特においしい紅茶をいただきながら、時間をすごしたことがあります」と懐かしそうに語っていた。

ラスキンは、『ヴェネツィアの石』という名著をのこしているが、木島は、実際に本物の石をみるまではかなり大きなものであり、単に建物の素材となっている石である以上に、もっと普遍的な意味をもつものであると、考えていたようである。

しかし、それをはっきりと裏切って、なんとも小さな破片のような石であったという。ある所でラスキンは、古い建物を壊してゆく姿をみて、とても心を痛め、そのような乱暴な行為を非難していたという。がそれを言葉に終始させることなく、実際に、打ち壊された小石たちをみずからの手にとって保管していたという。とても感動するはなしであった。

ではラスキンが憂いたことは一体何か。どうしてこんな行為を重ねていったのであろうか。たかだか石にすぎないのではないかとも勝手に考えてしまうのだが……。しかしラスキンが考えていたことは別なところにあった。ラスキンが憂いていたことは、18世紀以降、英国から産業革命が進行し、社会構造全体にも大きな変動をもたらすと同時に美が宿っていた古いものが壊され、滅びてゆくことを自分の眼でみていたからだ。決して産業の発達や技術の進歩を楽天的に肯定しなかった。むしろ崇高な美、継承されるべき美。人間の手による工芸の美それらが音を立てて滅びてゆくことを憂い、それに抗《あらが》ったわけだ。その憂いの心が『ヴェネツィアの石』をかかせたといってもいいのではないだろうか。特に中世の職人芸によるゴシック建築を賛美した。一方で「水彩こそ、最も美しい美術」であるとしてすぐれた水彩画を残している。

産業革命の栄光の光をあびつつも、それを楽天的に賛美しなかった。美を崇高にもとめ、滅びることがいかに美の価値を喪失させることであるかと憂いたわけだ。

ラスキンの思想は、当時の若者にも浸透していったという。若者は、ラスキンの思想をまなび、みずからの思想の形成をしていった。また、大きな文化山脈というべき〈ラスキン人脈〉というものがあることを知った。ご存じのように、ラスキンという人物は、とても多面的な顔をもっていたし、やや謎の部分もおおい思想家である。絵画ではウィリアム・ターナーや伝統に反旗をひるがえした「プレラファエッロ派」らを要護した。さらに忘れてならないのはウィリアム・モリスらの「アーツ&クラフト運動」をサポートしたこと。

政治、経済への関心はもちろんのこと、美術へのやみがたい問題意識をもっていただけでなく、自からも筆をとって作品をのこしており、文字どおり多面性をもった〈知の巨人〉であった。

つまり全体として彼の思想的視座は、くり返すことになるが、背後には、産業革命の絶頂期にあってそれをバラ色に賛美するのではなく、冷静に洞察して、むしろその〈未来に危機意識〉を抱いていたのである。つまり、古いものが破棄され、価値のあるものまでもが、犠牲となって捨てられていくことを是とする進歩思想に抗った路をえらびとったのである。

*

木島俊介が、ラスキンの死について擁護を強調していたのがとても印象深くおもった。詩人バイロンからラスキンへの精神の系統にはひとつの〈隠された謎〉が秘められていたことは知る人ぞ知る事実である。これは美術史のあるひとつの有名な事件でもあるが、ラスキンは、自分の妻のジェーン・バーデンを、自からが擁護した当時の前衛運動である「プレラファエッロ派」の中心人物であるダンテ・ゲイブリエル・ロセッティに奪われてしまうのであった。この事件が通常の男女間の不倫とちがうのは、ラスキンと妻の間には、夫婦としての性的関係がなかったということである。この結婚は、最初から成立していなかったというのだ。

これは当時としても大変なスキャンダラスな出来事であった。それをラスキンはじっと耐えていたという。世評上の様々な憶測や風評の大嵐をこえて、彼はさらに鋭い論評を展開してゆくのであるが、そこには世人のモラルや価値では知ることの出来ない〈秘密の領域〉があったということ。私は、それをラスキンの精神と美意識の根元となる独自な心性という言葉を用いてのべてみたい衝動を押さえることができない。〈性の歓喜〉を味い知ることの出来ない彼の精神は、その代償として美なるものを猛烈に追いもとめていったのであろう。むろん性の不充足や肉体上の欠陥が深く彼を悩ましたのにちがいない。それが激しくなればなるほど、かえって美なるものを、なにものにも勝るものとして高く評価し、何度もヴェネツィアをおとずれていくのであった。

木島俊介は、こうした心性をむしろ高く評価すべきであり、決してアンモラルなことと否定すべきことではないと力説していた。何かにむかってみずから投げ出していく美の昇華の行為こそがラスキンの本質であると。特に最後にみせられた一枚のスライドは、深く心をのこった。

それは木島がイギリスを訪れ、ラスキン関係の記念館で発見したものをいうが、そこには、箱に入った小さな石がはっきりと映されていた。「小さな石」には、ラスキンの心性と思想が宿っていたにちがいない。

【アートコラム3　ルーブルの断片――キュクラデス石像】

ルーブル美術館の佳品。30代の頃、はじめて訪れたルーブル美術館で「モナ・リザ」や「ミロのヴィーナス」などの名品より最も小さなものに心が奪われた。私の心眼でみた佳品の1つ。感性にうったえてくる美しい響きをもつ作品について少し語ってみたい。

この作品のセレクトは、まったく私の個人的関心による。たわいのない嗜好に片寄った選びかもしれない。あえてそれにこだわってみよう。

〈美の原初〉への追究とは、そもそも大げさないいまわしかもしれない。ただ、そこに何かしらの発見を伴うとしたら、いや発見などなくとも、作品そのもののすぐれた技法やつくり手の意図や精神の状況をみることが少しでも知ることができるとすれば、それだけで十分であろう。

〈美の原初〉とは、私にとっては、美の原形（型）、つまりプロトタイプとそこに宿っているイマージュの初発の2つが統合された状況を示す概念である。

時代がおおうぶ厚い皮膜を破って、普遍的なちからをおびた個々の作品が何がしかのメッセージを語りはじめることがある。それは、不思議な体験となる。どこかでみたという感覚や既視感ともかなりことなる。もっと深部から血潮が湧き立ってくるもの。いわば私の胸中で何かいい知れぬものが蠢き、しぜんととり肌が立ってくるのである。

その一種の心的な痙攣を静かにひきおこす作品について、寸描的にかきしるしておこう。

まず古代の佳品から。BC３千年紀後半のキュクラデス石像。発掘地はエーゲ海アモルゴス。

あの地中海、あの母なる内海世界。そこに小アジアとギリシャ本土をつなぐ橋のようにキュクラデス諸島〔Kyklades〕はある。

私はまず、この石像の抽象性に驚愕してしまう。

耽美主義者でもあった美術史家ジャン・シャルボノーは、〈ギリシャ美術は、古代オリエントのさまざまな民族美術が注釈をつけ、様式化していったフォルムの世界を、合理的に研究し、理想的に再構築しなおしたものであり、人間のまさにその形に集中した瞑想から生まれでたものなのである〉という。

彼は、その〈瞑想〉が生まれた〈原初の場〉は地中海の島々であったという。海洋が舞台となって海の民により交易がおこり、新進の技術（テクネー）と文化が相互に交換されていった。

BC３千年という遠い昔に、粘土をつかっての造形の試みがあった。さらに採出した大理石や石材をつかって美を生み出す。また金属の加工の始まりがおこった。

こうして造形の多様な試みが、開花していたのである。島々から新しい動きがおこった。それらは、内陸のそれとはちがって、斬新なアイデアと造形的な美しさをもっていた。シャルボノーは、さらにこうのべる。「クレタ島や、キュクラデス諸島に於いてなされた最初の試み以来、これらの彫刻は、曲線や肉づけの特徴、肉体のプロポーションなどにおいて、調和の感覚をあきらかに表現していた」と。

その中で特に抽象度の高いものが「アモルゴスの頭部」だ。頭部だけで27㎝の小像である。頭部だけでなく、元は首部の下には身体（胴体）をもっていたと考えられている。これらはもはや偶像的範疇をはるかにこえている。私には、現代抽象彫刻の雄、コンスタンティン・ブランクーシの作品にさえみえてくるのだ。まさに抽象美の原初的様式を備えている。これをみて誰がはたしてBC25世紀につくられたものとみるだろうか。（芸術作品とはなんと不思議な存在であろうか。BC25世紀という時空をこえて現代のわれわれに雄弁に語りかけてくるのだから……。）調べてみると元は眼や口には彩色がされていたという。色がなくなることでむしろ抽象度はより増したことになる。

もう1つの石偶に注目してみたい。パロス島から出土した石偶である。正面を向く全身像である。手と足はかなり省略されているが女性像である。頭部と上半身が大きく下部が小さい。ふっくらとした胸が豊かさをみせている。この作品も彩色されていたというから単なる造形体としてつくられたのではなく、いつも身から離さないか、いつも大切なところに飾って、護符に用いたようにもみえる。呪術的な意味がこめられていたとも考えられないか。

口、耳、眼などを奪うようにして省略する。そこに別な企図をよみとろうとするのが世のつねかもしれないがその必要はない。女体像のおおくは、豊饒を象徴する大母神が主流であったのだから、やはり、豊饒祈念がこめられていたのではなかったのか。調べてみるとそこには口や眼も顔料で描かれていたという。それは日本の縄文のヴィーナスも同様である。

多産のイメージには相反するような、やせた人体、小さな乳房、狭い腰回り。どれをとっても、われわれが考える豊饒性の象徴にぴったりするわけではない。どこか異星人をおもわせる程だ。この大胆な省略美。だがとてつもない魅力を放っている。

地中海という海洋空間において民族の交易がさかんにつづけられ、つねに異種の文化が混在する中で、現世の利益をおい求めていった。それらの諸種族においては、エジプト文明のように大系化され、秩序だった神学や宗教がなり立ちづらく、つねに現世に関わり、生と死をいかに解決してゆくかに心を砕いていたことが一因かも知れない。

人々は、おのずから現在という時間での至福をねがっていった。そして大地や海などの自然にひそむ生命のちからを畏敬した。農耕民とはちがう海洋民が抱く特有な個性、つまり新奇なもの、より抽象化された単一なものをおいもとめる思考が、おのずと凝結した結果かもしれない。

このキュクラデスは、エーゲ海美術において純粋化をおい求めた特別な島なのかもしれない。ちなみにこのキュクラデスは、24の島々からなる群島である。

地理的には、ギリシャ本土とペロポネソス半島を結ぶ陸地と、トルコとを結ぶ水域にひろがっている。有名なデロス島を中心にしてひろがっており、円形をなすという。このキュクラデスは、ギリシャ語の「円」を意味する〈キュクロス〉から発しているという。

この頭部は、かえって全身像から切り離されることにより、芸術性を高め、多くの言語で語りかけてくるのである。

東西文化の融合点で、うまれたこの鼻のみの頭像。これもまた、視えない目で、大きな世界を、つまり「円」をみつめているのかもしれない。そうかんがえると何かしら、全く新しい感慨が生まれてくるではないか。

ゼウスやポセイドン、アテナなどの神々を人間像とした彫刻したギリシャ彫刻世界とは異質な美術。つまり太古の、呪術を宿した〈原初の美〉がそれらの作品には宿っているのだ。ここにもう1つの〈美の原初〉がたしかに存在しているのだ。そんなことをルーブル美術館の一隅でふとおもった。

［アートコラム4　ピカソと古代ギリシャの陶器］

１９８６年の冬、前年の秋にパリのマレー地区にオープンしたばかりのピカソ美術館をおとずれた。「青の時代」からはじまり、現代彫刻に至るまで、年代別に作品が丁寧に整理された展示会場をみていると、特に陶器の作品をみていてスペイン・アンダルシアや地中海気質などがピカソの血肉になっているとかんじとれた。ピカソ芸術がたどった様式の変遷、対象への内心への多様さにおどろく必要はあるまい。それよりも、内からの欲求であれだけ多種多様な作品をつくり出したエネルギーに感嘆すべきかもしれない。人間ピカソは、実に魅力的であり、作品にそれがしっかりと残されている。それが芸術家ピカソの恐ろしいまでの偉大さではないか。

この時、ピカソが造形した石膏に彩色した作品「メタモルフォーズⅡ」（１９２８年）をみて、これこそアンダルシアや地中海の土の色であり匂いを発するものであり、やはりピカソは、古代地中海芸術の生き証人（後継者）であるとハタと自分でうなずいたのを今でもおぼえている。

まず土の色。赤茶けたあたたかみのある土のような肌ざわり。デフォルメされた形のユーモア。そしてそこには手の自由な動きがあり、遊び心も躍動している。用途性をおびつつ、それをさらりとくぐり抜けて、〈美の器〉としてすぐに表情にかえてしまう。このかわり身のはやさは、日本の陶器のつくり方とは全く異なるといわねばならない。

つまり〈用の器〉の性格がないのである。肉をそぎ、精神の凝結をめざすという気むずかしさがここではすっかり忘れさせられている。一瞬のひらめき、あそびに興じる心。それが主体となっているのだ。陶器作品をつくっているのではない。土と手であそび心に興じているのだ。

私はもう1つのことをおもわず想起した。それは、図版でみたひとつの作品写真である。「鐘型の偶像」(IDLE CLOCHE)とタイトルされた陶の作品。つまり土人形だ。講談社で出版した『Musée du Louvre』と題された超華麗な全集の第一巻におさめられていた。これはギリシャ北部のボイオティアでつくられたもの。墓の中につるすためにつくられたという。

今冉び、この「鐘型の偶像」をまじまじとながめてみて、やはりこれは芸術家ピカソの先生的存在だと吐息をついた。吐息が自然とでるほどにまったく私には区別できなかった。ピカソの作品として展示されていたらそれを誰も疑う者はいないはずだ。

無名のこの作品に脱帽したのは、もう1つのわけがある。この作品は、前7世紀の作といわれる。異様に首長なのである。まるで煙突のようである。モジリアニも真青。しかしここには、あのモジリアニの憂愁さはない。ただすっきりと、ひたすら長くのびた首がある。それがまたきまっていて、異様ではない。さらにみると、口もない。耳も左が大きく、アンバランス。全体をみると、胴体部が異常に大きいのだ。おどろくことがある。この「鐘型の偶像」と同じ〈長い首〉と長い胴体をもった作品をピカソが造っているのだ。それはピカソが晩年に住んだ南仏ヴァロリスで制作したブロンズ作品で「乳母車の女」という。

ふたたび「鐘型の偶像」、その図柄に目を注いだ。すると、大小の長方形が描かれ、その両脇に、くちばしにえ物をくわえた鳥が描かれているのがみれた。首のつけ根のあたりに、どうもクモらしき生き物が図案化されたものが2つ描かれている。さらによくみると、全体にこのクモ型の図案が多くみられた。

ところが右腕に描かれたマーク。それが鉤十字、つまり〈ハーケンクロイツ〉にみえた。クモ型の図形と〈ハーケンクロイツ〉。この2つの関係はいったいどうなっているか。はたと考えこんだ。

その詳しい考察はこの際さけたい。謎は謎のままの方がいいかも知れない。ただ一言のべておく。古代よりヒンズー教や仏教などでは〈幸福の印〉としてつかわれてゆくことになる。つまりわれわれが〈ハーケンクロイツ〉といっている図は古代から存在し、それは装飾以上の何か、つまり宗教的かつ呪術的意味を帯びていたことはまちがいないことであろう。

ただただこの造形の独創的な作為におどろくばかりである。解釈をしすぎるとこの作品の魅力が失われるような気がした。

デフォルメの美。それでいながらモダンな感性をもつ。まちがいなくこの古代ギリシャの陶器は、ピカソと同じ美意識をもっていたようだ。

私はこのピカソ美術館の一隅でピカソの「青の時代」の作品に深いメランコリーを感受しつつ、もう1つの地中海人たるピカソの精神を発見したのだった。

＊このアートコラムは当時パリを旅した時の〈旅行メモ〉を肉付けしたものである。

【アートコラム5　ポン＝タヴァン派との出会い】

「ポン＝タヴァン派とナビ派」は、トピックな展覧会であった。ちょうど日本でのポール・ゴーギャン展としては、本格的な展覧会が、東京国立近代美術館で開催され、それにぴったりと符合するかたちで、東京・伊勢丹美術館で開催された。

この「ポン＝タヴァン派」〔Pont-Aven〕とは、19世紀の末、フランス北西部のブルターニュ地方の小さな町に、ポール・ゴーギャンやクロード・ベルナールやシャルル・フィリジェらの画家達によって、ひとつのグループがつくられた。当時の印象派とはちがった方向で、絵画運動が発芽していった。それが、ポン＝タヴァンを中心につくり出されたので、その町名からもじってそういわれるようになった。

美術史的には、ブルターニュで開花した「ポン＝タヴァン派」から、さらに新しい動向として「ナビ派」がうまれてくるのである。

時は、世紀末。パリ以外の地たるポン＝タヴァン発信の新しい運動が、生まれたのである。ゴーギャンが描いた絵画の生命をときあかすためには、この「ポン＝タヴァン派」を語らねばならないのである。

今、ポン＝タヴァン発信とのべたが、それは、とても大切な意味をもつのである。人はこのポン＝タヴァンを、「ブルターニュのバルビゾン」と命名したそうだが、そのバルビゾンより、重要な役割を、このポン＝タヴァンはつくり出した。なぜなら、当時の最新の美術思潮である印象派が、外光としての〈光〉をまず第一義として認識し、なにより〈光〉を崇高なものとして祭り上げたのに対して、この「ポン＝タヴァン派」は、むしろ外光よりも、内光を大切にしていったからだ。この内光とは、肉眼ではとらえられない、自然にひそむ霊的な力、つまり自然の生命としての神秘力といいかえてもいいであろう。

美術史家は、これを「ポスト印象派」として大きな視野でとらえるのであるが、もちろんこれには2つの流れがある。一つは、ポール・セザンヌのベルトル。つまり理知的な純粋に空間の解体と創造をめざすという方位である。他方のベクトルは、ポール・ゴーギャンのように、主情的に、あくまで自然に内在する不可視のダイナミズムを探求するという動向だ。

では印象派のグループと、大きくことなるのは何か。ポスト印象派といわれる諸派の絵画動向には、光学的分析にとってかわって、自然そのものの構造の分析、あるいは自然の内奥にひそむサンボリズムや神秘主義を発見しようしたのである。

特に「ポン＝タヴァン派」を母親として生まれてくる「ナビ派」は、きわめて独自な視点で自然を意識しようとした。いやそれはむしろ、これまでの自然主義からの逸脱であって、あえていえば印象主義の拒否であった。画家たちは自然を外的に観察する運動から、自然に内在する神秘性を探り出す方向へ歩み初めていたのである。

このことは、絵画の成立を語る上で、極めて大切なことである。

ではなぜこうもパリに参集していたグループから逃れる場としてこの田舎がえらばれたのであろうか。

私は、この展覧会全体に響きあっている主調音に気づかされた。特にリーダーたるエミール・ベルナールの「ポン＝タヴァンの市場」（１８８８年）からであった。さらにモーリス・ドニの「葉むらの中の梯子（アンリ・ルロールのために描いた天井画）（１８９２年）からだった。それらは１８８０年代後半より顕著になる象徴派の作品と一つの共通分母でくくることができる。象徴派は、万象に不可視の魂をみようとしたが、「ポン＝タヴァン派」のグループに属する芸術家は、いわば自然と人間が調和する聖地において、よりみえるものの中に魂を探し求めようとしたのである。

象徴派のエドモン＝フランソワ・アマン＝ジャンの「パリを背後にした聖ジュヌヴィエーヴ」（１８８５年）には、当時の大都会パリの風景をバックに〈聖ジュヌヴィエーヴ〉が立っている作品と、有名なモーリス・ドニの「墓所の聖女たち」（１８９９年）と比べてみると、一目瞭然として、都市と農村の差異がわかってくる。モーリス・ドニの「墓所の聖女たち」には自然が楽園のように人々を包み込み、祈りの沈思が、美しい沈んだ色調と調合され精妙なる魂の音楽をきかせてくれる。これに対して、アマン＝ジャンの「聖ジュヌヴィエーヴ」には日没後の自然の空気のゆれが描かれている。たしかに、パリという都会を舞台にして、聖像の神秘を、全く新しい手法で描こうとした斬新な意匠に富むものではあることは疑う余地はない。

同じく内面の劇を構成し、自然の生命と語りあおうとしているにもかかわらず、やはり画像から発せられる言葉は、大いにズレてくる。モーリス・ドニの「墓所」には人の住む家があり、生命の源のシンボルである木や緑が茂り、人々の日常と共生している。アマン＝ジャンの言葉は、硬質である。それが魅力であり、革新的であるといえばそうだが、どこか「聖ジュヌヴィエーヴ」の姿には、憂愁感が漂っているではないか。セーヌ川の水も、日没後の天空もどこか冷めたい。パリは大都市である。形象が宿り美と霊がすむ空間と場が、この都市にはないのである。人工の都市のパリには無いものが、農村にはあふれていた。素朴な至福感というべきものが、農村にはあった。

今、農村と都市という図式で、比較しつつ語ってきたが、実は、ゴーギャンの絵画世界もまた、この問題を抜きにして語ることはできないはずである。

というのも、ポール・ゴーギャンが、なぜ最後の地として南海の島タヒチを選んだかということは、この問題と深く結びついているからである。ここには、19世紀の芸術家の苦悩が、典型的に立ちあらわれているのに気付くべきである。

自然のもつ至福感、あるいは野性のままの生命の美しさ。無垢さ。これらのものは、ゴーギャンにとっては、魂が欲するものであった。それはあの激しやすい、そして性急的性格の持ち主としてのゴーギャンが、つねに絵画を完遂させるために求めていたものであった。「ポン＝タヴァン」からタヒチへ。それは、美術史上いわれているヨーロッパ世界からの「逃避」ではなく、みずからの魂が希求した旅であったはずである。ゴーギャンの大作「われわれはどこから来たのか　われわれは何者か　われわれはどこへ行くのか」（1897年）はまさにそのことを示現しているのだ。そうでなければ、タヒチでの旺盛な仕事は理解できまいし、どれ程「ポン＝タヴァン」の「自然」とタヒチの「自然」をだぶらせていたか、それは色彩と平面のとり方をみればすぐに分るところである。北方の地「ポン＝タヴァン」と、南国のタヒチとは、光も空気のにおいも全く違うはずである。しかし私には、タヒチでの仕事は「ポン＝タヴァン」での仕事の「反復」と「完成」にむかって描いているようにしかみえないのである。だからこうもいえるはずである。

つまり最初のタヒチとして「ポン＝タヴァン」はあったと。タヒチの女は「ポン＝タヴァン」の無垢なる娘と同じであると。ゴーギャンには、文明からの逸脱という欲求も当然ありつつも、深いところで「ポン＝タヴァン」の代替地を、つまり魂の帰港地を求めていたとさえいえるのである。

いうまでもなく、ゴーギャンの時代とは、19世紀末であり、その時代精神の制約を有形無形にうけているのである。「日本趣味」や「東洋への関心」、さらには、非ヨーロッパ的な世界への、無垢すぎるほどの賛美は、やはり19世紀末的といわねばならない。それにゴーギャンの性急なまでの直情主義がそれに火を注ぐのである。非ヨーロッパ世界はミニチュアのヨーロッパを形成していたし、ヨーロッパの合理主義と植民地主義は、予想以上に、恐ろしい猛毒となって、非ヨーロッパ世界を席巻していたのである。ゴーギャンは元は株式仲買人の仕事をしていた。ヨーロッパの〈資本の王国〉を去り、無垢なる楽園を求めていても、それは、現実には存在しないものを追い求めることになってしまうのである。

この場合、ゴーギャンの楽園とは、実のところ生地たるペルーであったかも知れないのだ。1歳から9歳まで生活したペルー。それとも、見習水夫として南米リオデジャネイロへ行ったときの青年時代の体験が影を落したのかも知れない。いずれにせよゴーギャンの精神を形成していた〈原初の感性〉は、ひょっとしてももともと非ヨーロッパ的であり、それが結果としてタヒチをえらばしめたのかもしれないのだ。

合理の人のタイプならば、タヒチは、単なる寄り道となる、ある南海の小島にすぎなかったはずだ。しかし、合理の秩序をはねのけ、もっと根源なるもの、つまり原初的なもの、つまり〈ウル的〉なものを探訪していた彼の性向は、タヒチに全てを封じこめようとしたのは必然のことだったかも知れない。

たしかに彼は、このタヒチに絵画の完成地と人生の完遂地を2重にもちこんでいた。〈人生と芸術！〉そうだ、この2つの重いテーマの統合を、ここでなしとげようとしたにちがいない。

絵画的には「ポン＝タヴァン」で学んだ平面の平坦さ、空間の区分け、色彩の暗い調合などを継承し、独自のものとして構築すること。人生のテーマでは、私生活上のトラブルにより傷ついた自我を補修すること。ゴッホとのアルルでの生活の破綻は、彼の心の中に、埋めることのできない傷をのこしていた。さらに私生活では妻との離婚の件も、なにも解決していなかった。

〈人生と芸術の統合〉という壮大な計画は、どうみても実現不可能なものであった。本来、それは見果てぬ夢であり、そうした夢へのあくなきこだわりこそ、生きることの意味であったのではないか。人生の苦悩から、その地鳴りのような苦悩の渦から、なにかがみえてきたのではないか。〈人生と芸術の統合〉も、これも又、みずからに課した課題であった。

楽園願望への肥大化は、ひとたび現地につく中で、ただちに大いなる絶望と異和をともなって、彼をおそいはじめる。

ここから彼の絵画は、おそろしい程の変貌をきたすのである。

袋小路のゆきづまりのタヒチ。みずからは何者かと問わざるをえないし、その問いの答えがえられないいま、無意識のうちに、病に犯されたこともあり、タヒチの呪術世界、その霊的世界にのめりこんでしまうのである。

今、恐ろしいまでの変貌といった。「ポン＝タヴァン」での自然の無垢さは、次第にかき消え、霊力をもつ呪術世界が、登場してくる。死が、隣に横たわり、知らずのうちにそれと語り合っている。タヒチの人々には、人生への肯定があった。それは肯定の底には、呪術なるものが、つねに現実の生と向い合っているという信仰であった。

誰もやったことのない地点へ、ゴーギャンは入っていった。キリスト教的な画像やテーマを範にしつつタヒチの霊世界を描きはじめた。キリスト教の伝統的な図像形式、たとえば「受胎告知」や「聖誕劇」などを下敷にしつつ、全く新しい宗教画をつくり上げた。

私はこうみている。タヒチでの仕事は、キリスト教美術と民族芸術とを統合したものだと。今流にいえば、プリミティブな〈エスニック芸術〉といえなくもない。ただゴーギャンは、それを肯定的に行ったのではない。苦悩の渦の中でおこなったのである。それは必死の〈自己同一性〉を保つ作業でもあった。これまでゴーギャンとタヒチとのことについて多くを語ってきたが、ゴーギャンが最後に住んだのはマルキーズ諸島のアトゥオナである。ゴーギャンはここで息をひきとるのだった。

ひとまずゴーガンのことから離れることにする。先に少しふれた「ナビ派」についてみておきたい。〈ナビ〉とは、ヘブライ語で〈預言者〉のこと。この「ナビ派」〔Les Nabis〕に属するボナールやヴュイヤールなどが新しい色彩美学を生み出すのである。

最初カザリスがこの名を提案し、最終的にセリュジエが、グループ全体の名前にした。この「ナビ派」は、アカデミー・ジュリアンで学んだ仲間からなり、このアカデミーにポン＝タヴァンを紹介し、橋渡しをするのがセリュジエである。ゴーギャンとセリュジエは「ポン＝タヴァン」で出会い、新しい刺激をうけ、統合主義様式からなる「ポン＝タヴァンの愛の森」をセリュジエが描いた。この作品は、仲間の中で大いなる影響を与えていった。セリュジエは、より深く宗教性に傾き、西ドイツのベネディクト修道院に訪れ、〈宗教と芸術の統合〉を企図することになる。

ポール・セリュジエの「行列」（1892年）は、宗教画ではないかとおもうかも知れない。農婦の女達の行列を、単純化された木立の中に描いたもの。これは象徴主義の絵画といえなくもない。それほどまでに祈りの声がみちあふれている。このコラムでは、「セリュジエ」の地で生まれた独自の美のムーブメントについて触れてみた。これまで美術史の片隅におかれていたが、とても地価値のある土地であったのだ。別な機会に「ナビ派」と「日本趣味」との関係についても触れてみたいと考えている。

【アートコラム6　写真家アジェとブレッソン】

東京都庭園美術館は、西欧館のたたずまいで訪れる者をつつみこんでくれる。入口から、この旧朝香宮邸にゆくまでの広い道がまず気持を高めてくれる。

丁寧に造作された道の両側の木々にかこまれて、ゆっくりと曲りつつ、そぞろ歩きをしてゆくと不思議な程心がなごんでゆくのだ。

頭の中から色々な雑念がふりおとされつつ、いい知れぬ昂揚感がわき上ってくる。

古い洋館という存在が、なにより異和作用をひきおこして、魔都東京に今いるという感覚を鈍化せしめてくれる。2度目の訪問となるこの洋館で、パリの写真家の作品に出会おうとしている。

「PARIS VU PAR ATGET ET CARTIER=BRESSON」、つまり「写真展パリ・街・人―アジェとカルティエ＝ブレッソン」は、パリの都市の風景と人々をあたかも生きたまま時間を停止し凍結した状態で見せてくれるのである。

写真とは何なのか。写真という一つの表現体をみて、こんなにもどうして郷愁感が泉の如く湧いてくるのであろうか。絵画や彫刻では決してひき起こされない時間感覚の麻痺感覚はなぜおこるのか。その答を導き出すことはとても難しいことだ。

特にアジェの一枚の写真から発せられる強烈な凍ったような映像に触れるとき、現代という今の時代が、とても虚性にみちあふれた、ありきたりの陳腐な時間の集積にすぎないのではないかとさえおもえてくるのである。

写真に宿った時間の密度。そして密なるパリの息吹き。そしてさらには密なる人々の記憶。はたしてそんなにも、現在の時間とは不毛で意味のないものなのであろうか。ひょっとして、過去の時間と空間が、ただ写真という小さな世界に残されているだけであり、視るものがあまりに心情過多になってしまい、情緒におぼれてしまっているだけではないのか。さらに、郷愁を感じるのは、過去を美しいとおもってしまう人間の悲しい習性によるのではないかとさえ反問したくなる。

だがアジェの写真は、そうした反問やためらいの声を沈黙させ、視線をひきつけ、一気に写真という〈閉じた世界〉へ連れ去ってしまうのである。

このユジェーヌ・アジェについてフランソワーズ・ルノー（カルナヴァレ美術館写真担当学芸員）は、この展覧会のカタログ収録の小論文で、「ユジェーヌ・アジェが放浪者同然の流しの写真家であったという神話の誕生には充分うなずけるだけの理由がある」とのべている。

そもそも〈放浪者同然〉とは、具体的にどんな状況を示しているのか、という疑問が湧いてくる。フランソワーズ・ルノーは、その説明に、〈ほとんどしゃべらず、粗末な服をまとい、とっつきにくく、夜明けとともに重くて古臭い器材を背負ってパリやその近郊を写真におさめる〉という。これが実像だというのだ。

ではアジェの脳裏を支配したもの、それは一体何にか?・それを探りたいと思う。

アジェの不思議さは、突然ともいえる演劇人からの転身である。一時は、演劇界に身を投じ、国立演劇学校に入りそこで一年半勉強し、そのあと地方の劇団に入り、巡業してあるいた。そんな演劇人が、なぜかくも写真という当時としてはやりのメディアに興味をもったのか。

アジェの作品をみていると、それはなによりも〈パリという都市〉の〈現場の活写〉であることがわかる。作品には「中央卸売市場の肉屋1900年頃」「ルピック街のランプシェード売り、モンマルトル1899年」のように必ずパリ市街の〈現場〉の〈名称〉と〈撮影年〉を必ず作品のタイトルにつけている。

いうまでもなく写真による実景の凍結と保存。これが写真の機能である。他の美術手法ではたちうちできない機能である。

つまりすでにパリという近代都市からかき消えてしまった路地。古い建物。人々の生活が織りなす風物が、永遠にフィルムの中に封印されているのである。こうした時空を封印する機能は、今でも身近につかわれているのであるが、ここで忘れてならないのは、写真の登場は、深く絵画と関係があったということだ。

写真による実景の凍結と再生。あるいは活写の機能は、実景を再生するという役割をになっていた絵画の機能を根本から脅かしていった。

絵画の聖域を侵犯し、写真が一つのイマージュ（映像）をつくり出していった。想像するにこれは画家にとっては大変な状況となったことはまちがいない。

それは、今流にいうところの視覚革命という言葉でいいあらわす程の大変動であった。ではこの視覚革命を可能にしたものは一体なんであったのか。

アジェは、約40年間にわたる撮影では、終始、臭化銀ゼラチン乾板を使いつづけた。サイズは〈18×24〉㎝のガラス板である。このサイズが、彼のフレームとなった。このサイズのガラス板が、蛇腹式の暗箱で三脚上におかれたカメラにセットされ露光されてゆくのである。

この〈小さな絵画〉としての写真は、化学変化を応用した技術により創生させられるものであった。

プリントの方法は、これまた化学変化の助けを必要とした。１８９０年位までは、鶏卵紙プリントが主役だった。時代が下って、１９２０年代には、印画紙が主流となってゆくことになる。

＊

アジェのカメラ眼は、日常的なものへのしなやかな視座によって支えられている。

たとえば辻馬車、パリに牛乳を配る馬車、霊柩車などの風物を撮りつつ、そこには彼特有の批評眼というものがしのび込んでいる。アジェの作品を渉猟してゆくと、初め気づかなかったものが見えてくるのである。

それは何か。それは一つの社会階層における差別の実際である。特権階級の人々や富裕な人々のみが使う霊柩車など特別な車を撮りつつ、そこにパリに存在した階級的な差異を浮上させてゆくのだった。

実にアジェの視線は、自在であり、自然であり、郷愁をかきたてずにおかない磁力をもっている。しかしながらそればかりではない。そこには、強い階級的な視座が脈打っているのだ。つまり彼のカメラアイは、民衆的な側から発せられていることに気付くべきなのである。

それがよくあらわれてくるのは、社会の底辺で働く者、特に路上の労働者の姿においてである。

「ハーブ売りの少年」（１８９８年）、「花売り」（１８９８―９９年）、「ヌガー売り」（１８９８―１９００年）、

「ランプシェード売り」（１８９８年）、「郵便配達人」（１８９９年）、「研屋」（１８９９年）、「カフェ・オレ売り」（１８９８―９９年）、「新聞雑誌売り」（１８９８―１９００年）、「貸り船屋」（１８９９年）、「ボロ布屋」（１９１３年）などの作品をすぐあげることができる。

アジェの作品の系譜については、パリの都市生活者・民衆、パリの都市風景（建物・通り・街路など）、人々の生活と室内空間と大きく３つに区別できる。

さらに視線は、人物像の活写・記録からはじまり、その人間の生活する都市風景へ移っていく。さらに、室内へも入りこみ、「演劇家Ｒ氏の室内、ヴァヴァン街」（１９１０年）、「つつましい年金生活者Ｄ夫人の室内、ポールロワイヤル大通り」（１９１０年）「室内装飾家Ｃ氏の室内、モンパルナス街」（１９１０年）といった慎しい市民生活者の実像をとらえてゆく。最後に再び視線は、外へと放たれてゆくことになる。

しかし今度は、カメラは人々には注がれない。全く人気のない街路や壁、広場、小路、庭、シテ島、河岸などが主人公になった。つまり１９２０年代のパリの〈素顔〉や〈相貌〉がつかまえられてゆくのである。

この最後の系列の作品制作において、アジェは真の写真家アジェとなってゆくのである。

たしかに、アジェは都市を被写体にした写真家である。いや写真画家というべきかもしれない。まちがいなく写真の機能を利用した画家というべき性格をたしかにもっているのだ。

ただ、単なる都市の記録者と一線を画するのは、その視線の鋭敏さである。

その鋭敏さは、アジェの精神そのもの、そしてその深部から発せられるものである。どんどん生活の臭いが画面から消えていくことになるが、その鋭敏さは不変だ。１９２０年代の、つまりアジェが生きた〈時代〉

のパリという都市の〈相貌〉をリアルに「記録」しようとしたのだ。

では都市の〈相貌〉とは何か。それは、都市を生きた人間だけでなく、パリそのものを生物（有機体）としてつかまえようとすることではないか。

パリという一個の身体。一個の生物としてのパリ。それこそがアジェの獲得した視点ではないのか。他の写真家と同じく、一つ一つ現場を記述してシャッターを押してゆくのであるが、それが次第に、一つの写真行為から逸脱して、被写体の内臓まで腑分けするようになる。つまり生物学的に考察してゆくのである。カメラによる生物学的考察。そんな言葉が誰にいわれるまでもなく、私の心の中でごく自然にうかんでくる。

アジェ以後の写真家も、おおくパリを撮りつづけたが、それぞれの時代情況を反映して、その時代のパリを一つの〈生物〉のようにみつめてゆくのである。その大いなる先駆者こそアジェなのだ。まさに１９８０年代から１９２０年代にわたる長いスタンスの中で、パリという一つの都市という〈生物〉の〈成長〉と〈変貌〉をつかまえようとした偉大な仕事をなしたのだ。私はこういいたい。カメラアイを介してパリの生きた〈博物誌〉を編んだのだと。

１９３０年代になると、都市を亡命者の病める魂でみつめた写真家がいる。それがヴォルスである。一時はパリに来てファッション館などで華麗な仕事をしていた。フランスからみれば敵性外国人だった。この都市の中では、一人の無国籍者、そして放浪者だった。

そのためであろうか。ヴォルスの写真は、どこか即物的（断片的）であり、そこには苦悩の傷跡がみえる。

一方今回、この展覧会の同時開催となっているカルティエ＝ブレッソンは１９４０年代のナチス・ドイツによるパリ占領、その後の〈パリ解放〉という劇的なドキュメントをのこしてゆくのである。カルティエ＝ブレッソンの眼は、あくまで今も生きている人間そのものに注がれている。構図も精妙にセットされ、ドキュメントを記録するために、常にカメラは歴史をみつめつつ社会の中へ、前へ前へ出てゆくのである。

ブレッソンのカメラ眼は、つねに動いている。そして一つでもおおくの人々の証言を写真の中に残そうとする意志につらぬかれている。それが、彼が所属した写真集団「マグナム」の意志であるといえばそうだが、これ程見事に、はっきりと歴史的意識にうらづけられた生きた写真という名の証言は、この時代に生きた人々の聲を記録する大切な資料となっている。

このように、それぞれの時代毎に、〈成長〉し、〈変貌〉してゆく都市は、たしかに一つの〈生物〉であるといえようか。

さて、再度アジェに戻って考察してみたい。やはりアジェの後半の写真の変貌に驚くのである。当初あった人物の姿は、画像から消え去ってゆく。それに代って、人の居ない、あるいは人がいてもそれは実態のない虚性を帯びた影になってしまっている。変幻しつづける通りや建物の無言の表情（横顔）だけが生き生きとしるされてゆくのである。

この無言の映像記述はアジェの精神の有様を示しつつ、アジェの内部で新しくつくり出されてゆくある種の〈哲学〉であり、美学でもあったようだ。

[アートコラム7　ドラクロワとフランスロマン主義]

ロマン主義の美学とはなにか。またロマン主義の提示した問題とはなにか。また、このロマン主義は、いかなる位置を美術史のうえにしめるのかを少々考察しようとおもう。

日本人には、ロマン主義というと、どういうわけか文学的テーマとして思い浮かべる傾向がつよいのではないだろうか。文学界の中では、すぐ三島由起夫をおもいうかべるかも知れない。最晩年の『豊饒の海』などの三部作や、中期の戯曲たる『癩病のテラス』などには、死や没落などのロマン主義のテーマがよこたわっているのである。

〈美の殉教者〉たる三島由紀夫は、夢と転生の物語である『豊饒の海』(第三巻・「暁の寺」)で、登場人物の菱川なる人物に、次のようにかたらせている。

「芸術というのは巨大な夕焼です。一時代のすべての佳《よ》いものの燔祭《はんさい》です。さしも永いあいだつづいた白昼の理性も、夕焼のあの無意味な色彩の濫費《らんぴ》によって台無しにされ、永久につづくと思われた歴史も、突然自分の終末に気づかせられる。美がみんなの目の前に立ちふさがって、あらゆる人間的営為を徒爾《あだごと》にしてしまうのです。」

三島由紀夫は、このように、美を絶対的にものとして、価値のなかでもそれを一番高い位置においたのである。肉体においても絶対的美を崇高なものにしたのである。

日本では希有な存在であるこの〈美の殉教者〉は、自分の肉体の劣等性をとりつくるため、あれほどまでにして肉体を改造したのであるが、残念なことに美の根源に、天皇、神国たる日本をおいたので、右翼的国家主義に走り、また〈滅びの美〉の典型ともいうべき、これまた極めて日本的な殉教のスタイルである〈切腹〉をえらびとってしまったのである。

日本への純粋な伝統回帰にはしってしまうことに、日本のロマン主義の悲劇的末路がしめされているといったら、いいすぎであろうか。

興味深いことに、三島由紀夫がピカソの「ゲルニカ」を見てのべた感想がある。「この領域にむかって、画面のあらゆる種類の苦痛は、その最大限の表現を試みている。その苦痛の高みにまでたっしていない。人一人の苦悩は失敗している(『アポロの盃』)。つまりこのように客観的記述に終始しているのである。ピカソの「ゲルニカ」には、肉の苦痛が顕現されていないというのである。モノクロの「ゲルニカ」の映像は、彼の想像力を喚起しなかったのである。しかし、肉の苦痛をあらわしている殉教者たる「聖セバスチャン」には並々ならぬ共感をしめしているのである。このように、現代美術の巨匠であるピカソにたいするこの否定的見解には、まちがいなく三島のロマン主義的感性が影をおとしているようだ。

さて今日のテーマは、「フランスロマン主義」なので、これ以上、三島と日本的ロマン主義について語ることはやめたい。

ところで、ヨーロッパ美術を論じる上でフランスの19世紀美術、あるいは大きくいえば、20世紀にまで広がって、重要な役割をはたしたロマン主義を抜かすわけにはいかない。ではロマン主義が、いかなる先駆的役割をになったのであろうか。

まず新古典派の美術界に大いなる挑戦を企て、新しい美の運動をつくりだしたのである。

当時、アングルを代表とするアカデミーは、ラファエッロ主義といっていいほどに、ラファエッロを手本にしていた。しかし、ドラクロワの先人となるジェリコーらは、あのラファエッロ絵画の基調となっている、〈調和〉〈均整〉をくつがえそうとした。それにかわって、〈流動〉〈劇的ドラマ性〉〈人間の赤裸々性〉を描こうとした。当然にも、その手本も変化した。ラファエッロに対して、ミケランジェロが〈新しい手本〉となった。また色彩の面でも、あたらしい色である黒がつかわれ、さらにドラクロワにみられるように、さまざまな色彩が、キャンヴァスのうえで探求されていたのである。

もっとも注目すべきこととして、かれは〈人間の追求〉〈ドラマ性〉〈悲劇性〉において、世紀末の苦悩を予兆させ、また色彩の分野においては、印象派を準備したともいえるのだ。それが、私がこの講座において、ロマン主義をまず第一に論じようとした目的である。

さてロマン派の芸術家の熱心な推進者であった詩人ボードレールは、多様な美の存在を肯定し、ロマン主義とは、形式や主題ではなく〈ものの感じかた〉にあるとみた。つまり、自分たちの時代の美を追及すべきという大きな主題ともつながっていくというのだ。

たとえばユーゴーは小説『ノートルダムのせむし男』で〈醜の美学〉をつくりだした。

音楽家ベルリオーズ〔Harriet Berlioz〕は、１８３０年に「幻想交響曲」をかき、イギリスの女優スミスソンに対する恋情を盛り込み、失恋した青年が、アヘン自殺しながら、その昏睡状態でみた幻想を表現している。

またジェリコーは「メデューズ号」の事件に取材し、さらにパリの死体収容所で死者の姿を写生し、晩年には、狂人をテーマにえがいている。またロマン派は、もうひとつの大きな変革をなしとげた。〈現実からの逃避〉〈異国の憧れ〉〈過去への郷愁〉をつくりだすのである。これらの要素を総合化したのがドラクロワである。

さてフェルディナンド・ヴィクトール・ウジェール・ドラクロワは、「革命暦」6年の4月7日（1789・4・26）、パリの郊外のシャラントン・サン・モーリスにうまれた。父は、フランスの外務大臣をつとめた人物であった。

しかし実際は、父シャルルのあと、外務大臣になったタレーランこそが、画家の父であるという説もある。その証拠は、父のシャルルは、医学的根拠から子供をつくることができなかったという。またドラクロワが生まれる前より、バタヴィア国駐在フランス大使として、パリをはなれていた。さらにドラクロワとタレーランがよく似ていたという点。「ダンテの小船」「キオス島の虐殺」が異例の政府買い上げになったことなどがその証拠としてあげられている。

さてドラクロワが画家としての地歩を占める過程で忘れてならないのは、1815年に新古典派のゲランのアトリエにはいり、7歳年上のジェリコーとも知り合い、この人物よりロマン派気質を引きだされたことだ。

ところで実際上のデビューは、「ダンテの小船」（1822年）と「キオス島の虐殺」（1824年）であるといっていいだろう。1822年ギリシャの小さな島シオ（キオス）でトルコ人によりギリシャ人が2万人虐殺された。この事件は、ロマン派の世代の人々の心を激しくゆり動かした。たとえば、ユーゴーは、〈トルコ人の過ぎゆくところ、すべては廃墟と悲嘆、葡萄の島キオスはもはや陰険な暗礁でしかない〉とうたった。だが、この事件に対するドラクロワの思惑は、少しちがっていた。どうもサロンでの評価を勝ちえるための作戦がまずあったようである。極めて冷静にこの事件をあつかっているのだ。あくまで、画家の眼でこれを書こうとしている。

〈ロマン派の旗手〉ともいうべきドラクロワの実相はいかなるものであったか。我々はともすると、日常的にもとても活動的なドラクロワ、ジャーナリスト的なドラクロワを思い浮かべるかもしれない。しかしその予想に反して彼は、孤独を好み、生涯結婚もせず、ショパン、ジョルジュ・サンドなどの友人や音楽を好んではいたが、社会的発言を好む行動的な性格ではなかった。

バイロンとは全く対比的。かといってユーゴーやラマルティーヌのような人物でもなかった。たとえば旅行にしても、イギリス旅行（わずか4ヶ月）、１８３２年のモロッコ旅行にしても半年たらず。当時は、画家として名をあげるためには必須の条件でもあったイタリア旅行は、実行していない。ただ、このモロッコ旅行では、南仏、スペイン、アルジェリアをまわり、多彩華麗な色彩を獲得する重要な役割をはたしている。なんと18冊の画帳に、５００点ものスケッチをのこした。ある見方をすれば、このモロッコ旅行は、印象派の出発点（先取り）であるということである。

＊

さてここで、初期の問題作であるふたつの作品についてみてみることにする。

ドラクロワの名を不動にならしめた作品に「サルダナパールの死」がある。このサルダナパールとは、古代史のなかでも有名なエピソードをもつ人物である。

しかし、この古代の王は、放埒な生活とその結果としての〈滅亡の物語〉として知られていたに過ぎない。ちなみに、サルダナパールと言えば放埒なとか、柔弱なという意味となり、肉欲におぼれる放蕩者の代名詞であった。しかし、バイロンは、１８２１年に劇詩「サルダナパールの死」を書き、あたらしい〈サルダナパールの像〉を提出した。

それは放蕩ものとしてではなく、悲劇的でさえある劇的な死を選びとる英雄として描きだした。壮烈な死。運命に逆らうかのような王の悲劇的姿がここにはある。バイロンが、詩のなかで想像したものを、ドラクロワはさらに脚色し、全く今までにないあたらしいイメージを作りだした。そこには、大きな転換がある。

実はドラクロワは、バイロンの詩の描写にないものさえ想像力でもってつくりだした。殺戮の場面は、バイロンにはなかったという。しかし彼の場面には、目をおおうばかりの殺戮の情景が、生なましく描かれている。つまりここに放蕩者としてではなく、〈悲劇に抗する英雄像〉としての新しい性格づけがされているのである。

この悲劇的な事件は、あくまで古代の一事件ではある。当時の歴史的事件に取材したもう一つの作品にも注意をはらうべきである。

「キオス島の虐殺」がそれである。この事件は、ギリシャのキオス島住民へのトルコ人の無差別な殺戮行為に取材している。ごぞんじのように、バイロンは、この戦争に従軍し、自由のために立ちあがる民衆の姿に大いなるエネルギーを感じ、共鳴し、ついにはみずからの武器をもって自由のための戦いに参加した。この性急な行為こそが、ロマン主義のひとつの発露スタイルであるといえようか。なぜならロマン主義とは、不条理にむかってたちあがる激情や心情を大切にするからである。

一方でドラクロワは、批評家としてもすぐれた作品をのこし、『美術辞典』の執筆をおこない、また多数の論文を残している。かれはラファエッロ、ミケランジェロ、ニコラ・プッサンなどを高く評価し、またヴィンケルマンによる研究以来、新古典派の信念になっていた理想美をしりぞけ、それぞれの民族の〈美の多様性〉をみとめる個性美を主張している。

印象派の巨匠ルノワールは、「アルジェの女」たちにたいして、この絵にちかづくと異国の香りが匂って来るようなきがすると賛美している。また「ダンテの小船」では亡者の身体についた水滴は、赤、黄、緑、白の粒となり、そこからはなれると、視覚のなかでそれらの色が混合されるということを試みている。つまり、ここでもドラクロワは印象派の先駆をなしているのである。

さて、ロマン派的テーマとして彼が好んだのは、「オフェリアの死」であり、「ハムレットの孤独」であった。1820年代から30年代にかけてよくえがかれたこのオフェリアのテーマは、水の象徴のテーマに関係している。ここには19世紀末のテーマである〈水〉の象徴性がすでに登場してくるのである。

＊このエッセイは、1989年に朝日カルチャーセンター札幌で開講した講座「ヨーロッパの世紀末」の中での講義を採録した。

【アートコラム8　ギュスターヴ・モローとルドン】

★モロー〔Gustave Moreau〕の時代

ギュスターヴ・モローの有名なエピソードを初めに語りたい。それは、彼の絵画を理解する上で重要な資料となるであろう。モローは、夜間に、それもガス灯の光のもとで絵を描いていた。という伝説的なエピソードである。

昼間の光をひたすらさけ、夜を愛し、夜の闇のなかで密室ともいうべきアトリエで絵筆をうごかすというこの姿に、何かしら秘教的なものを感じるかもしれない。しかし、ドイツのロマン主義の旗の下にいたフリードリヒのような悲劇的体験はない。フリードリヒは13歳の時、河でスケート遊びをしていた時、氷が割れて下の弟が溺死してしまう。そのことに自責の念にかられてうつ病を患い自殺未遂をおこしている。そのこともあり、この画家は死を身近に感じ、廃墟になった。僧院や墓地を好んで描いた。

モローには秘教的事件もない。秘教的どころか、一方では近代美術史を大きく切り開く重要な役割を果たしているのである。

1881年以降、サロンより遠ざかり、ラ・ロシュフコー街の自宅に陰棲しつつ、同時に美術アカデミーの会員、エコール・ド・パリの教授をつとめているのである。その自由で個性的な教授法から、数多くの人物が輩出していったという。

マティス、ルオー、マルケ、カモワンなどはその弟子となった。モローは「私は君たちが渡ってゆくための橋だ」といったという。彼らは革新的なムーブメントとなった野獣派を産みだしたのである。つまり野獣派の産みの親はモロー自身といっても決して過言ではないようだ。

この1881年という時代を少したどって見ることにする。ロドルフ・サリなる人物は、モンマルトルに、キャバレー〈シャ・ノワール〉を開いた。詩人、画家などのボヘミアン（放浪者）があつまり、自由な文化がつくられつつあった。また、都市の文化も華開き、オペレッタ、ワルツそして、シャンソンが流行した。まさに「ベル・エポック」の華が咲き誇っていたのである。

時代が都市化となり、カフェに芸術家がたむろし、新しい息吹を発していった。そうした新時代の足音に逆行するように、モローは古代の神話世界や聖書世界に退行し、そのいにしえの物語の世界を旅し、一方で冷たいビザンティンの薄明を追いもとめていたのである。

かれの作品のほとんどには、このビザンティンの芳香がプンプンと発している。『オイディプスとスフィンクス』（1864年）、『オルフェウスの頭を運ぶトラキアの娘』（1865年）、『出現』（1874—76年）、『ユピテルとセメレー』（1895年）、『一角獣』（1885年）などを列挙してみるだけでも、その耽溺ぶりがわかるというものである。

それぞれの画像を見る時、おびただしい裸の女が描かれていることに驚かされる。『イアソン』の勇士とそのかたわらの女、『出現』に見るサロメ。ジュピターとセメレーの血にぬれた女などである。数えたらキリが無いほどに、女たちは悩ましく、妖美を放つのである。それはまさに退廃の美。倒錯の美である《冷たい宝石》の光を放つ。それは、はたしてこのモローの女たちの実体であろうか。

《冷たい宝石》の具体的イメージをたどるとすれば、どうしても《サロメ》像にゆきつくことになる。《サロメ》とは、もちろん聖書（新約）に登場するヘロデ王の娘であり、預言者たる洗礼者ヨハネの首を所望して、その切断された首をもっておどるという、魔力をもった女である。そんな女が、何故数多く描かれることになったのか、理解に苦しむところではある。そこには、当時の時代背景、これまでの男性中心社会に抗して、つまり、女性の社会的台頭、女権の伸長があったということを忘れてはならないだろう。

言い替えるならば、女性の社会的な自立が一般化し、さらにヨーロッパ文化の爛熟により、美の価値観に亀裂が入りこみ、退廃、〈デカダンス〉の美こそ、崇高なものという新しい価値観が大きなパワーをもってきたわけだ。それはやや気味の悪い、しかし、なにか魅力をもった妖性を帯びた美であったにちがいない。

★デカダンスの美―ユイスマンス

〈デカダンス〉といえば、ジョリス＝カルル・ユイスマンス（Joris-Karl Huysmans）の名をあげなければならないだろう。今回のテーマであるギュスターヴ・モローとルドンを語る上でも重要な人物である。ユイスマンスは、『さかしま（À rebours）』（１８８４年）で主人公デ・ゼッサントに〈デカダンス〉の衣を着せ、飾りたてたのである。このデ・ゼッサントの部屋は、蝋燭の火でかざりたて、壁は蝋燭の光がはえるオレンジ色。部屋には、船室風になっており船窓をかたどったマドには、水槽をおき、玩具の魚を泳がしたという。この人工の楽園は、反自然の城となり、そこでは、限り無く快楽的な儀式がひそかにおこなわれていたのである。海亀の背に宝石をつみあげ、その光輝を味わったり、また毒々しいベコニヤの葉をあつめ、それをめでるといったこうした〈デカダンス〉の趣味は極めて異様な風景にはちがいない。

ただ『さかしま』が重要なのは、ただ人工の楽園を想像したことのみにあるのではない。その第5章には、〈絵画評〉がしるされ、12章と14章には〈現代文学評論〉がしるされているのである。つまり当時の第一線級の評論集でもあるのである。

主人公デ・ゼッサントは、モローの2つの作品、『ヘロデ王の前で踊るサロメ』と『出現』に出会うのである。サロメについては、〈破滅し難い色情の表徴的女神、肉を硬直させ筋を固定させる硬直病により、すべての女の内から選ばれ呪われる美女、古代のヘレネーとひとしく、ちかづくものを、みるものを、触れるものをすべて毒する、無関心で無責任で、無感覚な、奇怪きわまる牝獣〉とのべている。

『出現』については、〈洗礼のヨハネの首からほとばしりでる強い光のもとで、すべての宝石の切り子は燃えたつ。宝石は生命を帯びて、白熱した光で女の身体を描き出す。頚にも、脚にも、腕にも火花が炭火のように赤く、ガス灯の焔のように菫色でアルコールの火のように青く、星の光のように白い光がひかる〉と。

このように、文学の出発を自然主義の師ゾラからはじめたユイスマンスは、〈デカダンス〉の色濃い文学を選びとっていったのである。

★ルドン〔Odilon Redon〕の世界

モローの神秘的主義や秘教的主義は、ユイスマンスに大いなる影響を与え、文学的開眼をなさしめたのである。そのユイスマンスは、今度オディロン・ルドンを発見することになる。ユイスマンスの心の中では、ルドンの絵画世界に棲む人物こそモローの描く人物とぴったりと符合したようだ。

夢想の彼方への旅。文学の革新のための新しい血を画家たちから受取り、未到の神秘的な楽園をつくりだしたのである。ボルドーでうまれたルドン。病的なルドン。しかしデッサンと音楽には、特に興味を示したという。ボルドーの美術館ではミレー、コロー、ドラクロワと共にモローの作品におおいなる刺激をうけたという。はじめ建築家志望であったが挫折し、画家への道を歩んでゆく。画家になるにあたって影響を強く与えた2人の人物を登場させる必要がある。

1人は、クラヴォーなる人物。植物、微生物学者。もう1人は、奇怪な幻想風の銅版画画家ブレダンであった。なぜこの2人が大切かといえば、クラヴォーからは、生命の不思議さや微視なる世界の存在を教えられたし、さらに詩（ボードレールやアラン・ポーなど）やさらには哲学（スピノザ）を教えられたのである。この2人の影響は、さらに彼の中で合体、融合され色と黒の版画シリーズ、銅版画シリーズである作品集『夢の中で』、石版画集『エドガー・ポーに』などの記念碑的作品をうみ出すことになる。文学からのヴィジョンの提示。その詩的なヴィジョンは、さらに彼のなかで発酵、飛躍し、版画のなかに具体的像として記述されていくのである。この作業は、なんと30年あまりも続けられ、50歳頃からはじめたパステル画まで継続されるのである。しかしパステルという色彩あふれる材料を用いても、また自然の花などを描いても、内側から発する光は不変であった。どこか隠花植物のような花に私にはみえるのである。

しかし現代人のわれわれがルドンの闇を見る時、いいしれぬ安堵感、平安感を味わうのはなぜであろうか。そこには深い闇がひそんでいるのであり、この深い闇から、どこか不思議な神秘的音楽が聞こえてくるからではないか。

さて黒という色は、画家クールベが民衆の市民的アイデンティティのシンボルとして用いたものである。美しく上品な色ではなかった。初めこの色は、喧々がくがくの論議を引き起こしたといわれる。それだけ下品な〈階層の色〉、また〈野卑な色〉の代表であったといえよう。絵画作品において色彩は、なんと階級性を示現していたことになる。

ルドンは、さらにこの色を階層性の低い位置から引き上げ、〈聖なる存在〉にまでたかめたのである。まさに心の中に静けさと神秘的安らぎをあたえる意味ある存在にまでひきあげたのである。

【アートコラム9　オペラ座界隈の散歩】

★オペラ座界隈

現在札幌では、〈オペラ座〉が有名になっている。もちろん本物のオペラ座ではなく、劇団四季のミュージカルの〈オペラ座の怪人〉が上演されていることを指している。コマーシャルでは、〈札幌駅がオペラ座になる〉というオーバーな宣伝文句が使われている。こういう宣伝文句は、どうも好きになれない。嘘でも許せる上品な嘘ならいいが、これなどは、その反対に歯の浮いた誇大広告の類。こういう前宣伝の劇をみに行こうとは思わない。

この「オペラ座の怪人」舞台となっているパリのオペラ座。そこにはいる前に、少々このオペラ座界隈を、パリの空気を吸いながら、散歩することにする。

オペラ座界隈は、外国人がとても多いところ。パリへのお登りさんが、よくみかけることがおおい。もちろんこの近辺は、私も好きな場所の一つである。

なによりステキなホテルもあり、のんびりと休憩のできるキャフェ「カフェ・ド・ラ・ペ」(平和のカフェ)もあるし、オペラ座もすぐ目の前にある。また、ここの通りは長く〈グラン・ブールヴァール〉と呼ばれている。

実は、この場所は、日本人にとっても由緒ある場所といえる。パリに来た日本人なら、まずこのオペラ座の近くの「グラン・オテル」に昔流の言い方をすれば、草鞋《わらじ》を脱いだ。

時は、江戸の末期。日本人の一行が、花の都にやってきた。徳川幕府の役人である池田筑紫守に随行していた佐原盛純は、その著『航海日録』に、次のように記している。

〈当旅館は東西二十余間、南北一町余、八層づくりにして、客房の数は七一五ありと云。表面正門の食房などは大寺院の客殿に彷彿たり。円形にて径り一四、五間、凡そ二百五十人食盤に就くべし。祖外食場は幾十ヵ所もあり。我邦人の房は悉く三番目の所に決定し……〉。

この文で興味ぶかいのは、パリというヨーロッパの都会に来たチョンマゲを結ったサムライ達が、異文化で出会って新鮮な驚きを記しているところ。まずホテルといわず、〈旅館〉というところが、なんとも時代を感じさせる。ホテルという存在を知らなかったこのサムライは、さらにいろいろな珍事件をおこしている。初めて洋式のトイレや風呂を見て、どの様に使用するか方法もわからずただ狼狽している。たとえば、トイレの扉を閉めることが、安全の面からも不安で、そのまま開いて用を足していたという。見るもの聞くものすべてが自分の価値観では理解のできないことばかりであった。

また1867年には、パリ万博の折、江戸幕府の第15代将軍徳川慶喜の一行が来ている。

★ガルニエ・オペラ座〔Palais Garnier〕

このオペラ座の紹介に入っていきたい。

現在この音楽の殿堂は、通称〈ガルニエ・オペラ座〉と呼ばれている。それは、この建築物を設計したシャルル・ガルニエの名前をとっている。

シャルル・ガルニエは、ナポレオン3世の命により第二帝政の権威をみせるために、この宮殿のような建築物を設計した。

この場所に立ってみると、その偉業がよく理解できる。まず階段をのぼり、中に入るとまず階段がある。豪壮の階段である。どこかの貴族の豪邸にでも招待されたような気になってくる。天井には、絢爛たるシャンデリア。気分は、全く軽快そのもの。この階段を登ると、ようやくオペラ座の劇場空間にいることを実感する。

私は、1月の冬の日、観光客が少ない時に、ここを見にいった。そこには、暗い空間があるだけであった。照明も鈍い光を放っていた。入口看板には、今日の公演が案内されていた。「ジゼル」と記されていた。バレーの上演である。このように、この場所は、現在はオペラ専用の空間ではなく、バレー中心の劇場になっている。

ぜひこの客席に座って音楽を堪能してみたい。それは、また今度来た時の、楽しみに残して目を天井に移した。そこには、あのシャガールの天井画があった。この天井画に見つめられながら、バレーを味わうことができたら、まちがいなく目と耳の快楽の両方が満たされるであろう。

このシャガールの天井画は、フレスコの手法で描かれている。彼は、このオペラ座に相応しい主題を選んだ。そのひとつひとつを確認してみた。顎が痛くなるほどであるが、「ダフニスとクロエ」などが描かれているのがわかる。モーツァルト、ラベルやストラヴィンスキーなどの音楽家に賛歌を捧げている。描かれた恋人などが、浮遊しており、いましも舞台に下りてきてバレーを演じるような気がした。実は、この天井画の一番の鑑賞法は、一番安い上段の席を買って座ること。頭のすぐ上にこの作品をみることができるからだ。

さて作品制作は、１９６３年から１９６４年にかけておこなわれた。１９８５年に97歳でなくなっているので、その23年前、つまりシャガールが74歳の時の作品である。当時の文化大臣であるアンドレ・マルローのたっての要望でこれが実現した。

70過ぎの老いた芸術家の作品とは思えない溌剌とした活気にあふれている。この作品をみるたび、私はシャガールがいかにパリを愛していたかを、思わずにはおられない。

１８８７年にヴィテブスクに生まれたシャガールは、憧れのパリに来たのが、１９１０年の時。かれが23歳の時のこと。その後ロシア革命（１９１７年）がおこり、革命政府に協力し、美術の教育にもかかわった。しかしナチス・ドイツの台頭にヨーロッパ全体が緊張関係にあるなか、否応なく政治の渦に巻き込まれていった。フランス国籍を修得した。１９４１年にはナチス・ドイツの迫害を避けてアメリカへの亡命を余儀なくされた。ユダヤ人シャガールは、こうした激動の歴史をくぐりぬけながら、つねに心は〈故郷ヴィテブスク〉と〈自由の地フランス〉を離れることはなかった。このオペラ座の天井画をみつつ、いかにこの都市を愛しているかをあらためて知らされる思いをした。

さてこの建物の内部には、博物館が併設されている。

もしも時間があれば、覗いてみることを勧めたい。入口ホールには、フランスを代表するオペラ作曲家の面々の胸像がならんでいる。リュリ、ラモー、グルック、ドビュッシーらが、われわれの来訪を待っている。ブーシェやベランの衣装デザインのためのデッサンもある。変わったところでは、マスネのピアノ机。舞踏家ニジンスキーのサンダル。アンナ・パヴロワのトゥーシューズなどがある。

ところでこの時、数枚の写真をカメラに納めたのであるが、後で見てビックリ。なんとシャガールの天井画が、不思議な映像と二重映しになっていた。どうも変だ。よくよく考えて見た。フィルムの巻き上げにトラブルがおこり、この後でみたバスティーユ・オペラ座の映像とドッキングしてしまったようだ。〈しまった、なんという初歩のミスか〉、と後でくやんだ。しかし、待てよと思いなおした。こういうことは、滅多にあることではない。なにせ新旧オペラ座が、一枚の写真でドッキングしたのであるから、〈むしろ貴重なものではないか〉、という勝手な理由をつけて少々ニンマリした。

ところで、この「ガルニエ・オペラ座」は、壮大な規模の敷地に立てられている。面積で、11平方キロメートル。当時35歳のガルニエの渾身の力がはいった作品である。

このオペラ空間の規模が、とても凄い。450人が乗る舞台。2200の客席。さらに舞台装置も凄い。オペラの上演のためには、予備舞台が必要になるが、その装置が大規模であった。舞台用語で、奈落というのがある。奈落も凄いらしい。私も、札幌にあった厚生年金会館ホールの舞台奈落をみたことがあるが、客席に座っていただけでは決して分からないが、自分の目でみて感動した。日本でもヒットし、映画化までなった「オペラ座の怪人」というのは、ドラマでは、怪人とはこの奈落のさらに地下に住む作曲家という設定という。

オペラ座の外で、見逃して欲しくないのは、正面の右に置かれた彫刻。カルポーの「ダンス」だ。当時、裸体表現が物議をかもしたという。タンバリンを片手に踊る男とその周りに輪舞する女たち。その動勢が見事である。ただし、このオリジナルは、いまはオルセー美術館にある。ここにあるのはコピーの方。このコピーの制作は、彫刻家ベルモンドという。ちなみに彼は、なんと俳優のジャンポール・ベルモンドの父という。

さて、ガルニエ・オペラ座のオープニングは、とても壮観なものであったという。この建築物の構想の中心人物であったルイ・ナポレオンは失脚していた。この時のオープニングで一番先頭に立ち目立ったのは、フランス人ではなくイギリス人であったという。真っ赤なマントに身を包んだロンドン市長ヴィッド・ヘンリー・ストーンであった。

オペラ座の誕生は、あたらしい時代の誕生でもあった。従来の音楽愛好家は、王族や貴族といった特権階級ときまっていたが、〈新興ブルジュアジー〉である市民階級が中心的存在となってきた。

ただ急に新しい〈音楽堂〉ができる訳でもなく、当初はバロック以来の劇場空間をしっかりと継承した。馬蹄形のバルコニーやボックスシートなどに陣取ったのは、市民たちであった。

これまでは別々の入口から入場していたがそうした身分差別もなくなり、同じ入口から肩を並べて、オペラを楽しむようになった。

この〈庶民のオペラ〉という考えは、当時の流行語となった。同じく、オペラのメッカとなっているバイロイトでは、あのワーグナーが活躍する祝祭劇場がオープンしたのが１８７６年。つまりこのパリのオペラ座オープンの翌年である。この祝祭劇場がとてもユニークなのは、このパリのオペラ座よりもさらに〈民主的〉

であったこと。

ワーグナーは、〈民主的なオペラ〉を目指し、ボックスシートも廃止し、きらびやかな装飾も押えたという。実は、こうしたオペラをめぐる考えの対立は、決して、過去のことではないと実感したのは、バスティーユにつくられた〈新オペラ座〉の運営をめぐって同様のことが起こり現在もそれが深刻に尾を引いているというからだ。この新オペラ座は、期待に反して評判はよくない。初めにもう味噌をつけてしまったようだ。

そのことを知らせてくれたのは、パリのシャンゼリゼ劇場での演奏会で偶然知りあった木下健一から、ある記事を送ってくれたことによる。木下健一は音楽評論家、パリ第10大学（パリ・ナンテール大学）卒業であり、特にワーグナーのオペラの熱心な研究家である。日本の音楽雑誌にも投稿してパリから最新のニュースを送っていた。

彼によれば、この劇場の性格をめぐってミッテラン政権と、パリ市の保守勢力との間に、相当の確執があったという。それを一言で云えば〈民衆のためのオペラ〉か〈貴族的なオペラ〉かという対立であるという。とすれば、１００年前と同じことをこのパリを舞台に、繰り返していることになる。

★バスティーユ・オペラ座〔L'Opéra de la Bastille〕

新オペラ座、バスティーユ・オペラ座について語っておく。

この建築物は、いろいろと物議をかもしているとのべたが、確かに外見からみても無難すぎて面白みがない。口の悪い人は、あれは「区の巨大な温水プール」だという。

　これは、国際コンペによるもの。全部で744点もの作品が全世界から集まった。その後、審査委員会でも検討したが、決定案が決まらず、最後はミッテランに最終決定を委任した。その結果選定されたのは、パラグアイ系カナダ人のカルロス・オットーのプラン。オットー案は〈注文の内容〉をしっかりと盛り込んであり、奇抜さはないが安定した案であった。

〈巨大なプール〉という酷い批評が浴びせられているといったが、それは、ガラスをふんだんに使ったためでもあろうか。

　さてここの広場に一つの円柱が立っている。〈栄光の三日間〉とよばれた7月革命を記念した円柱である。ここのシンボルになっている。円柱には、1830年の革命に倒れた民衆の遺骸がおさめられている。かつてここに別なモニュメントがおかれていたことを知るひとは少ないようだ。私も、最近、『バスチーユ・ロマネスク』(1990年)という素敵な本で、その内容を詳しく知ったのだ。岡部あおみと、港千尋の共著である。この本では〈バスティーユ広場のエレファント〉と題された文が、かなりのスペースを割いて書かれていた。

★「バスティーユの象」

　この場所には、いまのべたようにひとつの塔が立っている。円柱です。塔には、天使が舞っている。それは〈ジェニー〉という名前がつけられています。ぜひ高く聳える塔を近くで見てください。ただし、この円柱にいくまでが要注意。いわば命がけの決死行ともいえるほど。とても並みの運動神経ではかわすことの出来ない車の量とスピード。それも日本とは違って車は反対から攻めて来る。渡ろうとすると体の右から車がやってくる。脇に目をやると、その車の渦をよけ切れずにネコが一匹、無残な死をとげて腸をみせていた。

ようやく果敢な決死行により塔にたどりついた。外観とはちがって柱には、名前が記されていることが分った。これは7月革命に倒れた人達を追悼する塔でもあることが分かる。

「1830年の7月革命記念」ともいうべき塔。この塔が立つ前には、ここには〈一匹の象〉がおかれていたというのである。

1789年の7月14日の夜にこの場所にあった「バスティーユ牢獄」が革命家達の手に落ちた。フランス革命の幕開けである。

この事件は、いまでいう〈ベルリンの壁〉の崩壊の事件にとても近いといえる。それだけの衝撃的事件であったといえる。

ひとつの体制が音をたてて崩壊した。自由と平等という合言葉で、〈アンシャン・レジーム〉(旧制度)が否定されていった。歴史上有名なこの襲撃事件は、この牢獄に政治犯がおおく捕えられているということだったが実際に解放してみると重要な政治犯はいなかったようです。いずれにせよこの事件は、王政を根底から否定する導火線となったことはその後の展開をみれば一目瞭然です。

この牢獄は、みる影もなく歴史的建造物のミニチュアとして美術館におかれているだけです。

かわりにポッカリとあいた広場のみが、そこには残されたという訳です。

その後破壊された建物や溝のところで、民衆の舞踏会が開催されたという。当時はこの跡地に特別の関心をもつことはなかったようです。

時間がながれ、皇帝となったナポレオンは何をおもったか、ここにひとつのモニュメントをつくることを計画した。

１８０4年ナポレオンは、都市の整備をした結果、この地の城壁が無くなり、空地空間を利用して、オーストリア・プロイセン連合軍を破った〈アウステルリッツの戦い〉の戦勝記念のために〈凱旋門〉をつくることを計画。しかし、この空間にはマッチしないので、取り止めとなった。それが現在シャンゼリゼ大通りにあるもの。その代わりに急に浮上してきたのは、当時開通した通水機構を利用して、巨大な噴水を設置する計画であった。

ナポレオン自身、〈象はすごく美しいと思う〉と語ったという。〈オリエント趣味〉のこのプロジェクトは、象の鼻が噴水を出すというもの。デザインが奇抜です。なんと象の形をした彫像をおき、それを基盤にして塔を立てるというもの。金50万フランを投入しての大プロジェクトとなった。大理石の台座。そして象は、ブロンズで制作される予定であった。

しかし皮肉にもナポレオンが失脚し、計画は途中で挫折となった。この後の象の末路はとても残酷であった。

その間、この4本足の像は、外に放置されていたので破損し、大きな鼻や耳からネズミなどが入り込み、この巨大な建築物を住家としはじめていた。

最後にフランスは〈栄光の3日間〉とよばれる戦いの勝利と血をながした勇者の追悼の目的で、塔をたてることを決定した。土台には、死者の遺骨をおさめる納骨堂をおき、角々には鶏の姿がとりつけられ、西のほうには青銅製のライオンが刻まれた。柱身の地上52メートルの高さには、〈ジェニー〉という〈自由の精〉が、鉄の鎖を砕き、光を下にまき散らしながら翼をみせた。総重量は179トン、階段は140段、費用は130万3000フランにも達した。

さて現在のバスティーユには、もう1つ巨大な建造物が立っている。それが〈バスティーユ・オペラ座〉です。

新オペラ座は、オペラ専門の音楽堂となり、いまや世界中から注目を浴びている。

ミッテラン政権は、「グラン・プロジェ」とよばれる都市改造計画を構想し、フランス文化が世界の中心であることを実証しようと壮大な計画をおしすすめた。

この劇場は、とても巨大なサイズをもっています。世界有数のオペラ座になっています。実際にこの場所で、オペラを味わってみて、とても感動した。

上演オペラは、プッチーニ作「マノン・レスコー」。開演が、19時。終了が21時過ぎ。二幕ものこのオペラは、舞台がパリから始まり、最後にはアメリカのニューオーリンズへと移っていった。指揮者はチョン・ミュン・フム。オーケストラはバスティーユ・オペラ座管弦楽団。

私にとってヨーロッパでの旅行の楽しみは、もちろん美術館めぐりにあるが、もうひとつの楽しみは、音楽を生で聞くことです。

夜は、もっぱら音楽会の一情報をあつめることになります。

１９９０年の旅行では、ロンドンで、「ミス・サイゴン」のミュージカルがロングランされており、見たくて見たくてジタバタしていたが体調不良のため断念した。パリでは無理をしてでも〈オペラを見るぞ〉と言い聞かせていた。

ここからは余談になるが、昼の内にタクシーを飛ばし、この新オペラ座界隈を散歩した。一軒の本屋に入った。そこで一枚のポスターを買ったことを話しておきたい。

どこにでもある本屋であった。目に飛び込んできたのは、一枚のポスター。私の目は、文字通り釘づけになった。それは、詩人アルチュール・ランボーの肖像写真を路上などに展示するやり方で作品発表をしていた美術家エルネストのものであった。

エルネストは、詩人ランボーの肖像画をドローイングとしておこし、それを写真などにコピーしてパリの壁などに貼っていくという行為を反復して行っていた。

また１８７１年の「パリ・コンミューン」で虐殺された民衆の姿をこれまた写真複製して、路上などにインスタレーションしている社会派の美術家であった。

わたしがこの美術家に関心を抱くのは、路上や壁などの日常的空間に、あるひとつの意味をもった写真を置くことにより、そこから見る者と新しい関係を結び、これまでとはちがった意識を発生させることにある。さらに野外の壁や路上を展示空間とするという〈方法〉もつくり出すことで、美術をより社会的なものと交差（クロスシング）させることにあるからだ。

２００年以上の時空をこえてランボーが、パリの路上に立っている。20歳まえに詩のすべてを捨てたこの早熟な詩人は、そこに現存するのだ。日本ではランボーに関心を抱く人が少なくなった。でもフランス人には今でも特別な存在のようだ。

早速、エルネストの作品ポスターを買った。なんといったか忘れたが、片言のフランス語を話したように記憶している。店の女性は、それを紙につつみさらにランボーの写真のハガキをリボンに縛ってくれた。私がランボー偏愛者である一東洋人であることを知っての心づかいか？　なんとも嬉しくなった。

ところで、次はチケットの購入である。一階の当日売りのコーナーにいく。脇には、当日券待ちのグループが集団をつくっていた。売場の女性はコンピューターの画面で、空席を教えてくれた。あまり空席はない。目は一階の席で止まる。幾らか聞いた。商談は成立した。決して安くは無いが、とても良い席であった。一晩だけパリの人たちに紛れて、オペラファンのふりをしつつ至福の時間をたんのうできたのであるから、安いものである。

さて、物めずらしげにあたりを見ると、ロビーの奥には、彫刻がおかれていた。ジャン・ティンゲリーの彫刻とニキ・ド・サンファルとの合作彫刻。廃物を利用するジャンク・アートの大御所と彩色彫刻でとても健康的な色彩感覚をみせるニキとのジョイント。オペラ座のロビー空間に現代的作品をおく。この辺がフランス人らしい感覚である。

またフランスの現代美術家としては、異彩を放ったイブ・クラインの「サモトラケのニケ」が廊下中央部分の上に設置されていた。こんな所に大好きなクラインがあるとは、と感涙の極みであった。

全体として白いトーンの建物に、彼のいのちである〈聖なる青〉は、印象的であった。青は、神秘的な美（オーラ）を発していた。

最後に少し「マノン・レスコー」の舞台構成について紹介をしておこう。

なにより感動したのは、斬新な舞台セットと衣装だった。特にこの舞台構成は、目を奪うものであった。装置を天井から吊し、さらにサイドのかきわりには、鏡がはめこめられ空の青い色を映しており、仮設のセットではあるが、とても現代的な感覚がにじみでていた。目まいする程に衣装も美しかった。衣装デザインがこんなにもオペラに「いのちの泉」を注ぐとは……。それに改めて感動した。夢のごとき時間をすごした。

とうぜんにもこの夜は興奮のあまり全く眠ることはできなかった。

〈創造の神秘〉の声へ――あとがきにかえて

〈まえがき〉のところで、「知の総合力」が必要であるとのべていたが、この旅行記を書きあげてみて、この言葉の重みを再び実感している。

ここでもうひとつつけ加えるとすれば、美は心を広げる魔力をもっていると。魔力というと摩訶不思議なパワーをイメージするかもしれない。それとはかなり異なるもの。

いうなれば、私がここでいいたいのは、美が宿った作品が放つアウラ（光）のことだ。これまでいろいろと〈美の館〉を訪ね歩いているが、時として予想もしないところで、燦然と輝くオーラ体と出会うことがある。美しい作品はこの私に向かって、「ようやく来てくれたね、来るのを長く待っていたよ」と声をかけてくれる。時空を超えての出会い。この声を聞いた時、もう旅のしんどい疲れなどすぐに忘れてしまう。それほどまでに、美とは不思議なもの。単なる眼の歓喜をこえて、「生きる悦び」に深くかかわってくる。

ではどうしてアウラが発せられるのであろうか。少し記してきたい。たとえば、元をたどれば多くの絵画作品は、木、壁、漆喰、紙、キャンバスなどに描かれているだけ。つまり単なる素材、物体に過ぎないのだ。それがいつしか、不滅の美をいれる「器」に変貌していく。考えてみれば、これ自身が不思議なことである。でも間違いなく何の変哲もないぶっきらぼうな素材や物体に、霊的な美という天使が降り立ってくる。これを〈創造の神秘〉というのだろう。

作品に宿ったその〈創造の神秘〉が、きっと私たちに声をかけてくれるのであろう。

でも忘れはならない、その〈創造の神秘〉を生み出そうとするのは、小石に等しい一個の人間であることを。小石に等しい人間は、ある時は、歓喜し、色と形に美を託する。またある時は、絶望の極みで苦悩しながら。そして絶望や苦悩は、無情にも優れた創造者を自殺にまで追いやることもあるのだ。また〈創造の神秘〉

が宿った美は、時として憂鬱性の闇を払いのけ、生きる歓びへと導くことがあるのだ。

そんなアーティストの生涯、生き方などにももう少し興味を抱くべきではないだろうか。日本では、この辺のことがとても弱いと感じている。もっと作品論だけでなく深い叡智に根ざした人間論があってもいいはずだ。もっと小石に等しい人間の心にも関心を抱くべきであろう。

この〈美の旅〉でも、いくつかのところで、〈創造の神秘〉の声を聞いた。

ミケランジェロの「最後の審判」で、ダ・ヴィンチの「最後の晩餐」で、マンテーニャの「死せるキリスト」で、ニコラ・フロマンの「燃える柴の祭壇画」で、マティスのロゼール礼拝堂の空間で、シャガールの「聖書メッセージ美術館」で、ニコラ・ド・スタールの遺作のまえで、モネの「睡蓮の間」などで感じた。

まだまだあるが、この辺にする。

これを読んでくれた方が、貴方なりに、〈創造の神秘〉を感じてくれればいいのだが……。そしてこの本が媒体となって、ぜひとも新しい出会いしてくれることを特に願いたい。

この旅行記に関していえば、「イタリアへの誘い」の方は、１９９４年3月に行った旅の記録を原資料にしている。また「南仏・プロヴァンス美術紀行」、「パリ―〈美の館〉」の方は、１９９5年の冬の旅がベースになっている。そのため幾つかの点で現状にそぐわないところがあったので、書き直しを行い、可能な限り新しい解説を加えてある。

Mikrokosmos I

柴橋 伴夫（しばはし・ともお）

1947年岩内生まれ。札幌在住。詩人・美術評論家。北海道美術ペンクラブ同人、荒井記念美術館理事、美術批評誌「美術ペン」編集人、文化塾サッポロ・アートラボ代表。[北の聲アート賞]選考委員・事務局長。主たる著作として詩集『冬の透視図』（NU工房）/『狼火　北海道新鋭詩人作品集』（共著　北海道編集センター）/美術論集『ピエールの沈黙』（白馬書房）/『北海道の現代芸術』（共著　札幌学院大学公開講座）/美術論集『風の彫刻』・評伝『風の王——砂澤ビッキの世界』・評伝『青のフーガ　難波田龍起』・美術論集『北のコンチェルトI　II』・シリーズ小画集『北のアーティスト ドキュメント』（以上　響文社）/旅行記『イタリア、プロヴァンスへの旅』（北海道出版企画センター）/評伝『聖なるルネサンス　安田侃』・評伝『夢見る少年イサム・ノグチ』・評伝『海のアリア　中野北溟』・シリーズ小画集『北の聲』監修・『迷宮の人砂澤ビッキ』（以上　共同文化社）/評伝『太陽を掴んだ男　岡本太郎』・『雑文の巨人《マエストロ》　草森紳一』・美術評論集成『アウラの方へ』（以上　未知谷）/『生の岸辺　伊福部昭の風景』・『前衛のランナー　勅使河原蒼風と勅使河原宏』・詩の葉『荒野へ』・『ミクロコスモスI—美のオディッセイ』（以上　藤田印刷エクセレントブックス）/佐藤庫之介書論集『書の宙（そら）へ』（中西出版）編集委員。

ミクロコスモスII——「美の散歩道《プロムナード》1」

2023年2月14日　第1刷発行

著　者　柴橋 伴夫　SHIBAHASHI Tomoo

発行人　藤田 卓也　Fujita Takuya

発行所　藤田印刷エクセレントブックス

〒085-0042　北海道釧路市若草町3－1

TEL 0154-22-4165　FAX 0154-22-2546

装　丁　NU工房

ロゴデザイン　市川 義一

印　刷　藤田印刷株式会社

製　本　石田製本株式会社

ISBN 978-4-86538-149-8 C0070